Deutsche Literatur und Französische Revolution

Sieben Studien

von

Richard Brinkmann, Claude David, Gonthier-Louis Fink,
Gerhard Kaiser, Walter Müller-Seidel, Lawrence Ryan,
Kurt Wölfel

VANDENHOECK & RUPRECHT IN GÖTTINGEN

Kleine Vandenhoeck-Reihe 1395

Printed in Germany.
Gesamtherstellung: Hubert & Co., Göttingen.

ISBN 3-525-33358-7.

INHALT

Gonthier-Louis Fink

WIELAND UND DIE FRANZÖSISCHE REVOLUTION *

I.

Trotz mancher Rettungsversuche ist Wieland nach wie vor zu Unrecht vergessen, und das obwohl seine Bedeutung noch am Ende des 18. Jahrhunderts allgemein anerkannt war – als Dichter und Erzähler, als Romancier und Übersetzer und nicht zuletzt als Journalist und Herausgeber des „Teutschen Merkur", der den geistigen Horizont der damaligen Elite ziemlich getreu widerspiegelt. Zwar standen in dieser Zeitschrift Literatur und Philosophie im Vordergrund, aber die Gesellschaft und ihre Probleme wurden schon deshalb nicht übergangen, weil Wielands Individualismus stets gemäßigt war. Will man den Menschen richtig verstehen, so muß man ihn Wielands Meinung nach vor dem Hintergrund der sozialen und selbst der politischen Verhältnisse seiner Zeit sehen. Wieland war einer der ersten Schriftsteller, der die menschliche Psyche zu ergründen versuchte, aber er war ebenso als einer der ersten bestrebt, den politischen Problemen einen gebührenden Platz einzuräumen. Unter den zeitgenössischen Schriftstellern haben nur wenige die Französische Revolution so genau verfolgt wie er, noch weniger haben ihr so viele Seiten gewidmet.

Seine Informationen erhielt er aus erster Hand. Er las mehrere französische Zeitungen, so den „Moniteur" und das „Journal de Paris", die beide die Debatten der Nationalversammlung abdruckten; zuweilen entnahm er einiges der girondistisch gerichteten „Chronique du Mois", und er kannte die königstreuen „Actes des Apôtres" so gut wie das konservative „Journal politique et national" von Rivarol, das er des öfteren zitiert. Gleichzeitig nahm er eifrig an der Polemik teil, die die französischen Ereignisse in der deutschen Presse begleitete [1]. In dem Bewußtsein, auf geistigem wie auf politischem Gebiet als Autorität anerkannt zu sein, teilte er ziemlich überlegen Lob und Tadel aus. Da er selbst in fürstlichen Kreisen und an manchen Höfen ein gewisses Ge-

* Eine kürzere französische Fassung wurde 1973 in: Hommage à Robert Minder, Revue d'Allemagne V, 3 veröffentlicht.

wicht hatte, wurde er immer wieder von verschiedenen Seiten angegriffen oder gelobt oder um seine Meinung gefragt. Schon daraus erhellt, daß, wenn es darum geht, das Echo zu erfassen, das die Französische Revolution am Ende des 18. Jahrhunderts in Deutschland gefunden hat, Wieland eine der wichtigsten Gestalten ist. In gewisser Beziehung galt er auch noch am Ende des 18. Jahrhunderts als Wortführer der geistigen Elite Deutschlands. Heißt dies, daß er, der wie kein anderer jedem Enthusiasmus mißtraute, mit dem aufgeklärten Bürgertum voller Begeisterung die Französische Revolution begrüßte, um sich dann wenig später voll Abscheu wieder von ihr abzuwenden? Verstand er es, mit der Zeit Schritt zu halten, oder begnügte er sich damit, nachdem er 1793 sechzig Jahre alt geworden war, Menschen und Begebenheiten nach altvertrauten Ideen zu beurteilen? Das ist nur zu beantworten, wenn man nicht bloß seine Urteile, sondern auch seine Urteilskriterien untersucht, um so die politischen Ideen zu erfassen, die seiner Haltung und seinen verschiedenen Stellungnahmen zur Französischen Revolution zugrunde liegen.

Wieland selbst sah sich als wohlunterrichteten und unparteiischen Zeugen der zeitgenössischen Begebenheiten. Er wollte über den Parteien stehen. Dies hieß seiner Meinung nach vor allem, gegen die Extremisten sowohl des einen wie des anderen Lagers anzugehen, all die zu bekämpfen oder zu belehren, die nur eine Seite der Dinge sehen wollten. So nahm er ziemlich deutlich gegen die Emigranten Stellung. Wenn sie Aristokraten im wahren Sinne des Wortes, das heißt „die besten, die aufgeklärtesten, rechtschaffensten, tugendhaftesten, verdienstvollsten Männer der Nation“ (158) wären [2], dann hätte Frankreich den Aderlaß, den ihre Emigration bedeuten mußte, wahrscheinlich nicht überstanden. Angeblich widerstrebte es Wieland, die Emigranten nach dem zu beurteilen, was man über sie sagte oder ihnen nachsagte, aber die Gerüchte schienen ihm zu einstimmig, um nicht doch mehr oder weniger wahr zu sein. Wenn man in all den kleinen Residenzstädten, in denen sie sich aufhielten oder aufgehalten hatten – in Durlach, Speyer und Worms, Koblenz oder Trier – ihre Gastgeber befragt, dann wundere man sich höchstens, daß Frankreich sie zurückrief, anstatt ein „allgemeines Nationaldank- und Freudenfest wegen ihrer freiwilligen Auswanderung“ anzuordnen (158) [3]. Ähnlich verurteilte Wieland sowohl die Hofintrigen als auch die royalistischen Ideen des Abbé Maury oder von Mallet du Pan; zuweilen griff er sogar Burke an (84); denn das ewige Jammern und die Parteilichkeit der Konservativen gingen ihm gewaltig auf die

Nerven. Ebenso bekämpfte er die aufrührerischen Pamphlete, mit denen sie das Land überschwemmten, um im Volk Unruhe zu stiften (76); und er deckte die Intrigen der Konterrevolutionäre auf, die zum Aufruhr aufriefen, ganz gleich, ob dies Bürgerkrieg bedeuten würde oder nicht.

Mit derselben Schärfe griff Wieland diejenigen an, die dieser konterrevolutionären Propaganda in Deutschland Vorschub leisteten. Als das „Journal von und für Deutschland" 1791 erklärte, Freiheit und Gleichheit seien der „Talisman der Schurken"[4], wies Wieland eine so skandalös aristokratische Auffassung heftig zurück. Gleichzeitig bedauerte er, daß sich auch in den deutschen Zeitungen und Zeitschriften die Parteilichkeit mehr und mehr breit mache und dazu führe, daß die Berichterstatter die Tatsachen entstellen[5]. Als dann 1793 die um sich greifende Parteilichkeit das geistige Klima verpestete (300), klagte er voll Unruhe, daß sich alles gegen „die Freiheit der Vernunft und des Bewußtseins" verschworen habe, und beklagte, daß unter dieser allgemeinen Verachtung sowohl die Wissenschaft als auch die Gelehrten und die Schriftsteller zu leiden hätten. Im gleichen Sinne lehnte er sich gegen die reaktionären Maßnahmen auf, durch die manche deutsche Regierung die Presse zu zügeln und zu unterdrücken suchte, und das in einem Augenblick, in dem nichts in der Haltung der Bevölkerung solche Maßnahmen rechtfertigte. In seinen Augen war eine freie Presse ein Bollwerk gegen die Barbarei. Deshalb befürwortete er vollständige Information und trat dafür ein, die Aufklärung in allen Schichten der Bevölkerung zu verbreiten (332).

Diese Stellungnahmen, die Wielands politische Schriften durchziehen, dürfen uns jedoch nicht glauben machen, daß er 1789 und 1790 für diejenigen gewesen wäre, die man damals Demokraten nannte. Er betrachtete sie im Gegenteil als Demagogen und warf ihnen vor, gefährliche und umstürzlerische Ideen im Volk zu verbreiten. Noch heftiger wurde er, wenn er von den Jakobinern oder den Sansculotten sprach (342 ff.). Ihre Anführer – Robespierre, Danton, Cloots und Marat – bezichtigte er nicht ohne Zorn, niemals etwas anderes angestrebt zu haben, als die Throne zu stürzen; ihre politischen Ideen seien für sie nur ein Mittel, ihre persönlichen Ambitionen zu verwirklichen (205 ff.).

Wieland verteilte seine Kritik aber gleichmäßig auf beide Seiten, was zur Genüge beweist, daß ihm jeglicher Parteigeist zuwider war. Beweist es aber auch, daß er unparteiisch und daß er der „kaltblütige" und nüchterne Beobachter war, der zu sein er vorgab und zuweilen auch zu

sein glaubte? Zwar war er im Gegensatz zu Klopstock selten dithyrambisch, denn dem Enthusiasmus mißtraute er stets. Dies hinderte ihn aber nicht, die Französische Revolution zunächst freundlich, wenn nicht begeistert zu begrüßen. Walther, einer seiner zahlreichen Dialogpartner ist überzeugt, daß das französische Volk das despotische Joch, das es ins Verderben geführt habe (24), mit Recht abgeschüttelt habe; er wirft dem König sogar vor, „etwas verworrene, schwankende und übertriebene Meinungen von den Grenzen der ihm rechtmäßig gebührenden Autorität gehabt" zu haben (25), und erinnert daran, daß „die Nation . . . nicht um ihres Königs, sondern der König um der Nation willen in der Welt" sei (26). Alles Übel komme daher, daß Frankreich keine geschriebene Verfassung gehabt habe; dieser Mangel hätte „die Mißbräuche der höchsten Gewalt" erlaubt und den Despotismus gezeitigt (30). Nur eine neue Verfassung könne die französische Nation noch retten. In dieser Hinsicht setzt er volles Vertrauen in die „Weisheit, Mäßigung, Behutsamkeit, Delikatesse und Gegenwart des Geistes" der Deputierten, welche die neue Verfassung ausarbeiten sollen (14). Dem Adel hingegen wirft er vor, nur die eigenen Interessen im Auge zu haben und in seiner Mehrheit die absolute Monarchie zu unterstützen, weil diese ihm viele Vorteile gebracht habe (30).
In anderen Artikeln nimmt Wieland selbst Gedanken auf, die Walther vorgetragen hat, und läßt dabei die gleiche Bewunderung und Begeisterung für die Französische Revolution durchblicken. So begrüßt er jubelnd das Dekret vom 13. Februar 1790, das die „Mönchsorden und Klostergelübde" abschafft (60), und sieht darin einen Sieg der Vernunft über Vorurteile und Wahnideen. Damit erweise sich Frankreich als „die kultivierteste Nation von Europa" (61). Darüber hinaus ist er überzeugt, daß diese Maßnahme Frankreich manche politischen und wirtschaftlichen Vorteile bringen werde, besonders auf dem Gebiet der Landwirtschaft und der Erziehung, Grundpfeiler der ehemaligen Klosterorden. So werde die Verdrängung des Mönchsgeistes bald eine außerordentliche geistige Erneuerung bewirken. Aus all diesen Gründen zeugt dieses Dekret in Wielands Augen von der Weisheit der Nationalversammlung, so daß er im voraus sicher ist, daß sie dem Lande „die vernunftmäßigste Konstitution" geben wird, ein „Meisterwerk" (61), das, allein auf die Menschenrechte und das wahre Nationalinteresse gegründet, die Zeiten überdauern werde.
Vor allem in der ersten Phase der Revolution, die auch von Wieland als solche betrachtet wurde, begegnen wir dergleichen positiven Urtei-

len. Sie beschränken sich aber nicht auf diese Zeit. So bewundert er auch noch den patriotischen Aufschwung, die „Fülle von Kraft", die „Einmütigkeit", die „wetteifernde Entschlossenheit zu den größten Aufopferungen", den „Enthusiasmus für Vaterland und Freiheit" (280), die dem 10. August 1792 folgten. Selbst als die Republik ausgerufen wurde, begrüßte er diese „neue Revolution" (295), weil sie nicht, wie zu befürchten war, zur Anarchie geführt, sondern eine unglaubliche Wiedergeburt bewirkt hatte. „Die Nation stand auf einmal wie ein einzelner Mann auf, um für ihre neuerwählten Göttinnen, Freiheit und Gleichheit, zum Sieg oder in den Tod zu gehen" (295). Der neue republikanische Geist habe den Franzosen nicht nur erlaubt, Herr über die äußeren Feinde zu werden, die an den Grenzen gelauert hatten, sondern auch die alles bedrohenden inneren Spaltungen zu überwinden.

Es wäre jedoch verfehlt, aus diesen Äußerungen gleich zu schließen, daß Wieland bis 1793 der Französischen Revolution freundlich gesonnen blieb. Schon im Herbst 1789 läßt er in dem ersten Artikel, den er der Revolution widmet, durch Adelstan, Walthers Gesprächspartner, den Deputierten vorwerfen, sich als Vertreter des ganzen Volkes betrachtet und die Nationalversammlung ausgerufen zu haben. Indem sie die Befugnisse überschritten hätten, die ihnen der König in seinen vor der Nationalversammlung gehaltenen Reden vom 5. Mai und 23. Juni gegeben hatte, hätten sie die königliche Autorität lächerlich gemacht. Für Adelstan ist diese erste Revolte der Anfang alles Übels. Denn dieses unbestraft gebliebene Überschreiten der gewährten Rechte könne zum gefährlichen Präzedenzfall werden; das schon aufgehetzte Volk, dem die Nationalversammlung Freiheit, Gleichheit und andere chimärische Rechte versprochen habe, hätte selbstverständlich sofort versucht, die Lage auszunutzen. Indem die Nationalversammlung die Autorität des Königs untergraben habe, habe sie dem Volk Waffen gegen jede Macht und Ordnung in die Hand gegeben; darum sei sie auch an den Unruhen, an den kannibalischen Szenen schuld, die sich seither in Paris abgespielt haben. Schon im September 1789 spricht Adelstan von dem „verhaßten Ausbruch der Volkswut" (32), der den 14. Juli begleitet habe, und nicht ohne Verbitterung fragt sich Wieland selbst, ob die Nachtsitzung vom 4. August ein gutes Mittel gewesen sei, um Frankreich wieder aufzuhelfen (36). Sogar die auch in Deutschland eher freundlich begrüßte „Erklärung der Menschen- und Bürgerrechte" schätzt er wenig, ja, er spricht von der „berüchtigten Deklaration" (244). Schließlich sieht er in der Revolution nicht so sehr den Sieg der Vernunft, sondern den Sieg

des Pöbels über die Elite, der rohen Kraft über den Geist (166). Gleichzeitig prangert Adelstan die übertriebene Neuerungssucht der Nationalversammlung an. Anstatt eine Sanierung der Finanzen in die Wege zu leiten – was ja ihre erste, wenn nicht einzige Aufgabe hätte sein sollen –, ziele sie darauf ab, die bestfundierten Abmachungen zu ändern. Und nachdem sie die Autorität des Königs lächerlich gemacht habe, wolle sie ihn zum Statisten herabwürdigen und die Souveränität des Volkes verherrlichen. Dies war für Wieland ein besonderer Stein des Anstoßes. Wie soll der König sein Volk, das heißt „einen Souverän", regieren, „der fünfundzwanzig Millionen Mäuler zum Verschlingen und fünfzig Millionen Arme zum Greifen und Zerschlagen hat, von denen wenigstens der fünfte Teil alle Augenblicke bereit ist, seine Souveränität mit Fäusten und Fersen, Knitteln, Flintenkolben und Laternenhaken zu behaupten?" (166).
Gewiß sind dies vor allem Argumente der aristokratischen Partei, was Wieland durch den Namen „Adelstan" noch unterstreicht. Aber wenig später nimmt er in dem offenen Brief, den er als Eleutherius Philoceltes, das heißt als freimütiger franzosenfreundlicher Kosmopolit, an die Nationalversammlung richtet, die meisten Argumente Adelstans auf. Besonders wirft er darin der Nationalversammlung vor, ein großes Trauerspiel „auf Unkosten (der) Nation zum Besten zu geben" (35). Und er stellt „die große Frage aller Fragen: Worauf gründet sich das Recht der Franzosen, im Jahre 1789 ihre alte Konstitution von Grund aus umzustürzen und eine ganz neue zu errichten?" Er befürchtet vor allem, daß diese grundlegende Änderung als „allgemeines Naturrecht" aufgefaßt werden und so das Zeichen für endlose Neuerungen sein könnte, die schließlich nicht nur Frankreich betreffen würden. „Folgt daraus nicht unmittelbar, daß jede große und kleine Nation auf dem Erdboden ohne Ausnahme, zu allen Zeiten, sobald sie es für gut befindet, befugt ist, dasselbe in Ausübung zu bringen?" (37). Das hieße aber nichts anderes, als von der veränderlichen Laune des Volkes abzuhängen, was Wieland noch schlimmer erscheint, als von der eines Fürsten abzuhängen, weil ein einzelner seiner Meinung nach nie so launisch sein kann wie eine Menge, wie das Volk. Den 6. Oktober betrachtete er als Trauertag, weil dieser Tag den Sieg des Pariser Pöbels bedeute (87), der allzu oft gezeigt habe, zu welchen Grausamkeiten er fähig sei, als daß man ihm weiterhin Vertrauen schenken könne. Sowohl am 6. Oktober 1789 als am 20. Juni und am 10. August 1792 (289), d. h. jedesmal wenn das Volk in Aktion trat, sah Wieland rot. Auf die Abschaffung der

Ehrenprivilegien reagierte er nicht weniger negativ (93) und sprach von „dem schrecklichen Dekret vom 19. Junius“ [1790]. Nachdem er schon die Abgeordneten der Nationalversammlung häufig angegriffen hatte, kritisierte er nun mit gleicher Schärfe die des Konvents, „diese Desorganisierer aller bürgerlichen Ordnung“. Seiner Meinung nach wollten sie „das Feuer des Aufruhrs und der Zwietracht mit ihren allem Menschenverstande Hohn sprechenden sanskulottischen Maximen“ exportieren (324).

Aus diesen verschiedenartigen und zuweilen widersprüchlichen Urteilen geht hervor, daß Wieland nicht die öffentliche Meinung in Deutschland repräsentierte. Hatte er doch sogar im Jahr 1789 nicht gezögert, auf die negativen Aspekte der Revolution hinzuweisen, so daß einige liberale Geister wie der Schwabe Schubart[6] und der Kieler Jurist Eggers[7] ihm vorwarfen, in das Lager der Reaktion übergegangen zu sein oder sich sogar für „aristokratische Grundsätze“ einzusetzen (309). Wie wir gesehen haben, war Wieland dabei jedoch keineswegs ein Gegner der Revolution, aber während sich ein großer Teil der bürgerlichen Elite in Deutschland für die Prinzipien von 1789 begeisterte, wollte er die französischen Ereignisse, „eine Sache . . ., die von so vielen Seiten angesehen werden kann“ (147), wenigstens unter einem doppelten Gesichtspunkt betrachten, um sowohl das, was ihm positiv, als auch das, was ihm negativ zu sein schien, hervorzuheben.

Die literarische Gattung, die Wielands Art am besten entsprach, war zweifelsohne der Dialog, den er in den zahlreichen Schriften, die er zwischen 1789 und 1799 der Revolution gewidmet hat, mehrfach benutzte. Von einigen Nuancen und den verschiedenen Masken abgesehen sind es immer die gleichen Antagonisten, die einander gegenübertreten. Ihre Rolle besteht weniger darin, selbst Prinzipien zu vertreten, als unter einem gegebenen Gesichtspunkt die Männer, die Begebenheiten und die Ideen der Französischen Revolution kritisch zu beleuchten. So antwortet Walther, der Wortführer des liberalen Standpunkts, Adelstan, der sich für die monarchischen Ideen einsetzt; Jupiter, der Realist, der „einfache Beobachter“ (IX, 109), der die Dinge aus der Vogelperspektive sehen will, aber bereit ist zuzugeben, daß die Institutionen zuweilen geändert werden müssen, um dem Zeitgeist Rechnung zu tragen, hält Juno, der Beschützerin der Monarchen, und ihren Freundinnen, die mehr oder weniger konservativ eingestellt sind, gelassen stand[8]. Außer Ludwig XIV. distanzieren sich selbst die Könige, die in den „Göttergesprächen" auftreten, von jedem Despotismus oder Absolutismus; sie bleiben zwar Anhänger des monarchischen Prinzips, vertreten aber zuweilen erstaunlich moderne Ideen über die Funktion und die Verantwortlichkeit des Herrschers. In den „Gesprächen unter vier Augen", die Wieland zwichen 1798 und 1799 veröffentlichte, bringen die Rationalisten, ob sie nun Sinibald, Heribert, Gismund, Frankgall oder Raymund heißen, zwar nötigenfalls auch republikanische oder selbst demokratische Ansichten vor, doch handelt es sich dabei eher um Gegenargumente als um ernsthaft vertretene Auffassungen; denn im Grunde stehen sie den Girondisten oder den Feuillants immer noch näher als den Jakobinern. Ihnen gegenüber vertreten die Geron, Willibald, Ottobert, Holger usw. mehr oder weniger die gleichen Ansichten wie Adelstan. Die Antagonisten verstehen es stets, einen urbanen Ton zu wahren, und zeigen sich sogar fast versöhnlich. In den letzten dieser Gespräche geht Wieland bezeichnenderweise weit weniger als zuvor auf die politischen Tagesprobleme ein, obwohl er die politischen Ereignisse auch nach 1794, d. h. nach seiner letzten öffentlichen Stellungnahme zur Französischen Revolution, verfolgt hat. Im Rückblick verloren die in der Nahsicht so beängstigenden Begebenheiten jedoch ihre Dringlichkeit, während die politischen Probleme wie auch Wielands Prinzipien nahezu die gleichen geblieben waren. Gelegentllich öffnet sich in den Gesprächen aber eine neue Perspektive in bezug auf Deutschlands und Frankreichs politische Zukunft.

Überzeugte Demokraten, Jakobiner oder gar Sansculotten läßt Wieland in diesen Dialogen nie zu Wort kommen, jedoch auch nie Konterrevolutionäre. Und wenn er ausnahmsweise einen Vertreter des aristokratischen Traditionalismus auftreten läßt – etwa im Dialog zwischen den beiden Seelen von Montmorency, diesem Nachfahren einer der ältesten Familien Frankreichs, der am 19. Juni 1790 die Abschaffung der Adelsprivilegien beantragt hatte –, dann distanziert er sich von ihm, indem er ihn als „unvernünftig" bezeichnet und ihm den „vernünftigen" Wortführer der Neuerer gegenüberstellt (95).

Trotz derartiger Urteile wäre es nicht zulässig, Wieland mit einer seiner Gestalten zu identifizieren[9]. Adelstan ist ebensowenig sein Sprachrohr wie Walther oder der vernünftige Montmorency, auch wenn er, wie wir es gesehen haben, zuweilen einige ihrer Ideen in eigenem Namen vorträgt. Aber die Diskrepanz zwischen den verschiedenen Gesprächspartnern ist weniger groß, als es zuerst scheinen mag. Es wird noch deutlich werden, daß sie sich über mehr als einen Punkt einig sind.

Je nach den Umständen oder den Partnern läßt Wieland sich entweder dazu hinreißen, Walthers rationalistischen Optimismus zu teilen, oder sich im Gegenteil von Adelstans Pessimismus anstecken, um mit ihm den Untergang der Monarchie zu beklagen. Gleichzeitig versucht er jedoch, sich in der idealen Haltung des Kosmopoliten zu behaupten [10], der, gleich weit entfernt von beiden Lagern oder genauer gesagt: über beiden stehend, alles von der Warte des Olymps aus sieht, wie Jupiter, der als Gott der antiken Welt darüber hinaus noch den Vorteil hat, von den Ereignissen nicht mehr betroffen zu werden und sie darum mit olympischer Ruhe und wohlwollender Neutralität verfolgen kann. Dennoch lag Wieland im Grunde wenig daran, die Antagonisten zu einer mittleren Position hinzuführen. Ihre Dialoge zielen nicht auf eine Synthese ab. Manchmal hat der Konservative des letzte Wort, manchmal der Liberale. Es geht für Wieland weniger darum, eine Lösung aufzuzeigen, als vielmehr darum, das Problem unter verschiedenen Gesichtspunkten zu betrachten und dadurch den Leser zu zwingen, die Relativität der verschiedenen Thesen zu erkennen [11], damit dieser sich nicht fanatisch oder sektiererisch auf eine Auffassung versteift. Diese Haltung ist so sehr mit Wielands Natur verbunden, daß er selten ein Problem diskursiv vorträgt. Wenn er anscheinend einmal auf das Gespräch verzichtet, führt er es heimlich wieder ein, indem er auf die Einwände eingeht, die man ihm machen könnte, oder indem er sich an einen Dritten wendet. Er verfehlt kaum eine Gelegenheit, sich ein Gegenüber zu schaffen, um so einem Partner antworten zu können. Ob er im „Neuen Teutschen Merkur“ den Brief eines Unbekannten oder die Übersetzung eines französischen oder englischen Artikels brachte, jedesmal empfand er das Bedürfnis, ein Postskriptum hinzuzufügen, meistens um die ihm allzu parteiisch scheinende Ansicht seines Korrespondenten zu berichtigen. Und mehrfach stellt er dabei der aufgestellten These eine Antithese gegenüber, das heißt eine ebenso begrenzte Ansicht, um so seinen Korrespondenten oder wenigstens seinen Leser erkennen zu lassen, wie einseitig die vorgetragene Ansicht sei. Je nach seinen Partnern erscheint Wieland in diesen „Nachträgen“ als liberal oder als konservativ [12]. Damit wird deutlich, daß es sich dabei um verstümmelte Dialoge handelt, in denen man nur noch eine Stimme vernimmt, nämlich die Antwort auf die zuvor im Artikel selbst ebenso einseitig vorgetragene Meinung. Nie wirkt Wieland so tendenziös wie dort, wo er auf diese Weise einem parteiischen Korrespondenten antwortet, so daß man seine Stellungnahme auch hier wieder nicht für sich, sondern zusammen mit der seines Partners sehen sollte; nur so gelangte er über den Parteigeist hinaus, den er bekämpfen wollte. Will man also Wielands Ideen über die Französische Revolution nicht mißdeuten, so muß man jedesmal genau die Stelle vermerken, wo er dieses oder jenes äußert. Allzuoft vergißt man, daß dieser höfliche und geistreiche Causeur temperamentvoll war, und oft war er es mehr, als er selbst ahnte.

Wieland gab vor, nur die Wahrheit zu lieben, und um die „reine Wahrheit" um so sicherer zu erreichen (71), schien es ihm notwendig, von allen persönlichen Verhältnissen zu abstrahieren. Sein Kriterium war die Vernunft, denn sie allein ist seiner Meinung nach fähig, alle Wahnideen und alle Vorurteile zu vernichten. Sie allein erlaubt zu sehen, was richtig und was falsch ist, was von den tradierten Institutionen und Gesetzen beizubehalten ist und was im Gegenteil aufgegeben werden muß, damit das allgemeine Wohl nicht gefährdet wird (63). Der Vernunft kommt eine um so größere Bedeutung zu, als in unsicheren Zeiten die Leidenschaft den Menschen allzuleicht zu verblenden droht und ihn dazu verführt, Irrtümer für Wahrheiten zu halten oder falsche Schlüsse zu ziehen (43).
Soweit Wieland sich an die Vernunft als Kriterium hält, scheint er mit den Liberalen, die in der ersten Phase der Revolution führend waren, einverstanden zu sein. Als Aufklärer scheint er die gleichen Ideale zu verteidigen wie sie. Er wirft den plumpen und „unredlichen Moralisten" (82), die Mirabeau wegen seines liederlichen Lebenswandels angegriffen, sogar vor, Politik mit Moral, das heißt mit der Skandalchronik zu verwechseln. Nicht die Sittlichkeit soll den großen Politiker oder den großen Arzt ausmachen, sondern die Gewandheit. „Wenn ich eines Arztes bedürftig bin, so ist weder der frömmste und sittsamste noch der eleganteste, sondern der geschickteste – der, der mir helfen kann" (83). Deutlich spricht Wieland sich für eine Trennung von Privatleben und Öffentlichkeit aus, damit die triviale Wirklichkeit nicht die Prinzipien trübe oder verfälsche. Obgleich er pragmatisch eingestellt war, läßt er den Erfolg nicht als Kriterium gelten. Dieser soll nicht über das Wohl von Millionen Bürgern entscheiden, da er nicht vom Willen des Menschen, sondern vom Zufall abhängt (360). Weder die Leidenschaften noch unvorhersehbare Ereignisse sollen die politischen Auseinandersetzungen mitbestimmen. Den Revolutionären wirft Wieland vor, sich an abstrakten Ideen zu berauschen und die Wirklichkeit aus den Augen zu verlieren. Die Vernunft sei eben nicht für jedermann gut. Dabei ge-

schieht es, daß er sich auf Kriterien stützt, die eine mehr bürgerliche als aufgeklärte Haltung verraten; ohne sich desssen bewußt zu sein, hält er zuweilen selbst denjenigen, die sich auf die Vernunft berufen, die öffentliche Ordnung und die bürgerliche Ruhe als Maßstab entgegen (XXXIII, 317 u. 346). Schließlich war er sogar imstande zuzugeben, daß Vorurteile nützlich sein können, vorausgesetzt, daß sie „der Moralität beförderlich" sind und die Strebsamkeit begünstigen (108).

Obgleich Wieland wiederholt zu verstehen gibt, daß die Gegenwart notwendigerweise besser ist als die Vergangenheit – denn er glaubte an den Fortschritt (303) –, beruft er sich weit mehr auf die Geschichte als auf die Vernunft (38). Die Geschichte ist für ihn zuerst ein Reservoir allgemeiner Erfahrung und menschlicher Weisheit, der „Welt- und Menschenerkenntnis", das Erprobungsfeld dessen, was möglich ist und was verwirklicht werden kann. „Die Erfahrung . . . (ist) in Sachen dieser Art das zuverlässigste Orakel" (40). Selbst die allerbesten Prinzipien taugen nichts, solange die Geschichte sie nicht bestätigt hat. Was konnte dann eine Revolution wert sein, für die es in der ganzen Menschengeschichte noch kein Beispiel gab oder die ihr gar „widerspricht"? (36, 211).

Wieland begnügte sich nicht damit, der Geschichte das Wort zu reden. Er machte sich auch zum Apostel der Tradition: indem er erklärt, „eine alte Konstitution sei eben darum, weil sie alt ist, desto besser – als eine neue" (349), verteidigt er die gleichen Prinzipien wie die hannoverschen Traditionalisten [13]. Auch in seinen Augen zeugt das Alter einer Einrichtung dafür, daß sie dem Geist des Volkes, das sie angenommen hat, und dem Milieu, in dem sie überliefert worden ist, angemessen ist. Was bedeutete dann der Fortschritt, an den Wieland doch ebenfalls zu glauben vorgab? (303) Gewiß erkannte er verschiedentlich die Notwendigkeit einer Entwicklung (311) an, aber sie sollte langsam und fast unmerklich vor sich gehen (IX, 93). Und öfter noch widersetzt er sich dem Fortschritt, weil er bei jeder Änderung fürchtet, sie könne den Umsturz mit sich bringen [14]. Eine Revolution sei eine Art Kataklysmus oder „Erdbeben" (203), und man tue besser daran, sochen „Kalamitäten" aus dem Weg zu gehen.

Manchmal wirft Wieland auch einen Blick in die Zukunft. Dann spielt er die Rolle der Kassandra und verkündet unermüdlich den Sieg der Anarchie, um die umstürzlerischen Prinzipien, die notwendigerweise dahin führen müssen, in Verruf zu bringen. Bis 1792 klagte er „eine Kabale von Sophisten, Schwärmern und Taugenichtsen" an, das Land ins Unglück zu stürzen und zu ruinieren (188ff.); ab 1793 aber, als infolge des Krieges die Lage für Deutschland kritischer wurde und sich anscheinend nicht mehr durch die Gesetze der Vernunft oder der Kausalität erklären ließ, rief er „Germaniens guten Genius", eine höhere Macht (308) oder das „Schicksal" an (312).

Eggers hatte recht, als er seinerseits Wieland vorwarf, sich vom Gefühl leiten zu lassen und mehr mit dem Herzen als mit dem Kopf zu räsonieren (197). Aber der Herausgeber des „Teutschen Merkur" war so sehr von der Richtigkeit, ja der Unfehlbarkeit seiner Prinzipien und seiner Analysen überzeugt (350), daß er seine Gegener mit einem polemischen Eifer verfolgte, den man von diesem skeptischen Ironiker wohl nicht erwartet hätte. Ohne sich dessen ganz bewußt zu sein, verwechselte er, der sich stolz zum Verteidiger der Wahrheit und der Vernunft aufwarf, den olympischen Gleichmut des kosmopolitischen Standpunkts nicht selten mit dem apodiktischen Ton des unfehlbaren Richters. Aus seinem Munde kam Wahrheit, und wehe den Tauben, die dies verkannten. Darum zögerte er nicht, mit apodiktischer Strenge zu behaupten: „So soll und muß jedes Volk denken oder es denkt falsch" (35). Diejenigen, die andere Ideen vertraten, waren betört oder vom Wahn „besessen" (356). Und gelegentlich unterlag auch Wieland der Versuchung, der die Herren der Welt immer wieder verfallen, wenn ihnen widersprochen wird, und erklärte: „Dieser Mensch, wenngleich die Pariser finden, daß er infiniment d'esprit hat, gehört – ins Tollhaus" (55).

Manchmal jedoch scheint Wieland selbst gespürt zu haben,daß sein Urteil nicht sehr objektiv war. So spottet er über die eine oder andere seiner Gesprächsfiguren, die sich in ihren Reden soweit hatte vergessen können, ihre These mit übertiebener Hitze zu verteidigen. Trotzdem verlor er seinerseits öfter die Geduld und bezeichnete z. B. dem Republikaner Eggers gegenüber die Revolutionäre als „Schwärmer und Taugenichtse" (188), ohne ein so pauschales Urteil irgendwie zu begründen. Oft fehlt Wielands Methode der nötige Ernst oder ihm selbst die Fähigkeit, seine Gegner wirklich ernst zu nehmen. Gewiß versteht er es, Argument gegen Argument zu setzen, die Thesen seiner Gegner zu widerlegen, die Begebenheiten genau zu analysieren; ebenso oft aber urteilt er kategorisch (249, 265), gleichsam als könne man einem geistreichen Menschen nicht zumuten, mit einer „Horde" von Revolutionären ernsthaft zu diskutieren (359ff.), und als sei das Wichtigste, die Mehrheit der Wohldenkenden, das heißt „jeden echten deutschen

Patrioten, Volksfreund und Weltbürger" (310) auf seiner Seite zu haben. Ihrer Zustimmung scheint er im voraus sicher gewesen zu sein. Was den polemischen Ton seiner Gegner angeht, so war Wieland sehr feinhörig, und mehrfach beschwert er sich über den anklägerischen „Maratischen und Anarchis-Klootsischen Ton" (375) einiger deutscher Republikaner. Beiden Lagern empfahl er, jede Übertreibung zu meiden und sich nicht vom Parteigeist anstecken zu lassen (355). Er selbst jedoch war unfähig, die eigenen Prinzipien zu beachten; er war zu reizbar, um seine Reaktionen kontrollieren zu können.

II.

Aus dem bisher Gesagten geht schon hervor, daß Wielands politische Ansichten infolge seiner Art zu reagieren, seiner polemischen Ader und seiner Vorliebe für das dialogische Spiel in den zahlreichen Artikeln und Schriften über die Französische Revolution weit mehr divergieren als in seinen Romanen. Dennoch wird bei näherer Betrachtung deutlich, daß der Spielraum durchaus nicht so groß ist, wie es zunächst scheinen mag. Denn immer wieder beruhen seine Ausführungen auf dem Gedanken einer gemäßigten Monarchie oder sie münden darein. Darum billigte er den Liberalismus, den ein Mounier, ein Lafayette oder der gemäßigte Girondist Roland vertrat, während er sich von dem konsequenten Girondisten Condorcet erschrocken abwandte[15]. Obwohl es schwer ist, für einige Details seine Position genau auszumachen – im großen ganzen zeichnen sich einige Linien ziemlich deutlich ab, so daß man seine Haltung gegenüber der Monarchie, der Demokratie, der Verfassung sowie seine Reaktion auf das Echo, das die Französische Revolution in Deutschland gefunden hat, klar erkennen kann.
Zur Zeit der Französischen Revolution war Wielands politisches Denken auf die Monarchie hin ausgerichtet. Vom republikanischen Ideal, dem er noch in der Schweiz angehangen hatte[16], hatte er sich abgewandt, seitdem er in dem kleinen Stadtstaat Biberach die negativen Seiten dieses Ideals tagtäglich am eigenen Leib hatte erfahren müssen. Jetzt erschien ihm die Monarchie als „die natürlichste und eben darum die einfachste, leichteste und zweckmäßigste aller Regierungsformen" (IX, 112). In ihr ist „der letzte Zweck aller bürgerlichen Gesellschaft am gewissesten zu erreichen" (IX, 113). Sie ist der menschlichen Natur wirklich angemessen, da der Mensch ihr Modell schon in der Familie kennengelernt, und

die Schöpfung bestätigt sie, denn „das ganze Weltall ist . . . eine Monarchie" (XXXIII, 277). Darum lehrt auch die Geschichte, daß „die Menschen der ältesten Zeiten . . . sich auf dem ganzen Erdboden von Königen regieren ließen" (IX, 113). Aufgrund einer solchen Tradition unterstrich Wieland die Macht, die dem König zukommen muß; als Herrn der Exekutivgewalt schuldet man ihm einen gleichsam religiösen Respekt. In seinen Augen war die Majestät notwendig mit der Autorität verbunden: „Der wahre Souverän im Staat ist derjenige, der das Recht hat, die höchste Gewalt auszuüben" (Willibald, 323). Darum protestierte Wieland energisch, als die Nationalversammlung Ludwig XVI. alle Vorrechte nehmen oder sie einschränken wollte. Aus dem gleichen Grunde jubelte er, als die Verfassung dem König wenigstens das Vetorecht einräumte; denn darin sah er eine Art Gegengewicht zur Macht der Nationalversammlung und freute sich, daß die Vernunft schließlich den Sieg davon getragen hatte.
Wieland hätte nicht geduldet, daß die Untertanen der Willkür ihrer Fürsten machtlos ausgeliefert sind; aber obwohl er mehrfach auf die Souveränität des Gesetzes anspielt, dem alle, selbst der König, unterworfen sein sollen, fällt es ihm doch bis 1790 schwer, den König als den ersten Diener des Staates, als einen „besoldeten Diener" (119) zu betrachten[17]. In der Folge zeigt er sich in dieser Hinsicht etwas weniger empfindlich und läßt sogar den Heiligen Ludwig erklären, er habe nie vergessen, daß die „königliche Würde" (IX,80) nur ein Amt sei, für das der König vor Gott, vor seinem „Volke und der Nachwelt" verantwortlich sei. Und Ende 1791 ist Wieland überzeugt, daß Ludwig XVI. aufgrund seiner harten Erfahrungen wohl bereit wäre, jede Einschränkung der königlichen Gewalt zu akzeptieren, wenn dies dazu beitragen würde, seinen Thron zu festigen und die Grundrechte des Volkes zu garantieren. Aber Wieland wußte auch, daß dies damals nur noch unzeitgemäße „Träume eines gutherzigen Weltbürgers" waren (146); niemand dachte mehr daran, sie zu verwirklichen.
Wenn er schließlich auch bereit war, einer konstitutionellen Monarchie das Wort zu reden (110), so sprach er doch nicht gern von Pflichten des Monarchen. Denn er war der Ansicht, daß schon der bloße Gedanke eines Gesellschaftsvertrages zwischen dem Fürsten und dem Volk dieses zu leicht verführen könnte, die notwendigerweise unvollkommene politische Wirklichkeit mit dem moralischen Ideal zu vergleichen und schließlich die Aufhebung des Vertrages zu verlangen, wenn es sich in seinen Rechten irgendwie beeinträchtigt fühlt (190) oder zumindest

glaubt, daß der König nicht alle seine Pflichten erfülle. Da das Volk noch nicht reif ist und noch nicht zwischen Ideal und Wirklichkeit unterscheiden kann, glaubt Wieland, daß selbst „beim populären Vortrag ausgemachter Wahrheiten Rücksichten genommen werden" müssen. Sonst laufe man in dieser gärenden Zeit Gefahr, „aus übel ärger zu machen oder Unheil anzurichten, wo man Gutes stiften wollte" (190). Die Wahrheit sei nicht immer gut für das Volk. Zugleich war er der Meinung, daß „die drei theologischen Tugenden, Liebe, Glaube und Hoffnung" (94) bei den Untertanen lebendig erhalten werden sollten, denn sie seien untrennbar mit der Idee der Monarchie verbunden (was später auch Novalis betonen wird). Wiederholt weist Wieland darauf hin, daß die Untertanen sich der eingesetzten Regierung unbedingt zu unterwerfen hätten; selbst wenn der König ein Despot sei, schuldeten sie ihm Gehorsam. Ein Widerstandsrecht läßt Wieland nicht gelten. Nur eine Ausnahme erkennt er an, nämlich gegenüber dem Tyrannen, da dieser nur „ein gekrönter oder ungekrönter Räuber" sei (224); indem er seine Untertanen als sein Eigentum betrachte und willkürlich regiere, stelle er sich selbst außerhalb des Gesetzes: „Er ist ein Tyrann, von dessen Joche sich durch jedes zweckmäßige Mittel zu befreien recht ist" (224). Doch selbst diese Einschränkung konnte für das deutsche Reich noch zuviel politischen Zündstoff haben. Denn dergleichen Fälle gab es im damaligen Deutschland viele, man denke nur an die Fürsten, die ihre Untertanen als Soldaten nach Amerika oder Südafrika verkauften. Darum ist Wieland ängstlich bemüht, die politische Tragweite des Widerstandsrechts noch mehr einzuschränken oder ihm jede praktische Bedeutung abzusprechen. So will er auf keinen Fall zugeben, daß man die deutschen Fürsten als Tyrannen betrachten könne, betont vielmehr, daß „Tyrann" nur ein stärkeres Wort für das höflichere „Eroberer" sei und läßt so durchblicken, daß es seiner Meinung nach mehr auf die Art, die Macht zu ergreifen, als auf die Art zu regieren ankommt, obwohl allein dieses Problem akut war und die deutschen Bürger interessierte. Mit dieser etwas sophistischen Argumentation vermeidet er jede Kritik an deutschen Fürsten; er will sie nicht einmal als Despoten bezeichnet wissen.

Vom Despotismus hat Wieland sich stets distanziert[18]. Wenn er der Monarchie den Vorzug gibt, so weil sie ihm größere Stabilität zu gewährleisten scheint. „Die monarchische Regierungsform ist mehr auf Sicherheit und Ordnung . . . berechnet" (XXXIII, 367). Wieland weiß, daß die Menschen schwach sind, und er betont sogar, daß die Großen und die Könige sich in dieser Hinsicht nicht von den gewöhnlichen Sterblichen unterscheiden (336). Seiner Meinung nach hat die Monarchie jedoch den Vorzug, stets zu funktionieren, auch wenn die Menschen keine Engel sind[19]. Es genügt, daß der Fürst kein Caligula und die Königin keine Messalina ist; trotz der Günstlinge und der Mätressen ist dann eine Monarchie schon annehmbar, denn fast automatisch gleicht die Routine der Verwaltung die Schwächen der Menschen wieder aus. Aus dem gleichen Grund verteidigt Wieland auch die Erbmonarchie. Natürlich bringe das Erbrecht nicht immer große Männer auf den Thron, aber „mittelmäßige Fähigkeiten können durch eine vortreffliche Erziehung auf einen hohen Grad von Vollkommenheit gebracht werden" (XXXIII, 472ff.). Somit genügen „mittelmäßige Anlagen", um, „wo nicht ein großer, doch ein sehr vortrefflicher Fürst" zu werden, „ein Fürst, wie jedes Volk sich einen wünschen muß, wenn es sein eigenes Bestes kennt" (ebd.). Darum garantiere die Erbmonarchie besser als jede andere Regierungsform den Fortbestand des Staates.

Was die Vergangenheit angeht, so war Wieland bereit anzuerkennen, daß die Monarchie nicht auf einem Vertrag beruht, der zwischen freien Männern geschlossen worden ist, daß sie vielmehr meistens auf das Recht der Eroberung zurückgeht, das er ironisch das „jus divinum" des Stärkeren nennt (224). Er gibt zu, daß „die bloße Gewalt kein Recht geben kann" (ebd.). Aber diese anfängliche Illegitimität ist mit der Zeit legitim geworden, sei es, daß der Eroberer die Oberherrschaft des Gesetzes anerkannt hat und durch seine weise Regierung die Liebe seiner Untertanen hat gewinnen können, sei es, daß die Illegitimität „unter den Nachfolgern auf einmal oder stufenweise" vergessen worden ist, ganz einfach dank der Tradition (224). Die Zeit kann also Unrechtmäßigkeit heiligen.

Welche Rolle soll in dieser Erbmonarchie der Adel spielen? Wieland antwortet, daß der König, um ein großer Monarch zu sein, keiner Herzöge und Barone bedürfe, daß er den dritten Stand aber nicht entbehren könne (31). Ebenso gibt er zu, daß die Privilegien usurpierte Rechte sind (88ff.) und auf barbarische Zeiten zurückgehen, als die Ritter noch die meiste Zeit damit verbrachten, zu rauben und zu morden. Keine Klasse habe das Recht, „Prärogativen zu verlangen, wodurch ein großer Teil seiner Mitbürger" zu Untertanen oder zu Sklaven werden (90). Selbst ein Montmorency habe daran erinnert, daß es anmaßend wäre, Privilegien und Reinheit des aristokratischen

Bluts miteinander in Verbindung zu bringen; es genüge, Brantômes „Mémoires des dames galantes" oder einige Chroniken zu lesen, um über die „Ausschweifungen" des Hofes und die Sitten der adligen Gesellschaft Bescheid zu wissen (97).

Dennoch bedauert Wieland die Abschaffung des Adels, der trotz des Gleichheitsprinzips den Interessen der Kapitalisten aufgeopfert worden sei (IX, 94); denn diese seien die einzigen gewesen, die bei der Regelung der Nationalschulden keine Federn gelassen hätten. Nur „des Mißbrauchs wegen" (111) sei der Unterschied zwischen dem zweiten und dem dritten Stand verhaßt. Wielands Meinung nach ist der Adel ein nützliches Mittelglied zwischen dem Thron und dem Volk. Er begründet das nicht nur politisch, sondern auch moralisch. Gewiß beruhe die Achtung, die man dem Erbadel zolle, auf einem Vorurteil, das habe aber auch seine guten Seiten (129). Denn es verpflichte die Aristokraten, sich ihrer Ahnen würdig zu erweisen, zugleich erwecke der würdige Nachfahre eines berühmten Hauses im Volk eine angemessene Vorstellung von dem, was groß und adlig sei.

Schließlich willigt Wieland doch noch in die Abschaffung der steuerlichen und der rechtlichen Privilegien ein, unter der Bedingung jedoch, daß man „den Nachkommen der Männer", die in der Vergangenheit die Geschichte ihres Landes bestimmt haben, „so viel Vorzüge" läßt, „als mit einer freien Konstitution nicht nur verträglich, sondern als selbst zu größerer Festigkeit, Würde und Vollkommenheit derselben nötig" ist (ebd.). Sein Vorbild ist und bleibt dabei die englische Verfassung. Dadurch, daß nur die Erstgeborenen privilegiert seien, würde der Adel nicht notwendigerweise verlieren; denn die Nachgeborenen würden dann Besitz, Geld und Achtung auf die Art und Weise erwerben können, die bisher den Bürgerlichen vorbehalten war[20]. In gewissem Sinne würde dadurch auch der verhaßte Unterschied zwischen vornehmer und bürgerlicher Geburt verwischt. Darüber hinaus läßt Wieland als bewußter Bürger die Vorteile seines Standes nicht außer acht und betont, daß „Talente und Verdienste . . . einem jeden Bürger den Weg zu jeder öffentlichen Ehrenstelle" öffnen sollten (111).

Wielands Kriterium ist die Bildung. Insofern war er letztlich elitär gesinnt und dachte weniger in politischen als in moralischen Kategorien. Dies führt dazu, daß er innerhalb des dritten Standes zwischen dem gebildeten Bürgertum und dem ungebildeten Volk einen großen Unterschied macht. Unter Bildung versteht er nicht so sehr Wissen als moralische Erziehung. Und da vor allem Mangel an Bildung und Aufklärung das Volk charakterisiert, nimmt er ihm gegenüber eine ziemlich negative Haltung ein. Während Herder die Tatsache, daß das Volk an der Entwicklung der Kultur kaum teilgenommen hat, positiv wertete, weil es gerade dadurch seine Ursprünglichkeit bewahrt hat, beurteilte Wieland dies negativ, weil es dadurch den wohltuenden Einfluß der Vernunft habe entbehren müssen. Für ihn ist vor allem dies ein Verdienst der Kultur, daß sie dem Menschen hilft, seine Instinkte zu beherrschen und seine Leidenschaften zu zügeln. Das Volk hingegen ist impulsiv, unbeständig und launisch geblieben; so läßt es sich stets durch momentane Eindrücke bestimmen und wird notwendigerweise das Opfer des Zufalls oder des ersten besten Demagogen. Nicht der Kopf, sondern die Kraft ist sein Maßstab. Noch schlimmer wird es, wenn sich Angehörige der untersten Klasse der Gesellschaft, von denen jeder einzelne diese negativen Eigenschaften wie ein Kainszeichen geerbt hat, zusammenrotten. Damit erklärt Wieland die Unruhen und Grausamkeiten, zu denen sich „ein zum Wahnsinn gebrachter Pöbel" (75) habe hinreißen lassen.

Die Lösung scheint einfach. Da Wieland, wie auch Schiller und Kant, wiederholt betont, daß das Volk für eine freiheitliche Verfassung und für die Freiheit „noch nicht reif" sei (124), sollte es genügen, es am Werk der Aufklärung teilhaben zu lassen, um diesem Mangel an moralischer Bildung abzuhelfen. Aber Wieland war und blieb ein Pessimist, was ihn das grausame Wort prägen ließ: „Auch das edelste und verständigste Volk bleibt Volk" (64). So schwankt er zwischen dem Willen zum allgemeinen Fortschritt und einem skeptischen Elitarismus: gegenüber den Reaktionären verteidigt er das Recht auf Information und „unbeschränkte Aufklärung für alle" (332), den Republikanern gegenüber aber erinnert er daran, daß die Wahrheit geheim bleiben müsse, damit sie rein und heilig erhalten bleibe. Und gerade in der Politik liebt er es nicht, „öffentlich über Dinge zu sprechen, worüber man ... sich nur gegen Eingeweihte ohne Gleichnis erklären sollte" (191). Auch von einer allgemeinen Schulpflicht erwartet er nicht viel; denn er war fest davon überzeugt, daß die Fortschritte der Kultur und der Erziehung nur dem Individuum, der Elite, nicht der Masse, dem Volk nützen können.

Dennoch hat Wieland sich beim Ausbruch der Revolution vom Optimismus der Aufklärung anstecken lassen. Die Revolution hatte unter so glücklichen Auspizien begonnen, daß er das französische Volk zunächst sehr positiv beurteilte. Die Franzosen und besonders die Pariser

hatten seiner Meinung nach anderen Völkern gegenüber den Vorteil, an der Entwicklung der Aufklärung teilgenommen zu haben. Darum erschienen sie als das „artigste“ und gebildeteste Volk der Welt (43), als „große, edle, aufgeklärte, geist- und mutvolle Nation“ (66). Schon zu Beginn des Jahres 1790 aber ist ein Umschwung spürbar. Zwar glaubt Wieland auch weiterhin, daß die Franzosen die aufgeklärteste Nation Europas seien (132), aber die begangenen Grausamkeiten in Paris zeigen ihm, daß er sich in ihnen getäuscht hat (127). Fortan häufen sich die Vorwürfe: das französische Volk sei leichtsinnig, eitel, ungeduldig und aufbrausend (137); sei es in seinem Stolz und seinem Edelmut bereit, sein Leben gering zu achten oder gar zu opfern, so sei es auch wieder grausam, blutdürstig und rachsüchtig (297). Kurzum, nichts unterscheidet es mehr vom unsteten Pöbel (342). Der politische Schluß liegt nahe: Da das Volk nicht weiß, was für es gut ist, muß man es ihm nötigenfalls mit Gewalt beibringen. Immer wieder kommt Wielands Patriarchalismus zum Vorschein!
Im Gegensatz zu Kant unterscheidet er nicht deutlich zwischen Republik und Demokratie. Wie schon im „Esprit des Lois“ setzt Demokratie auch für ihn sehr tugendhafte Bürger voraus, die sich vor allem dem Gesetz unterwerfen, der Regierung Gehorsam leisten und auf die Anwendung von Gewalt verzichten (XXXIII, 392). Die Bürger sollen nicht allein alle Bürgerpflichten gewissenhaft erfüllen, sie sollen auch das Gemeinwohl höher achten als das Privatinteresse, Reichtum und Vergnügen geringschätzen und ihr Vaterland lieben (XXXIII, 393). Wieland hatte von Demokratie also eine sehr hohe Vorstellung, verwies sie dadurch aber in das Reich der Utopie. Letzten Endes wird sie dadurch unrealisierbar. Ja, er wirft den Verfechtern der Demokratie sogar unverblümt vor, bei ihrer Schwärmerei für ein hohes Ideal die Wirklichkeit zu vergessen oder zu verkennen (XXXIII, 322). Die Geschichte der Revolution hatte ihn gelehrt, daß das Volk „die Tugenden, die den wahren Charakter einer republikanischen Regierung und eines republikanischen Volkes ausmachen“ (XXXIII, 393), noch lange nicht besitzt. Wolle man in Frankreich eine Republik errichten, so müsse man zuerst die Franzosen ändern (ebd. 396). Die Republik sei der gegenwärtigen Wirklichkeit nicht angemessen. Höchstens in einem primitiven Stadium der Gesellschaft (357), als es weder in bezug auf die Kultur noch auf das Vermögen große Unterschiede gab, hätte sie bestehen können. In einem großen Land jedoch sei ein republikanisches Regime undenkbar (40). Ein derartiger Versuch müsse bei den derzeitigen Verhältnissen ent-

weder rasch in Anarchie ausarten oder einem militärischen Despotismus Platz machen (XXXIII, 358).

Das macht verständlich, warum Wieland sich scheute, die Souveränität des Volkes anzuerkennen (49). Seiner Meinung nach ist das Volk der schlimmste Herrscher (XXXIII, 355). Wie könne man die Majestät – die für Wieland etwas Sakrales hatte und mit der Idee der Souveränität notwendigerweise verbunden war – mit dem Pöbel in Verbindung bringen? Schon das Prinzip der Volkssouveränität erscheint ihm verhängnisvoll; denn das Volk laufe dabei Gefahr, sich Illusionen hinzugeben. Welche Ehrfurcht würde der Flickschuster von Versailles, wenn er als Bürger direkt an der Volkssouveränität teilhabe, noch einem König bezeugen wollen, dessen Macht nur vom Volk erborgt wäre? (49). Erkenne man das Prinzip der Volkssouveränität an, dann dürfe das Volk nur ein einziges Mal davon Gebrauch machen, nämlich an dem Tag, an dem es das Grundgesetz und die ihm gemäße Regierungsform wähle; gleich darauf müsse es seine Rechte dem Vertreter der Exekutive übertragen, dem es dann auch Gehorsam schulde (223, XXXIII, 323).

Das Bild, das Wieland sich vom Volk macht, läßt darauf schließen, daß er weder vom Naturzustand noch vom Naturrecht eine hohe Meinung hatte. Zwar hat er sich nicht näher darüber geäußert, aus seinen Anspielungen geht aber hervor, daß er im Bewußtsein seiner überlegenen Bildung auf alles herabsah, was ihn an den Urzustand erinnerte (XXXIII, 349). Wie Rousseau ging er schweigend über die erste Phase des ungeselligen Naturzustandes hinweg, an den die vorrevolutionären Theoretiker das unveräußerliche Naturrecht der Gleichheit geknüpft hatten[21]. Da der Mensch seiner Meinung nach von Natur aus gesellig ist, erscheint ihm „die bürgerliche Verfassung . . . [als] der eigentlich wahre Naturzustand des Menschen" (XXXIII, 349). Obwohl er überzeugt ist, daß die Gesellschaft ihren Mitgliedern die ursprünglichen Rechte nicht unversehrt gewähren könne (266), vertreten Walther und mit ihm der Kosmopolit Wieland den Standpunkt (36), daß die Verfassung dem Bürger einige unveräußerliche Rechte, vor allem die individuelle Freiheit, die Sicherheit der Person und der Güter garantieren solle (27). Die französische verfassunggebende Versammlung habe jedoch den Irrtum begangen, diesen Rechten zuviel Bedeutung beizumessen, und dadurch Leidenschaften geschürt, die sie eher hätte zügeln sollen. Denn das Glück eines Volkes hänge nicht so sehr von den ihm gewährten Grundrechten als vom allgemeinen Wohlstand ab.

Obwohl Wieland die Franzosen glücklich schätzte, weil sie das Joch des aristokratischen, ministeriellen, bischöflichen und parlamentarischen Despotismus abgeschüttelt hatten (88), lehnte er die Freiheitsschwärmerei ab, die alle Geister und vor allem das Volk ergriffen hatte. Denn obgleich die Freiheit auch in seinen Augen ein unveräußerliches Recht ist, soll sie nur vernünftigen Wesen gewährt werden (XXXIII, 369). Dadurch unterstreicht er (wie auch Goethe und Schiller), daß Freiheit Unterordnung und Unterwerfung unter das Gesetz voraussetzt (76, 133). Er verteidigte zwar die persönliche Freiheit, die dem Individuum erlaubt, in gewissen Grenzen seine Kräfte und seine Fähigkeiten frei auszubilden und zu gebrauchen, und war der Ansicht, daß das Individuum nicht unterdrückt werden dürfe, war aber gegen die politische Freiheit (325), weil sie zwangsläufig zur Anarchie führen würde.

Wieland ist einer der wenigen Deutschen, der gleich zu Beginn der Revolution verstanden hat, welche Bedeutung der Gleichheit in dem neuen Regierungssystem zukommen sollte. Ihr gegenüber nimmt er dieselbe Haltung ein wie gegenüber der Demokratie: die eine scheint ihm so utopisch wie die andere. Denn sie setzen Tugenden voraus, die nicht vorhanden sind, und versprechen, „was kein Gott möglich machen kann“, nämlich „eine Republik, worin alle frei, alle gleich, alle gleich glücklich sind“ (266). Und da Gleichheit Unterordnung auszuschließen scheint, untergräbt sie die Grundfesten des Staates. Darum betont Wieland, daß die Gesellschaft notwendigerweise auf Ungleichheit beruhe. Zwar war er mit der Zeit gezwungen, das verabscheute Prinzip der Gleichheit anzuerkennen, schwächte es dabei aber entscheidend ab, indem er Gleichheit wesentlich als Respekt vor dem Mitmenschen verstand. Ihn betrachtete er als Synonym von Gleichheit, so daß er schließlich etwas spitzfindig erklären konnte: „Das große Losungswort der Jakobiner, Sanscülotten und Anarchisten, Freiheit und Gleichheit, ist ein ganz unnötiger oder vielmehr ein bloß zu ihren geheimen Faktionsabsichten nötiger Pleonasmus; denn mit dem Worte Freiheit ist schon alles gesagt“ (XXXIII, 370). Trotzdem erkennt er schließlich die Gleichheit der Rechte (XXXIII, 365), die Gleichheit bei der Verteilung der Lasten und die Gleichheit des Anrechts auf öffentliche Ämter an (174). Die Wahl der Beamten durch das Volk lehnte er jedoch weiterhin ab; denn nur Leute, die selbst etwas taugen, könnten die Tauglichkeit anderer beurteilen. Und selbstverständlich traf dies für das Volk keinesfalls zu.

Wieland warnte seine Leser vor der revolutionären Demagogie, die dem

Volk die uneingeschränkte Verwirklichung des Traums von Gleichheit und Freiheit vorgaukele, prangerte jedoch ebenso die erniedrigende Unterscheidung zwischen aktiven und passiven Bürgern an, weil damit das Wahlrecht von einigen Pfennigen mehr oder weniger abhänge. Gerade hier wird aber sein wesentlich polemischer Standpunkt deutlich. Nicht diese Diskriminierung schien ihm wirklich beleidigend, eher im Gegenteil; denn er war dafür, daß man die Elite nicht mit dem Volk verwechseln sollte. Schon der bloße Gedanke, daß der „roheste Lumpenkerl berechtigt" sein könnte, „jeden ci-devant Duc et Pair ... Herr Bruder zu grüßen" (245), empörte ihn. Wenn dem Volk die politische Gleichheit zugestanden würde, könnten verhängnisvolle Auswirkungen nicht ausbleiben, zumal es dann die erniedrigendste aller Ungleichheiten, die des Geldes, nicht mehr ertragen würde (244, 173). So wollte Wieland, genauso wie Rivarol und die französischen Konterrevolutionäre [22], die Gleichheit in Verruf bringen, indem er das Schreckgespenst der sozialen Gleichheit heraufbeschwor.
Unter welchem Gesichtspunkt Wieland die Demokratie auch betrachtete, jedesmal führten ihn seine Überlegungen zur Anarchie. Er glaubte jedoch an die Notwendigkeit einer geschriebenen Verfassung. Insofern sie die Pflichten eines jeden festlegt, kann sie sogar dazu beitragen, allgemeine Ordnung und Sicherheit zu garantieren. Obgleich Jupiter Horkius den Gesellschaftsvertrag für eine unentbehrliche Basis hält, die aus dem Staat einen lebenden Organismus machte, wahrscheinlich weil sich dabei alle seine Glieder miteinander verbunden fühlen können (IX, 81), zögert Wieland, den Vertretern des Volkes die gesetzgebende Gewalt zu übertragen. Denn seiner Meinung nach gilt es, die Launen des Volkes, die auch in der Repräsentation und der Wahl der Mehrheit nicht ausgeschlossen sind, vom „festen, unwandelbaren und allgemeinen Willen zu unterscheiden" (XXXIII, 321) [23]. Dieser allgemeine Wille ist zwar auch für Wieland eine Emanation der ganzen Nation, bezeichnenderweise aber nur „insofern [die Nation] über ihre eigenen Rechte und Vorteile aufgeklärt ist oder (was auf das Nämliche hinausläuft), insofern sie durch den aufgeklärtesten und von echtem Gemeingeist beseelten Teil des Volkes repräsentiert wird" (ebd.). Indem Wieland den allgemeinen Willen mit der „allgemeinen Vernunft" gleichsetzt, hält er schließlich nach einem neuen Solon oder einem aufgeklärten König Ausschau, der „aus eigener Bewegung" seinem Volke eine Konstitution oktroyiert, „worin Freiheit mit Ordnung und Sicherheit unzertrennlich verbunden" sind (XXXIII, 383).

Aber selbst Jupiter Horkius träumt nicht von einer vollkommenen Verfassung; denn soll sie richtig funktionieren, setzt sie vollkommene Wesen voraus (IX, 92), und die Geschichte hat ihn gelehrt, daß man sich weder auf die „Weisheit" noch auf die „Tugend" der Menschen verlassen darf. Die Väter der Verfassung sollen der notwendigerweise unvollkommenen Wirklichkeit Rechnung tragen und das kulturelle Niveau der Bürger berücksichtigen. Darum erklärt Wieland: „Nicht die Verfassung, sondern die Gesinnungen und der Charakter eines Volkes entscheiden seinen Wert und sein Schicksal" (172). Er weiß zwar, daß eine Verfassung nicht für alle Zeiten gelten kann, bleibt jedoch jeder grundlegenden Änderung abhold (372).

Was die Prinzipien betrifft, so hält er sich an die englische Verfassung, obwohl er zugibt, daß auch sie gewisse Mängel hat, wenigstens wenn man Frankgall, dem Sprecher der französischen Republikaner, Glauben schenkt; nach ihm hat das Parlament nicht genug und der König zuviel Macht, da der Hof gegen jeden vom Unterhaus vorgelegten Gesetzentwurf opponieren könne (383). Es genüge jedoch, diese Mängel zu beheben und darauf zu achten, daß die Gewaltentrennung wirklich respektiert wird und daß Exekutive und Legislative einander die Waage halten. Darüber hinaus hat die englische Verfassung in Wielands Augen den Vorteil des Zweikammersystems, zumal die obere Kammer dem Adel vorbehalten ist, der dadurch eine nützliche Rolle im Staat spielen kann. Das ist für ihn die ideale Lösung, die den Wünschen und Erwartungen seiner Zeit wie dem derzeitigen Bildungsniveau der Völker entspreche. Das gilt für ganz Europa, denn die nationalen Unterschiede schienen ihm, nachdem er zum Pessimismus zurückgekehrt war, nicht mehr so erheblich.

Wenn man seine Gedanken über die Verfassung, seine Kritik an der Nationalversammlung sowie an den Verfassungen von 1791 und 1793 betrachtet, verstehen sich die weitgehenden Vorbehalte, die er gegen Condorcets Ideen anmeldet, von selbst (240 ff). Zwar schien ihm die Verfassung von 1795 der Lage Frankreichs angemessener als die früheren (XXXIII, 386), mit dem Direktorium aber konnte er sich nicht befreunden. So prangert er dessen despotische Maßnahmen an, ganz besonders den Staatsstreich vom 18. Fruktidor (4. September 1797) (XXXIII, 386). Dabei weist er erneut auf die Diskrepanz zwischen den freiheitlichen Prinzipien und den despotischen Handlungen hin, nicht so sehr weil er die lächerlich gemachte Freiheit verteidigen will, sondern weil dadurch die Royalisten verdrängt worden waren und weil dieser

Despotismus die Republik zu erhalten strebt. Das geht auch daraus hervor, daß er kurze Zeit darauf Frankreich einen Diktator prophezeit[24], der ihm das geringere Übel zu sein scheint.
Die Französische Revolution war für Wieland keine rein französische Angelegenheit. Obgleich er im Gegensatz zu einigen Liberalen und besonders den Jakobinern weder der Revolution noch den Prinzipien von 1789 einen universellen Wert beimaß, bezweifelte er nicht, daß die Revolution die ganze Menschheit angeht. Sie war für ihn jedoch vor allem ein Schauspiel[25], das Deutschland mehr moralisch als politisch interessieren sollte, zumal das Heilige Römische Reich, von den Besitzungen im Elsaß abgesehen, nicht direkt davon betroffen werde. Die Deutschen hätten den Vorteil, diesem Schauspiel beiwohnen zu können, ohne die Nachteile aller Art, die mit einem solchen Umsturz verbunden seien, am eigenen Leib zu verspüren.
Wieland war überzeugt, daß Deutschland von der Französischen Revolution manches gelernt habe. Ihr sei zu verdanken, daß die Deutschen einige Vorurteile über Bord geworfen hätten (286). Dabei dachte er zweifellos an die Haltung gegenüber Bischöfen und Mönchsorden, aber wohl auch daran, daß durch die Ereignisse in Paris jeder Stand gezwungen worden war, seine Rechte und seine Rolle im Staat zu überprüfen und die Gesellschaft unter einem neuen Gesichtspunkt zu betrachten. Er geht darauf jedoch nicht näher ein, und wenn er von der Abschaffung des Adels spricht, weist er sogar ausdrücklich darauf hin, daß er dabei nicht an den deutschen Adel denke; sonst würde er sich darüber öffentlich geäußert haben. Trotzdem läßt er durchblicken, daß früher oder später auch diese Frage angeschnitten werden müsse. „Aber Reden hat seine Zeit und Schweigen hat seine Zeit" (111). Die Französische Revolution habe die Deutschen mit den politischen Ideen und Problemen vertraut gemacht und dadurch zur Verbreitung der Aufklärung in Deutschland beigetragen.
Viel hat Deutschland davon jedoch nicht profitiert. Denn als Gesamterscheinung war die Revolution viel zu komplex und rätselhaft, als daß die Deutschen ohne weiteres aus ihr hätten lernen können, zumal die meisten und, wie Wieland versichert, selbst die Journalisten, oft nur eine einzelne Szene vor Augen hatten und danach das Ganze beurteilten. Damit glaubte er, sowohl die Gegensätzlichkeiten der Urteile über die Revolution als auch die häufigen Meinungsänderungen erklären zu können. Ohne daran zu denken, daß zuweilen auch seine eigenen Urteile nur Reaktionen auf bestimmte Begebenheiten waren

und daß auch seine Stellungnahmen sich teilweise erheblich änderten, warnt Wieland seine Mitbürger vor allzu schnellen oder einseitigen Schlüssen (129). Er fürchtet, daß sie bei den vielen gegensätzlichen Informationen nicht wissen würden, woran sie eigentlich seien, und es für sie schon deshalb unmöglich sein würde, aus dem gewaltigen Schauspiel in Paris eine Lehre zu ziehen (123).

Zugleich war Wieland bewußt, daß Deutschlands und Frankreichs geistige und politische Entwicklung seit 1789 in entgegengesetzter Richtung verliefen. Nicht ohne Zufriedenheit registriert er, daß die anfängliche Begeisterung in Deutschland sehr bald einer gewissen Enttäuschung wich, nachdem in Frankreich die demokratischen und republikanischen Ideen in den Vordergrund getreten waren (324). Deshalb bedauerte er um so mehr, daß sich seit 1792 in Deutschland die gleichen Parteien befehdeten wie in Frankreich. Mit anderen Worten: die Deutschen waren zu naive Zuschauer; anstatt das Drama aus angemessener Distanz zu betrachten, identifizierten sie sich mit den Schauspielern.

Damit erhielt das Problem einen neuen Aspekt. Nicht ohne Angst fragt sich Wieland, welche politische Rückwirkung die Französische Revolution in Deutschland haben werde. Einige deutsche Freiheitsapostel, die seiner Meinung nach schon zahlreicher waren, als man gemeinhin annahm, hofften, daß die gleichen Ursachen gleiche Wirkungen hervorbringen würden (286). Prompt erklärt ihnen Wieland, daß schon ihre Prämisse falsch sei: das Reich befinde sich keineswegs in einer revolutionären Situation, in den meisten deutschen Ländern, von den Fürstentümern bis hinab zu den kleinen freien Reichsstädten, sei die Bevölkerung ruhig und, wenn nicht mit ihrem Schicksal, so doch mit ihrer Regierung ziemlich zufrieden (292), was bei der chronischen Unzufriedenheit des Menschengeschlechts schon viel besage[26]. Deutschland habe also nichts zu befürchten. Trotzdem ließ er im „Neuen Merkur" mehrfach durchblicken, daß er voll Sorge sei, seine Informationen könnten unangenehme politische Auswirkungen haben[27].

Auch darum hatte er sich in der Stellungnahme zur französischen Verfassung gegen jede grundlegende Änderung ausgesprochen; die Existenz der Nationalversammlung, ihr Handeln und ihre Debatten sollten als Sonderfall angesehen werden (37); sonst wäre es mit der politischen Stabilität vorbei. Er war zwar bereit zuzugeben, daß die französische Revolution notwendig und trotz einiger Auswüchse anfangs mehr oder weniger nützlich gewesen sei (87), war aber um keinen Preis damit

einverstanden, daß man daraus allgemeingültige Prinzipien ableitete oder für Deutschland Schlüsse zog.
Je republikanischer Frankreich wurde, desto größer wurde in Deutschland selbst die Gefahr einer Revolution. Während das Vordrängen demokratischer Kräfte in Paris die deutsche Elite der Revolution entfremdete, suchten junge deutsche Anhänger der Freiheit und Gleichheit ihre Ideen im Reich zu propagieren (301). Dadurch verschärften sich die Gegensätze und Debatten, und Wieland fürchtete, daß im Volk, das nicht reif genug sei, Unzufriedenheit um sich greifen könnte, zumal er erstaunlicherweise glaubte, daß schon die bloße Anwesenheit der in Deutschland stationierten Revolutionsarmeen die Sache der Freiheit und Gleichheit begünstige. Trotzdem trug er eine gewisse Gelassenheit zur Schau; er war der Ansicht, daß die jungen Propagandisten wie die Mainzer Jakobiner Deutschlands politische und soziale Lage allzu sehr verkannten, um wirklich gefährlich werden zu können (299). Die Auswüchse der Revolution und das „unbeschreibliche Elend" (331), das sie verursacht habe, hätten ohnehin bewirkt, daß neunundneunzig Prozent aller Deutschen lieber die Mängel ihres politischen Systems ertrügen als derartigen Wahnideen nachzulaufen. So verraten Wielands Äußerungen, wie die Revolution die Deutschen schließlich zur Resignation geführt hat (330).
Um der revolutionären Propaganda noch mehr entgegenzuwirken, ging er schließlich dazu über, die deutsche Verfassung zu loben. Während er bis 1789 betont hatte, daß sie unvollkommen sei (358)[28], bedauerte er 1792, daß sie seit dem 14. Juli 1789 so sehr angegriffen werde (189); Anfang 1793 schließlich weist er auf ihre Vorteile hin (291): Zum einen garantiere sie Ruhe und Wohlergehen der Bürger, und dies weit besser, als die Demokratie es tun könnte (302); zum anderen gewähre sie die meisten Freiheiten, die die Franzosen erst zu erringen suchten (291). Sie vereine in sich die Vorteile der demokratischen, der aristokratischen und der monarchischen Regierungsform und vermeide deren Nachteile (XXXIII, 457). So lasse sie den Fürsten gewissermaßen eine absolute Herrschaft, garantiere dabei aber den Untertanen Schutz vor fürstlicher Willkür (304). Dennoch gibt Wieland zu, daß einiges zu ändern sei (311). Sinibald und Egbert sind sich sogar darin einig, daß die Zahl der deutschen Territorien reduziert werden müsse, damit das Reich mächtiger werde, und daß der dritte Stand besser vertreten sein sollte (XXXIII, 450). Aber nachdem sie diese wünschenswerten Reformen vorgetragen und die Befugnisse aufgezählt haben, die den General-

ständen des Heiligen Römischen Reichs erteilt werden sollten, bekennen beide, daß all dies ein frommer Wunsch bleiben müsse, solange sich die Gegensätze zwischen Katholiken und Protestanten weiter politisch auswirken.

Dem Umsturz setzt Wieland jedesmal die Reform, der Revolution die Evolution entgegen, vor allem seit der Krieg alle Verhältnisse von Grund auf geändert hatte. Bestürzt fragt er sich, warum Deutschland gegen seinen Willen in ihn verwickelt worden ist (308, 312). Der „Teutsche Merkur" hatte nicht zum „Kreuzzug gegen die Franken"[29] aufgerufen, Wieland hatte sogar erklärt, daß er gegen ein eventuelles Eingreifen der alliierten Fürsten sei[30]. Schon 1789 hat er allerdings auch prophezeit, daß die europäischen Monarchen diesem Schauspiel, das ihre Throne bedrohe (21), nicht mehr lange gleichgültig zusehen würden. Rückblickend erklärt er jedoch, die deutschen Fürsten hätten nicht früher eingegriffen, weil sie eben nicht die Tyrannen seien, als die man sie hingestellt habe; sie hätten sogar zugegeben, daß das französische Volk sich mit Recht gegen den Absolutismus aufgelehnt habe, und sie hätten um so weniger Anlaß gehabt einzugreifen, als sie als gerechte Fürsten von ihren Untertanen nichts zu befürchten gehabt hätten (283); für sie sei die Revolution eine innerfranzösische Angelegenheit gewesen. Dort, wo Wieland sich beklagt, daß Deutschland in den Krieg verwickelt worden sei (308), übergeht er indessen sowohl die Erklärung von Pillnitz als auch die Unterstützung der französischen Emigranten und den Feldzug nach Frankreich mit Stillschweigen. Nur auf das Manifest des Herzogs von Braunschweig, das schließlich nicht den gewünschten Erfolg hatte, spielt er an. Er will und kann nicht sehen, daß aus ideologischen Gründen beide Seiten zum Krieg geschürt haben, die militärischen Vorbereitungen aber mit der Hetzpropaganda nicht Schritt hielten. Er betont nur, daß Frankreich Deutschland angegriffen habe, weil es die Fürstenthrone stürzen wollte und weil es den Krieg brauchte, um die Republik zu retten (359). Dabei weist er wieder auf die Diskrepanz zwischen dem kriegerischen Geist der Franzosen und ihren Friedenserklärungen hin (306)[31]. Vor allem aber wendet er sich mit Donnerworten gegen die unerträgliche Tyrannei der französischen Freiheitsapostel – „eine solche Republik hat wahrlich kein Recht zu verlangen, daß alle Völker der Erde sich freiwillg nach ihrem Bilde umgestalten" (XXXIII, 366). Wie Kant in seinem Traktat „Zum ewigen Frieden" schlägt Wieland als grundlegendes Prinzip vor, Verfassung und Regime jedes Nachbarvolkes zu respektieren (369).

1793 hatte er noch gehofft, daß der Krieg das übrige Deutschland verschonen oder daß die Situation sich vielleicht sogar zugunsten des Reiches wenden würde (312). Falls der Krieg jedoch lange dauern sollte, werde er Deutschlands Untergang bedeuten: „Deutschland kann und will keinen Krieg mehr aushalten" (XXXIII, 337). Gleichzeitig versucht Wieland jedoch, angesichts der Energie der Franzosen und der Revolutionsgefahr, die Europa bedroht, den deutschen Patriotismus aufzurütteln. Die kritische Lage erfordere, alle Zwistigkeiten und Dispute zu vergessen, denn „in diesem gegenwärtigen Augenblick, wo nur Patriotismus, Eintracht, Gehorsam gegen die Gesetze und Anhänglichkeit an unsere Konstitution das gemeinschaftliche Vaterland retten können, jetzt ist demokratische und aristokratische Parteigängerei (aufs Gelindeste zu reden) Wahnsinn" (314ff.). Es gelte nicht nur, den Parteigeist zum Schweigen zu bringen, es gehe darum, mit ihm fertig zu werden. Letzten Endes beruht dieser Appell an den deutschen Patriotismus also auf einer reaktionären Einstellung, die Wieland jedoch zu überwinden oder zu verschleiern versucht, indem er erklärt: von den Fürsten bis hinab zu den letzten ihrer Untertanen sei für die Deutschen die Zeit gekommen, einen neuen Bund einzugehen. Die Pflichten der Völker sollten von ihren Rechten abgeleitet und die Rechte der Fürsten an ihre Pflichten gebunden werden (314); durch einen solchen neuen Gesellschaftsvertrag würde Deutschland das erste Land der Welt werden. Man darf hieraus wohl den Schluß ziehen, daß Wieland seine Meinung nicht so sehr unter dem Eindruck des Schauspiels der Französischen Revolution änderte, als daß vielmehr die Wirkungen, die sich aus der Revolution für Deutschland ergaben, diese Meinungsänderung herbeigeführt haben.

War es Enttäuschung darüber, daß Deutschland weiterhin in die Lager der Aristokraten und der Republikaner gespalten war und dem Elan des republikanischen Frankreich zu wenig patriotischen Geist entgegengesetzt hatte, wenn er wenig später selbst über die patriotische Mode spottet, der in der deutschen Elite jede Grundlage fehle und die nur von Erinnerungen an klassische Schullektüren genährt werde? (318) Er betont, daß es keinen deutschen Patriotismus geben könne, weil es kein deutsches Vaterland gebe; höchstens von einem Regionalpatriotismus könne die Rede sein. Trotzdem bedauert er, daß die Deutschen so wenig Eifer gezeigt hätten, als es darum gegangen sei, sich an der Seite ihrer Fürsten in die Schlacht zu stürzen.

Über die Entwicklung des Krieges enttäuscht, ordnet Wieland zu Beginn des Jahres 1794 schließlich alles dem Wunsch nach Frieden unter. Seiner Meinung nach war es überflüssig, sich lange zu fragen, ob man mit Räubern und Königsmördern verhandeln könne und dürfe (359ff.) und ob man das verabscheute Regime des republikanischen Frankreich anerkennen solle. Alles sei besser, als den Krieg fortzusetzen. Obwohl er sich einen Augenblick lang dem süßen Traum hingegeben hatte, Elsaß und Lothringen zu erobern und Deutschland wieder einzuverleiben (364), und obwohl er sich gegen die anmaßende Forderung der Franzosen aufgelehnt hatte, den Rhein als natürliche Grenze zu betrachten (307), war er nun, wohl im Anschluß an die Bibel, überzeugt, daß es besser sei, das Auge, welches das Ärgernis gegeben, auszureißen (das heißt: das linke Rheinufer abzutreten), als zuzusehen, wie ganz Deutschland in eine Republik oder eine Demokratie verwandelt werde (XXXIII, 340). Nicht nur, daß Wieland selbst des Krieges überdrüssig war; er legte auch seinen Mitbürgern nahe, den Frieden beinahe um jeden Preis anzunehmen, damit Deutschland vom Geist der Revolution verschont bleibe.

III.

Ohne Zweifel unterscheidet sich Wieland von den meisten deutschen Zeitgenossen schon dadurch, daß er auf die Revolution nicht nur affektiv und sentimental reagierte. Da er über eine gewisse politische Bildung verfügte und die Bedeutung der politischen Prinzipien kannte, gehörte er zu der kleinen Gruppe, die im Politischen mitsprechen konnte. Man muß jedoch hinzufügen, daß ebenfalls im Gegensatz zu vielen Zeitgenossen, der Pessimismus bei ihm meistens die Oberhand behielt. Wie die aufgeklärten Bürger begrüßte Anfang 1789 auch er die Erneuerung, die die Pariser Begebenheiten zu versprechen schienen. Seine sich nie ganz verleugnende Skepsis und seine monarchischen Anschauungen erlaubten ihm jedoch nicht, die Revolution ebenso begeistert zu begrüßen wie andere deutsche Dichter. Schon in den ersten Monaten scheint er zwischen Rivarol und Mounier geschwankt zu haben. Denn einerseits mißfielen ihm die Prinzipien der königlichen Erklärung vom 23. Juni nicht, andererseits konnte er nicht umhin, die politische Bildung und im gewissen Sinne auch die Weisheit der liberalen Führer der Nationalversammlung zu bewundern. Schon gleich nach dem 4. August jedoch kam es zu einem Umschwung. Die Beschlüsse der

Nationalversammlung und die damit verbundene Nivellierung der Gesellschaft bedeutete in seinen Augen, daß die Französische Revolution einen Weg einschlug, der nicht zur „Palingenesie der französischen Monarchie" führte – und nur dies durfte seiner Meinung nach das Ziel der liberalen Partei sein. So ergab sich ein erster Gegensatz zwischen seiner Bereitschaft zur Reform und dem anscheinend demokratischen Willen der Revolutionäre, ein Gegensatz, den die Oktobertage dann nur noch verschärften. Obgleich diese seinen Glauben an die Revolution stark erschüttert hatten, vergaß er alle seine Zweifel, als die geistlichen Orden aufgehoben wurden, und zum erstenmal fand er sogar dithyrambische Worte. Die Hymne, die er jetzt auf den Sieg der Vernunft anstimmte, wurde ihm vor allem von seinem Antiklerikalismus diktiert. Seine Begeisterung legte sich zwar bald wieder, doch solange er auf einen Sieg der Partei Mouniers, das heißt auf einen Kompromiß hoffen konnte, den der gesunde Menschenverstand zu empfehlen schien, blieb er der Revolution trotz aller Auswüchse gewogen, auch wenn er stets zwischen aufklärerischer Bereitschaft zum Optimismus und seinem Hang zu Skepsis und Pessimismus hin und her schwankte, der immer wieder dazu führte, daß er die Menschen und vor allem das Volk in negativem Licht sah. Durch Mirabeaus Tod und die Demütigungen, denen der König am 18. April 1791 ausgesetzt worden war, verlor er schließlich jede Hoffnung, zumal die demokratisch gesinnten Abgeordneten über die anglophilen gesiegt hatten. Von da an distanzierte sich Wieland auffällig von der Revolution; selbst der Prozeß und die Hinrichtung Ludwigs XVI. scheinen ihm weniger nahe gegangen zu sein als den meisten Zeitgenossen, so als sei eben seit Mirabeaus Tod vorauszusehen gewesen, daß es dahin kommen werde.

Obgleich er den Revolutionären und ihren deutschen Freunden immer häufiger die Monarchie als einzige Garantie für Ordnung und Stabilität entgegenhielt, weil er überzeugt war, daß die Demokratie notwendig zur Anarchie führe, hat die Revolution ihn doch auch gezwungen, mit der Zeit zu gehen und manche Ideen als veraltet über Bord zu werfen. Im „Goldenen Spiegel" hatte er noch einer strengen, fast hermetischen Ständeordnung das Wort geredet, dem Volk in den öffentlichen Angelegenheiten jedes Mitspracherecht verweigert und sogar die Gewaltenteilung abgelehnt, so daß der König Exekutive und Legislative in seiner Hand vereinigte. Während er in dem Roman, mit dem er dem reformfreudigen Joseph II. zu gefallen gehofft hatte, also hinter den Theoretikern des aufgeklärten Absolutismus zurückblieb, geht er in seinen

Schriften über die Französische Revolution deutlich erkennbar auf die konstitutionelle Monarchie zu. Nunmehr billigt er eine Verfassung, die in Anlehnung an das englische System die Gewalt gleichmäßig auf König und Parlament verteilt. Das heißt freilich auch, daß er als politischer Denker nichts wesentlich Neues gesagt hat[32]. Die Revolution veranlaßte ihn vor allem dazu, sich noch stärker Montesquieu anzuschließen, dessen „Esprit des Lois" schon 1748 erschienen war.

Wieland konnte dadurch den Eindruck haben, jede Phase der Revolution bestätigte seine pessimistischen Ansichten, zumal er später, was die Aussichten Bonapartes anging, recht behalten sollte. Der unparteiische Beobachter, den die Kritik in ihm hat sehen wollen, war er aber keineswegs. Seine Reaktionen waren stets von seinen monarchistischen Anschauungen bestimmt. Sie ließen ihn seine anfängliche Begeisterung schnell vergessen und bewirkten, daß er die Revolution schließlich für eine Katastrophe hielt, vor der es die Bürger um jeden Preis zu bewahren gelte. Noch 1799 fragt sich Willibald: „Was berechtigte (die Revolutionäre), mit Verwerfung aller gemäßigten Verbesserungspläne, ein der Monarchie ergebenes und gewohntes Volk durch Vorspiegelung mißgedeuteter Menschenrechte zum Aufstand zu reizen, Thron und Altar umzustürzen, die Schätze und Besitztümer der Krone, die Güter der Kirche, . . . alles umzukehren . . ., bloß um den Versuch zu machen, ob ein Ideal, das sie selbst nur in einem magischen Nebel erblickten, sich vielleicht realisieren lassen werde?" (XXXIII, 398).

Um Ordnung und Autorität besorgt, betrachtete Wieland die Gegenwart pessimistisch, zumal die Erfahrung der Geschichte ihn skeptisch gemacht hatte; so kann man sich bei der Lektüre der Aufsätze über die Französische Revolution nicht des Eindrucks erwehren, daß für ihn nicht so sehr das Problem von Revolution oder Evolution als vielmehr das von Anarchie oder Ordnung zur Debatte stand. Dennoch behielt er wider alle Erwartung einige Hoffnung für die Zukunft; wenigstens auf lange Sicht schien ihm die Revolution von Nutzen zu sein. Dies nicht so sehr, weil sie dem Volke Rechte zuerkannt hatte, die die anderen europäischen Nationen ihm bald ebenfalls würden einräumen müssen (174), sondern weil sie das Individuum vom Joch des Despotismus befreit und dadurch seine Entwicklung vorangetrieben hatte. Wie Schiller und die Liberalen glaubte Wieland, daß die Erziehung und Bildung des Individuums der Reform der Institutionen vorangehen solle und nicht umgekehrt: „Soll es jemals besser um die Menschheit stehen, so muß die Reform nicht bei den Regierungsformen und Konstitutionen, sondern bei den einzelnen

Menschen anfangen" (351). So wandte sich schließlich auch der deutsche Klassiker, der für die Gesellschaft und ihre Probleme am meisten Interesse aufgebracht hatte, wieder von der Politik ab und den Problemen der Moral und des Individuums zu[33]. Denn auch ihn hatte die Französische Revolution in seinem Elitarismus bestärkt.

Anmerkungen

[1] So griff er selbst die Göttinger Staatsanzeigen an, als diese 1790 Auszüge aus konterrevolutionären Pamphleten veröffentlichten, obwohl er A. L. Schlözer, dem Herausgeber, politisch nahe stand; was H. v. Koskull (Wielands Aufsätze über die Französische Revolution, Diss. München, Riga 1901, S. 24) übersieht.

[2] Wir zitieren Wielands Werke nach der Hempelschen Ausgabe, Berlin o. D., wobei Zahlen in Klammern auf die Seiten des Bandes 34 verweisen; für die anderen Zitate wird die Zahl des Bandes in römischen und die der Seite in arabischen Ziffern ebenfalls in Klammern gesetzt. Um die Zitate dem Text besser anzugleichen, wurde dabei die Orthographie modernisiert.

[3] Hierbei übernimmt Wieland ein Zitat ans dem Moniteur Nr. 47, vom 16. Februar 1792, das schon Eggers angeführt hatte. Vgl. diesbezüglich H. v. Koskull, a.a.O., S. 47.

[4] 1790, Bd. 7, S. 3ff.

[5] Mit seinen Unparteiischen Betrachtungen griff er vor allem Schlözer an.

[6] Chronik, 1791, St. 65, S. 540.

[7] Die Polemik mit Eggers zog sich fast über das ganze Jahr 1792 hin; Vgl. Neuer teutscher Merkur, Stück 1–3.

[8] Während Semiramis gar den orientalischen Despotismus vertritt, ist Aspasia für ein Wahlkönigtum, in welchem dem Verdienst der Vorrang vor der Geburt gebührt; Elisabeth von England repräsentiert gleichsam die Synthese der konstitutionellen Monarchie.

[9] Wie dies des öfteren versucht wurde. Vgl. Koskull, a.a.O. S. 9.

[10] Vgl. Werke, Bd. 34, S. 107, 190; Bd. 33, S. 345, 472. Zu Unrecht glaubte jedoch die Kritik zuweilen, daß Wieland wirklich diesen Standpunkt eingehalten habe. Vgl. diesbezüglich M. Boucher, La révolution de 1789 vue par les écrivains allemands ses contemporains, Paris 1954, S. 41, der Wielands „impassibilité d'historien", „impartialité" (S. 53) zu sehr betont. B. Weyergraf, Der skeptische Bürger, Stuttgart 1972, S. 17, der aus linksradikaler Schau Wielands Haltung der Revolution gegenüber oft etwas einseitig deutet, sieht im „erhöhten Standpunkt des distanzierten Beobachters" nicht Wielands Ideal, sondern betrachtet diese Schau als Rückzug, als Flucht: „Sobald diese (politischen Ereignisse) seine Vorstellungskraft und das Maß dessen überschreiten, was er für erträglich hält."

[11] Vgl. M. Barthel, Das „Gespräch" bei Wieland, Frankfurt 1939, und F. Sengle, Wieland, Stuttgart 1949, S. 448. Ebenfalls Wielands Werke, Bd. 34, S. 373, wo Wieland sich selbst charakterisiert: „Meine natürliche Geneigtheit, Alles (Personen und Sachen) von allen Seiten und aus allen möglichen Gesichtspunkten

anzusehen, und ein herzlicher Widerwille gegen das nur allzu gewöhnliche einseitige Urtheilen und Parteinehmen ist ein wesentliches Stück meiner Individualität."

[12] Während M. Boucher, a.a.O., die Schwankungen in Wielands Auffassungen mit Schweigen übergeht, wies Koskull, welcher sich meist damit begnügt, Wielands Revolutionsschriften in chronologischer Folge zu referieren, dabei aber verdienstvoll manche französische Quelle aufzeigt, darauf hin, wie dann auch F. Sengle, a.a.O. S. 443: „Tatsächlich zeigen seine zahlreichen Aufsätze und Gespräche zur Revolution ein so starkes Hin und Her der Meinungen und Stimmungen"; zu recht führt er diese Schwankungen auf den „mimosenhaften, zeitempfindlichen Geist" Wielands zurück; er geht aber zu weit, wenn er dabei von Wielands „Bindungslosigkeit" spricht.

[13] Vgl. G. L. Fink, Des privilèges nobiliaires aux privilèges bourgeois, in: Recherches Germaniques III, 1973, S. 76ff., sowie J. Droz, L'Allemagne et la Révolution française, Paris 1949, S. 348ff.

[14] Vgl. auch Weyergraf, a.a.O. S. 39, der diesbezüglich überspitzt von Wielands „konservativer Kulturtheorie mit ihrem Glauben an eine selbsttätige und als höhere Fügung zu begreifende Geschichtsentwicklung" spricht. Es lohnte sich solchen Vereinfachungen gegenüber Wielands komplexes Verhältnis zum Fortschritt näher zu untersuchen.

[15] Vgl. Betrachtungen über Condorcets Erklärung, Was ein Bauer und Handarbeiter in Frankreich sei (1792), Werke, Bd. 34, S. 240ff.

[16] Vgl. O. Vogt, „Der Goldene Spiegel" und Wielands politische Ansichten, Berlin 1904, S. 44ff.

[17] Obgleich im „Goldenen Spiegel" Tifan als der erste Bürger von Scheschian bezeichnet wurde. Vgl. O. Vogt, a.a.O. S. 58ff., aber gegenüber den Prätentionen der Nationalversammlung ging es nunmehr für Wieland darum, die Autorität des Königs zu betonen.

[18] Vgl. O. Vogt, a.a.O. S. 56ff.

[19] Vgl. diesbezüglich Kant, Zum ewigen Frieden, 1795, Werke, hrsg. v. W. Weischedel, Darmstadt 1971, Bd. 9, S. 223, dem zufolge auch die republikanische Verfassung keine Engel voraussetzt und auch den Menschen „mit ihren selbstsüchtigen Neigungen" angemessen ist.

[20] Auch J. Möser befürwortete 1792 ebenfalls in verschiedenen Artikeln der Berlinischen Monatsschrift einen auf dem Erstgeburtsrecht fußenden Adel. Vgl. G. L. Fink, a.a.O. S. 76ff. und J. Moes, Un adversaire allemand de la Révolution française: Justus Möser, in: Centre de Recherches des Relations internationales de l'Université de Metz, Bd. 3, Metz 1973, S. 64ff.

[21] Vgl. H. Sée, Les idées politiques en France au XVIIIe siècle, Paris 1920, S. 105, 180ff.

[22] Vgl. G. L. Fink, a.a.O. S. 51ff. und J. Godechot, La Contre-Révolution, Paris 1961, S. 38ff.

[23] F. Schlegel hingegen erklärte: „Der Wille der Mehrheit soll als Surrogat des allgemeinen Willens gelten." Versuch über den Begriff des Republikanismus, 1796: Die andere Romantik, hrsg. v. H. Schanze, Sammlung Insel 29, Frankfurt 1967, S. 46.

[24] Werke, Bd. 33, S. 394, denn er zog die Diktatur eines einzelnen dem demokratischen oder oligarchischen Despotismus vor. Vgl. auch F. Sengle, a.a.O. S. 451,

und F. Martini, Wieland, Napoleon und die Illuminaten. A. Fuchs zum 70. Geburtstag, München-Paris 1967, S.65 ff.

[25] Für diese Metaphorik vgl. K. Witte, Reise in die Revolution. G. A. von Halem und Frankreich im Jahre 1790, Stuttgart 1971, S. 43 ff.

[26] Vgl. auch B. Weyergraf, a.a.O. S. 93, Anm. 75. Das Thema der menschlichen Unzufriedenheit durchzieht Wielands gesamtes Werk. Vgl. G. L. Fink, Naissance et apogée du Conte merveilleux en Allemagne. 1740–1800, Paris 1966, S. 125 ff.

[27] So läßt sich die Diskrepanz zwischen Wielands Schriften und Briefen erklären, in denen er zuweilen die Revolution weniger kritisch beurteilt; vgl. z. B. seine Briefe an Reinhold (22. Juli 1792) und an Gleim (12. August 1793).

[28] Vgl. auch Vogt, a.a.O. S. 52 ff.

[29] Vgl. (K. Clauer), Der Kreuzzug gegen die Franken, 1791. Der Kreuzzug wurde jedoch in beiden Lagern gepredigt, sowohl in Frankreich wie auch in Deutschland.

[30] Neuer Merkur, 1791, Bd. 2, S. 436.

[31] Wieland spielte vor allem auf die Déclaration de paix au monde vom 22. Mai 1790 an, aber auch auf die Präambel der Kriegserklärung an den König von Böhmen und Ungarn vom 20. April 1792.

[32] Vgl. auch B. Weyergraf, a.a.O. S. 18.

[33] Während der z. T. konservativere Goethe im Gegenteil unter dem Einfluß der Französischen Revolution das klassisch-individualistische Bildungsideal auf die Gesellschaft hin ausrichtete; vgl. G. L. Fink, Die Bildung des Bürgers zum Bürger. Individuum und Gesellschaft in „Wilhelm Meisters Lehrjahre“, in: Recherches Germaniques II, 1972, S. 3 ff.

Walter Müller-Seidel

DEUTSCHE KLASSIK UND FRANZÖSISCHE REVOLUTION

Zur Entstehung einer Denkform [1]

Daß man in den historischen Wissenschaften seinen Gegenstand weiterhin sine ira et studio betrachtet, wollen wir hoffen. Zumal bei einem Thema, das den Verlauf einer Revolution in die Geschichte der Literatur einbezieht, ist an eine solche Selbstverständlichkeit wissenschaftlichen Denkens zu erinnern. Denn die Zeiten, in denen wir leben, sind bekanntlich sehr revolutionsfreudige Zeiten. Da kann es leicht geschehen, daß man im Prozeß der Umwertung aller Werte verdammt, was gerade noch gefeiert worden war; und daß man feiert, was man noch eben verdammte. Wir reden keiner Wertfreiheit das Wort. Aber wir wollen uns noch weniger als Parteigänger der Geschichte verstanden sehen, die ihren Gegenstand nicht mehr vorurteilsfrei durchdenken, weil sie schon im vornhinein wissen, wie man darüber zu denken hat. Revolutionen sind im Umgang mit Literatur nicht etwas, das man verdrängen muß, weil sie der Dichtung als Dichtung – wie man so sagte – abträglich sind. Aber sie sind auch nicht der Wertmaßstab, mit dem alles und jedes zu messen ist. Die Literatur der deutschen Klassik hätte bei so beschaffener Urteilsbildung nichts Gutes zu erhoffen, wollte man so verfahren. Ein Repräsentant dieser Klassik wie Goethe war bekanntlich auf Revolutionen nicht gut zu sprechen; auch Schiller war wenig von ihnen angetan; und natürlich darf man nicht einfach dekretieren, daß nur derjenige ein guter Dichter ist, der für Revolutionen ist. Aber daß er sie zur Kenntnis nimmt und daß er sich als Schriftsteller den Fragen stellt, die solche Ereignisse aufwerfen, wenn sie stattfinden, darf man erwarten. Mehr noch darf man fordern, daß er der Wirklichkeit nicht den Rücken kehrt, um in das Wolkenkuckucksheim seiner Träume auszuwandern. Unnötig zu betonen, daß damit eine Vorentscheidung bereits getroffen ist, die den Gang dieser Untersuchung begleiten wird. Sie betrifft einen bestimmten Begriff von Literatur, diese nicht als unverbindlichen Schmuck des Daseins verstanden, sondern als Antwort auf die Fragen der Zeit in der Geschichte des menschlichen Denkens.

Aber der so verstandene Literaturbegriff schließt weitere Überlegungen ein. Wie Goethe, Schiller oder Hölderlin über das Ereignis des Jahres 1789 geurteilt haben, ginge uns wenig an, wenn sich ihre „Einstellung" nicht auch in ihrem Werk äußerte. Und nur mit Äußerungen ist es nicht getan. Es geht vor allem um Fragen des Ausdrucks und des Stils. Solche Interessen für Außerliterarisches im Umgang mit Literatur sind legitim; und zumal dann, wenn das literarische Werk in seiner „Literarität" davon betroffen ist. Wenn sich ein Dichter über ein politisches Ereignis äußert, in seiner Dichtung aber ganz anders „denkt", so bleibt diese Äußerung bloß biographisch und womöglich privat. Der von Pierre Bertaux herbeigeführten Debatte über Hölderlin und die Französische Revolution ist der Vorwurf nicht zu ersparen,sie von vornherein auf einer bloß biographischen Ebene geführt zu haben: wir erfahren wenig oder nichts über den „jakobinischen" Stil dieser Lyrik, wenn wir es denn schon mit einem Jakobiner zu tun haben[2]. Denn die Frage, ob Hölderlin ein Jakobiner war oder nicht, ist literarhistorisch keine sehr sinnvolle Frage. Sie betrifft zunächst nur das „Erlebnis" Hölderlins – sein politisches Erlebnis, versteht sich[3]. Aber solche „Erlebnisse" gehen uns, wie ausgeführt, wenig an, wenn sie sich nicht in künstlerischen Ausdruck umsetzen; so wenig uns die Gesinnung eines Schriftstellers interessiert, wenn es nur diese ist, die er uns mitzuteilen hat. Auf Vermittlungen kommt es an. Sind sie gelungen? Und wenn sie gelungen sind, wie sind sie nachweisbar? Man erinnert sich der Stellungnahme Emil Staigers, der Fragen wie diesen gründlich mißtraut. In seinem Buch über Probleme des Stilwandels hat er sich darüber ausgesprochen; es heißt: „Die deutsche Romantik etwa sei – so wird versichert – eine Folge der Französischen Revolution. Romantische Autoren selber legen uns diesen Gedanken nahe. Die Französische Revolution wiederum ist aber ihrerseits zweifellos von Dichtern und Denkern vorbereitet und insofern mitveranlaßt worden. Verstünde man diese nun wieder als Funktion des ancien régime, so ließen sich wohl unschwer einige ältere Schriftsteller ausfindig machen, die ihrerseits zum Werden des ancien régime beigetragen haben. So bleibt es zweifelhaft, ob das Schrifttum mehr eine Funktion der Gesellschaft oder umgekehrt diese mehr eine Funktion des Schrifttums sei. Beides ist behauptet worden . . ."[4] Hier wird unmißverständlich für den „Überbau" und gegen die „Basis" votiert, wie man in einer etwas veränderten Terminologie sagen könnte; und zugleich wird bestritten, daß zwischen beiden „Ebenen" ein Wechselverhältnis besteht, über das die Forschung etwas Nachweisbares beibringen kann. Doch handelt es sich in solchen Aussagen um das Verhältnis von deutscher Literatur und Französischer Revolution nicht allein. Es sind prinzipielle Probleme, die in Frage stehen oder in Frage gestellt werden. Zweifelhaft bleibt es tatsächlich, ob das Schrifttum mehr eine Funktion der Gesellschaft oder umgekehrt diese mehr eine Funktion des Schrifttums sei. Es ist beides möglich, und man muß es von Fall zu Fall untersuchen. In jeder historischen Wissenschaft geht es um Zusammenhänge, und die wechselseitige Funktion zwischen dem Schrifttum und der Gesellschaft einer Epoche ist ein solcher. Zusammenhänge aber sind komplex[5]. Nur mit solchen Einschränkungen sind Probleme von der Art zu erörtern, um die es hier geht. Das trifft für die Probleme des Stilwandels gleichermaßen zu, wenn der stilgeschichtliche Schritt vom Sturm und Drang zur Klassik zu untersuchen ist. Und dabei ist das Ereignis der Französischen Revolution nicht zu übersehen.

Aber die Auffassungen hinsichtlich dieses Schrittes sind überaus kontrovers. Es geht zunächst um den keineswegs eindeutigen Zusammenhang zwischen der literarischen Bewegung des Sturm und Drang und der Französischen Revolution. Die marxistische Literaturwissenschaft urteilt in diesem Punkt verhältnismäßig einheitlich. Man sieht vor allem auf die gesellschaftskritischen Inhalte. Das Schaffen des jungen Goethe wird als „Weiterführung der Rousseauischen Linie" verstanden. So vor allem hat es Georg Lukács gelehrt, und eine ganze Generation hat sich an den Lehren seiner Schule orientiert. Wir lesen die wahrhaft wegweisenden Sätze: „Freilich ist der junge Goethe kein Revolutionär, auch nicht im Sinne des jungen Schiller. Aber in einem breiten und tiefen historischen Sinne, im Sinne der innigen Verknüpftheit mit den Grundproblemen der bürgerlichen Revolution, bedeuten die Werke des jungen Goethe einen revolutionären Gipfelpunkt der europäischen Vorbereitung der Großen Französischen Revolution."[6] Hans Mayer sieht – oder sah – es ähnlich: „‚Kabale und Liebe' vollends, Schillers drittes Drama, war zweifellos, wie Friedrich Engels richtig erkannt hat, das erste deutsche Tendenzdrama im eigentlichen Sinne . . . Nicht der tragische Konflikt als Vertrauenskonflikt zwischen Ferdinand und Luise steht im Mittelpunkt, sondern ganz zweifellos und nach der Absicht des Verfassers der gesellschaftliche Konflikt zwischen bürgerlicher und höfischer Welt . . ."[7] Es bleibt anzumerken, daß diejenige Literaturwissenschaft, die man die bürgerliche nennt, andere Auffassungen vertritt und begründet. Paul Böckmann leugnet nicht, daß der junge

Schiller für die Lehren Montesquieus oder Rousseaus hellhörig und aufnahmebereit gewesen sei. Seine leidenschaftliche Auseinandersetzung mit dem ancien régime dürfe „als eine Art Selbstbefreiung des eng gebundenen bürgerlichen Lebens" aufgefaßt werden [8]. Aber ein Vorklang der Revolution sei es keineswegs. Erst recht bestreitet Benno von Wiese, daß Schillers „Denken und Dichten vor 1793 tatsächlich sich in eindeutiger Weise auf die Revolution zubewegt hätte" [9]. Nun kann von einer Eindeutigkeit in solchen Fragen ohnehin nicht die Rede sein; und anzunehmen, daß das eine unmittelbar in das andere übergeht, liefe auf unvertretbare Vereinfachungen hinaus, die dem komplexen Zusammenhang nicht entsprechen, um den es sich handelt. Es geht nicht an, mit Lukács den Sturm und Drang in der Aufklärung verschwinden zu lassen, als seien es identische Begriffe. Wie die sozialkritischen Tendenzen mit der „Gefühlskultur" dieser literarischen Bewegung in Einklang zu bringen sind, bliebe zu klären. Im übrigen ist hier wie sonst nicht Unvergleichbares zu vergleichen. Zwischen dem Sturm und Drang als Literatur und der Revolution als einer Tathandlung gibt es eine Grenze, die man nicht ungestraft verwischt. Der Stil, der künstlerische Ausdruck, die literarische Form blieben sonst auf der Strecke. Den späten Georg Lukács, der sich fast ausschließlich für sozialkritische Inhalte interessiert, müßte man an eigene Aussagen aus seiner frühen Zeit erinnern. In dem Essay zur „Entwicklungsgeschichte des modernen Dramas" aus der vormarxistischen Phase seines Werdegangs war damals – um 1909 – zu lesen: „Die größten Fehler der soziologischen Kunstbetrachtung sind, daß sie in den künstlerischen Schöpfungen die Inhalte sucht und untersucht und zwischen ihnen und bestimmten wirtschaftlichen Verhältnissen eine gerade Linie ziehen will. Das wirklich Soziale aber in der Literatur ist: die Form." [10] Die geraden Linien sind es in der Tat, die wir uns verbitten wollen; sie führen nicht zur Literatur hin, sondern von ihr weg. Wie sich der komplexe Zusammenhang zwischen Sturm und Drang und Französischer Revolution also darstellt, wäre zumal am Stil dieser literarischen Bewegung zu erörtern. Aber das sind nicht die Fragen, um die es hier geht. Unser „Gegenstand" ist die deutsche Klassik, und wenn diesem Begriff überhaupt eine Bedeutung zukommen kann, so schließt er eine stilgeschichtliche Opposition zum Sturm und Drang ein – einen Stilwandel, der die beiden „Bewegungen" oder „Epochen" voneinander entfernt. Daß es seitens der Vertreter dieser literarischen Bewegung Beziehungen zur späteren Revolution gibt – „aufnahmebereit für die Lehren Montesquieus und Rousseaus"! – wird

auch innerhalb der bürgerlichen Literaturwissenschaft nicht geleugnet; so wenig wie die marxistische Literaturkritik eine weitgehende Ablehnung der Revolution seitens der Klassik leugnen kann. Zwar ist die Ablehnung von Fall zu Fall verschieden, und das Verhältnis der deutschen Klassik zu dem Ereignis des Jahres 1789 ist, um genau zu sein, das Verhältnis verschiedener Schriftsteller zu diesem. Dennoch läßt sich wenigstens seit 1793 dieses Verhältnis verallgemeinern: seit der Hinrichtung des französischen Königs zeigen sich die meisten enttäuscht, ernüchtert und desillusioniert. Vor allem Schiller äußert sich unmißverständlich: „Ich kann seit 14 Tagen keine französische Zeitung mehr lesen, so ekeln diese elenden Schindersknechte mich an." [11] Solche Stellungnahmen sind durch Äußerungen Goethes mühelos zu ergänzen. Zwar ist auch Goethes Verhältnis zur Revolution komplex. Aber die Grundeinstellung ist nicht ernsthaft bestreitbar: sie läuft klar und deutlich auf Ablehnung hinaus. Goethe war von den Vorgängen nicht nur, sondern von der Vorgeschichte erst recht verschreckt und verstört. Nicht nur rückblickend hat er die Geschehnisse als die schrecklichsten Ereignisse verstanden [12]. In den Tag- und Jahresheften – gleichfalls im Rückblick – findet er kaum noch Worte, um das Entsetzen auszudrücken, das ihn erfaßte: „Schon im Jahre 1785 hatte die Halsbandgeschichte einen unaussprechlichen Eindruck auf mich gemacht. In dem unsittlichen Stadt-, Hof- und Staatsabgrunde, der sich hier eröffnete, erschienen mir die greulichsten Folgen gespensterhaft . . ." Er habe sich so seltsam benommen, daß er Freunden damals, als die Revolution längst ausgebrochen war, wie wahnsinnig vorgekommen sei [13]. Seit der Mitte der achtziger Jahre steht der Name Cagliostros im Denken Goethes für die Sache, die ihn so unabsehbar entsetzt: „Schon im Jahre 1785 erschreckte mich die Halsbandgeschichte wie das Haupt der Gorgone. Durch dieses unerhört frevelhafte Beginnen sah ich die Würde der Majestät untergraben, schon im voraus vernichtet, und alle Folgeschritte von dieser Zeit an bestätigten leider allzusehr die furchtbaren Ahnungen . . .", heißt es in der „Campagne in Frankreich" [14]; und schon 1781 hatte Goethe gegenüber Lavater, tief beunruhigt von den geheimen Künsten Cagliostros, ein düsteres Bild der Lage gezeichnet: „Glaube mir, unsere moralische und politische Welt ist mit unterirdischen Gängen, Kellern und Cloaken miniret, wie eine große Stadt zu seyn pflegt, an deren Zusammenhang, und ihrer Bewohnenden Verhältniße wohl niemand denkt und sinnt . . ." [15]
Solche und verwandte Äußerungen scheinen die Komplexität der Zu-

sammenhänge zu widerlegen. Das Verhältnis der deutschen Klassik zur Revolution in Frankreich, das geht aus den meisten dieser Äußerungen hervor, ist dasjenige einer Gegnerschaft, sie sei stilgeschichtlich relevant oder nicht. Wenigstens stellt es sich im Falle Goethes wie Schillers, ihrer Wortführer, so dar. Aber auch die stilgeschichtlichen Probleme – im Verhältnis der Klassik zum voraufgegangenen Sturm und Drang – lassen sich damit verbinden. Man spricht – wie Friedrich Sengle – von der Überwindung des Sturm und Drang im Zusammenhang einer solchen Gegnerschaft: „Die Überwindung des Sturm und Drang wiederholte sich in einer am Ende sehr energischen, auch in die politische Realität hinüberwirkenden Ablehnung der Französischen Revolution.“ [16] Und während man den Stil des Sturm und Drang zumeist noch als das sieht, was jeder Stil ist: etwas Zeitbedingtes, Historisches und Vergängliches, war mit dem Begriff Klassik lange Zeit die irrtümliche Vorstellung verbunden, man habe es mit etwas schlechterdings Zeitlosem zu tun. Gegenüber der zeitbedingten Politik jenseits des Rheins erhält die zeitlose Dichtung ihr Recht – Klassik also im eigentlichen Sinn, als Rückkehr zu Maß und Norm antiken Lebens. Das Unzusammenhängende – hier, in den Meisterwerken deutscher Dichter am Ende des 18. Jahrhunderts, wird es Ereignis. Die Eindeutigkeit im Verhältnis beider Erscheinungen bestätigt sich erneut: der Antagonismus von deutscher Klassik und politischer Revolution. Die Folgerung liegt nahe, als gingen sich beide Phänomene nichts an. Aber dieser Antagonismus legt noch eine weitere Folgerung nahe – diese nämlich, daß deutsche Klassik und ancien régime zusammengehören und daß die zeitüberdauernde Dichtung Goethes und Schillers womöglich einem in jeder Hinsicht rückschrittlichen Regierungssystem seine Entstehung verdankt [17]. Einer solchen Auffassung – daß die deutsche Klassik mit dem ancien régime identisch ist, weil sie zur Revolution in Frankreich im Gegensatz steht – ist ein für allemal zu widersprechen.
Mit deutscher Klassik sind vorzüglich „Kultur und Gesellschaft im klassischen Weimar“ gemeint – „Culture and Society in Classical Weimar“, wie der Titel eines Buches von W. H. Bruford lautet [18]. Und die Weimarer Klassik – das kann durchaus auf Stilprobleme bezogen werden – ist gegenüber dem Sturm und Drang eine betontermaßen höfische Kultur. Dennoch war der Weimarische Hof nicht irgendein Hof. Hier waren Reformen anders als andernorts erwünscht. Goethe hat seine Tätigkeit als Staatsmann von Anfang an so verstanden. Was er als weimarischer Minister auf dem Gebiet des Münzwesens, des Wegebaus, des Heeres

oder des Bergbaus erreicht hat, ist nicht wenig. Diesen Staat zu einem Idealstaat hinaufzustilisieren, besteht kein Grund. Auch Karl August selbst war nicht frei von den Sünden absoluter Monarchen; an irgendeine demokratische Willensbildung dachte er kaum, und Mitspracherechte seiner Untertanen standen außer Frage. In allen diesen Punkten war er wie andere Fürsten seiner Zeit ein Repräsentant des ancien régime. Aber die Schriftsteller, die unter ihm tätig wurden, waren es nicht in gleicher Weise. Nicht einmal die Kleinstaaterei, der sie schließlich ihre berufliche Existenz verdankten, haben sie vorbehaltlos akzeptiert. „Weil in unserem Vaterlande keine allgemeine Bildung durchdringen kann, so beharrt jeder Ort auf seiner Art und Weise und treibt seine charakteristischen Eigenschaften bis aufs letzte", schreibt Goethe; und ähnlich andernorts: „Wir sind lauter Particuliers; an Übereinstimmung ist nicht zu denken; jeder hat die Meinungen seiner Provinz, seiner Stadt, ja seines eigenen Individuums, und wir können noch lange warten, bis wir zu einer Art von allgemeiner Durchbildung kommen."[19] Und keineswegs war das Verhältnis zum Hofleben mit seinen Vergnügungen und Verschwendungen ungetrübt. Es gibt vielfach Reserven, die nicht selten in unverhüllter Kritik geäußert werden. „Die letzten Tage der vorigen Woche", so steht es in einem Brief an Lavater aus dem Jahre 1781, „hab ich im Dienste der Eitelkeit zugebracht. Man übertäubt mit Maskeraden und glänzenden Erfindungen oft eigne und fremde Noth"[20]. Schließlich die italienische Reise! Man würde zweifellos ihre Bedeutung verkennen, wenn man sie nur aus einer biographischen Situation heraus verstehen wollte: als Flucht vor Charlotte von Stein, wie man es in älterer Literatur nachlesen kann. Daß in diese Krise, die hier so abrupt zum Ausbruch kam, gesellschaftliche Motive hineinspielen, kann als erwiesen angesehen werden. Hans Mayer hat diese Auffassung vertreten und begründet: „Goethe mußte sich in den Aktenkram ‚verzetteln', weil seine großen politisch-reformatorischen Pläne zwischen 1775 und 1786 an den Weimarer Verhältnissen zerschellt waren."[21] Der Minister in Weimarischen Diensten, der Goethe geworden war, war keineswegs für fremde Not erblindet. Die miserable Lage der Bauern hat er nicht als gottgegeben und unabänderlich hingenommen. In einem Bericht über seine Tätigkeit wird die soziale Lage ohne jede Beschönigung geschildert: „ich gehe weiter und sehe nun, zu was die Natur ferner diesen Boden benutzt und was der Mensch sich zu eigen macht ... So steig ich durch alle Stände aufwärts, sehe den Bauersman der Erde das Nothdürftige abfordern, das doch auch ein behäglich auskommen wäre, wenn er nur für sich schwitzte. Du weißt aber wenn die Blattläuse auf den Rosenzweigen sitzen und sich hübsch dick und grün gezogen haben, dann kommen die Ameisen und saugen ihnen den filtrirten Safft aus den Leibern. Und so gehts weiter, und wir habens so weit gebracht, daß oben immer in einem Tage mehr verzehrt wird, als unten in einem beygebracht . . . werden kann . . ." [22]. Das hört sich nicht an, als sei der Minister in allem mit dem Staat einverstanden, dem er dient. Der Brief ist an Knebel gerichtet, und eigentlich für alle, denen sich Goethe, als Minister ebenso wie als Mensch verbunden fühlte, darf in Anspruch genommen werden, was er rückblickend für sich selbst in Anspruch nimmt: weder ein Anwalt der Revolution noch ein Anwalt des ancien régime gewesen zu sein. In den Gesprächen mit Eckermann ist dieses sein Denken charakterisierende Bekenntnis enthalten. Von der unvollendet gebliebenen Revolutionskomödie „Die Aufgeregten" ist die Rede. Er habe darin die Gestalt der Gräfin als eine Repräsentantin des Adels dargestellt – des Adels, wie er sein sollte, muß man ergänzen. Diese selbst habe in Paris aus den Vorgängen keine schlechte Lehre gezogen: „Sie hat sich überzeugt, daß das Volk wohl zu drücken, aber nicht zu unterdrücken ist und daß die revolutionären Aufstände der unteren Klassen eine Folge der Ungerechtigkeiten der Großen sind." Das eigene Verhältnis zur Französischen Revolution aber wird so umschrieben: „Es ist wahr, ich konnte kein Freund der Französischen Revolution sein, denn ihre Greuel standen mir zu nahe und empörten mich täglich . . . Ebensowenig aber war ich ein Freund herrischer Willkür. Auch war ich vollkommen überzeugt, daß irgendeine große Revolution nie Schuld des Volkes ist, sondern der Regierung. Revolutionen sind ganz unmöglich, sobald die Regierungen fortwährend gerecht und fortwährend wach sind, so daß sie ihnen durch zeitgemäße Verbesserungen entgegenkommen und sich nicht so lange sträuben, bis das Notwendige von unter her erzwungen wird." Den eigenen Standort beschreibt Goethe rückblickend sehr genau. Er fährt fort: „Weil ich nun aber die Revolution haßte, so nannte man mich einen Freund des Bestehenden. Das ist aber ein sehr zweideutiger Titel, den ich mir verbitten möchte. Wenn das Bestehende alles vortrefflich, gut und gerecht wäre, so hätte ich gar nichts darwider. Da aber neben vielem Guten zugleich viel Schlechtes, Ungerechtes und Unvollkommenes besteht, so heißt ein Freund des Bestehenden oft nicht viel weniger als ein Freund des Veralteten und Schlechten . . ." [23] Also weder ancien régime noch Revolution! Ein Denken in Gegensätzen, die auf ein Drittes verweisen, eine sich wiederholende Dreistufigkeit wird erkennbar. Im Erzählzyklus der „Unterhaltungen deutscher Ausgewanderten" stehen sich der starrsinnige Geheimrat – ein Anwalt des ancien régime – und der jugendliche Feuerkopf – ein Anwalt der Revolution – schroff gegenüber. Der Erzähler aber hält Abstand, vermittelt und integriert. Das Erzählen selbst wird eins mit diesem Dritten als einem Bereich jenseits politischer Gegensätze, wie sie hier aufeinandertreffen. Volk und Gesellschaft, wie sie sein sollten, werden „poetisiert". Weder der bestehenden Gesellschaft noch der durch die Revolution entstandenen wird das Wort geredet, sondern einer Gesellschaft anderer Art: einer, die der Dichter geschaffen hat. In Italien, am Beispiel des römischen Karnevals, war ihm ein solches Idealbild gesellschaftlichen Lebens aufgegangen. Nicht zufällig wird darüber in den Annalen des Jahres 1789 gehandelt: „Auf diese Vorarbeiten gründete ich meine Darstellung des ‚Römischen Karnevals', welche, gut aufgenommen, geistreiche Menschen veranlaßte, auf ihren Reisen gleichfalls das Eigentümlichste der Völkerschaften und Verhältnisse klar und rein auszudrücken . . ."[24] Goethe sind in dieser Niederschrift nicht nur die gesellschaftlichen Verhältnisse als diese wichtig. Es geht ihm erst recht darum, sie klar und rein auszudrücken, sie so objektiv wie nur möglich darzustellen. Der Stil seiner Klassik ist der Stil einer so verstandenen Objektivität: „Ich hatte die Maxime ergriffen, mich soviel als möglich zu verleugnen und das Objekt so rein, als nur zu tun wäre, in mich aufzunehmen . . ."[25] Der Begriff „Stil" wird aus einer solchen Darstellung abgeleitet. Er ist mit dem Prinzip des Objektiven identisch und bestätigt seinerseits die Dreistufigkeit des Denkens, mit der wir es zu tun haben: erst die einfache Nachahmung, dann die Manier, schließlich der Stil: „Wie die einfache Nachahmung auf dem ruhigen Dasein und einer liebevollen Gegenwart beruhet, die Manier eine Erscheinung mit einem leichten, fähigen Gemüt ergreift, so ruht der Stil auf den tiefsten Grundfesten der Erkenntnis, auf dem Wesen der Dinge, insofern uns erlaubt ist, es in sichtbaren und greiflichen Gestalten zu erkennen."[26] So steht es in dem Beitrag „Einfache Nachahmung der Natur, Manier, Stil", der im Revolutionsjahr in Wielands „Teutschem Merkur" erschien. Herbert von Einem weist in seinem Kommentar hinsichtlich der Begriffe auf den Versuch einer Typenlehre hin, den Mengs unternommen hatte und den Goethe fortführt. Aber zugleich macht er auf eine Stufenfolge aufmerksam, die dem Denken Goethes zugrunde liegt: „Indem er die höchste erreichbare Stufe, den Stil, auf den Grundfesten der Erkenntnis ruhend sieht, vollzieht er die für sein späteres Denken entscheidende Wendung zum Objektiven. Dabei ist charakteristisch, daß er die Stufen nicht nur gegeneinander abgrenzt, sondern auch miteinander verbindet. Das Wesen der Kunst ist eins. Jede Stufe hat ihr Recht. Wie die unterste schon auf die höchste hindeutet, so ist die höchste nicht ohne die unterste möglich."[27]

Im Grunde sind Inhalt (die gesellschaftlichen Verhältnisse) und Darstellung (der objektive Stil) nicht voneinander zu trennen. Das eine ist immer schon im anderen enthalten. Aber das ideale Bild der Gesellschaft ist jene Einheit, die über den Gegenständen liegt; so abermals im „Erlebnis" des italienischen Volksleben, wenn es heißt: „Aus Italien dem Formreichen war ich in das gestaltlose Deutschland zurückgewiesen, heiteren Himmel mit einem düsteren zu vertauschen", mit diesem Satz beginnt der 1817 verfaßte Beitrag über die Metamorphose der Pflanzen[28]. Er handelt über die Grunderfahrung der italienischen Reise: über Natur und Kunst. Aber erst die Einbeziehung der menschlichen Gesellschaft ergibt die Einheit, auf die es ankommt: „Wie die begünstigte griechische Nation verfahren um die höchste Kunst im eignen Nationalkreise zu entwickeln, hatte ich bis auf einem gewissen Grad einzusehen gelernt, so daß ich hoffen konnte nach und nach das Ganze zu überschauen, und mir einen reinen, vorurteilsfreien Kunstgenuß zu bereiten. Ferner glaubte ich der Natur abgemerkt zu haben, wie sie gesetzlich zu Werke gehe, um lebendiges Gebild, als Muster alles künstlichen, hervorzubringen. Das dritte, was mich beschäftigte, waren die Sitten der Völker. An ihnen zu lernen, wie aus dem Zusammentreffen von Notwendigkeit und Willkür, von Antrieb und Wollen, von Bewegung und Widerstand ein Drittes hervorgeht, was weder Kunst noch Natur, sondern beides zugleich ist, notwendig und zufällig, absichtlich und blind. Ich verstehe die menschliche Gesellschaft."[29] Kunst und Natur, Notwendigkeit und Zufall sind hier die Gegensätze, die das Dritte ergeben: ihre Vereinigung in einem Ganzen, als welches die menschliche Gesellschaft – eine ideale Gesellschaft – gedacht wird. Solche Erfahrungen italienischen Volkslebens, auf die Goethe wieder und wieder zu sprechen kommt, sind gewiß nicht schon so zu verstehen, als habe er im Politischen und Sozialen endlich gefunden, was er so lange gesucht hatte: das Volk nicht mehr nur als Möglichkeit, sondern als Wirklichkeit, wie sie existiert. Aber zur Wirklichkeit eines Volkes gehört eine genaue Kenntnis seiner sozialen Lage. Wie es diesem eigentlich ergeht, welche Not zum Vorschein kommt, wenn Maskerade,

Komödie und Karneval gewesen sind, wird von dem bloß durchreisenden Minister kaum in Erfahrung gebracht. Dieser so ins Positive gewendete Volksbegriff ist abgeleitet aus einer exzeptionellen Situation. Er ist nicht die Wirklichkeit, sondern ihr Symbol, gewiß ein solches im Goetheschen Sinne, das auf Anschauung des Wirklichen basiert; denn auch das Symbol der deutschen Klassik ist eine für die Zeitlage bezeichnende Denkform, die aus gegensätzlichen Bereichen – dem Besonderen und dem Allgemeinen – das dichterische Bild als ein Drittes hervorgehen läßt.

Der Passus über Natur und Kunst als Gegensätze, die ein Drittes ergeben – das ideale Bild einer menschlichen Gesellschaft –, findet sich nicht zufällig in einer Schrift Goethes zur Morphologie. Er blickt darin zunächst auf das, was damals um die gleiche Zeit entstand, auf die Aufsätze über Kunst, Manier und Stil, über die Metamorphose der Pflanze und über den römischen Karneval[30]. Das ist abermals die Dreiheit der Bereiche. Goethe nennt sie die drei großen Weltgegenden, und die Naturwissenschaft bildet die Mitte. Sie steht von nun an ohnehin im Zentrum seines Denkens. Das Schlüsselwort heißt Metamorphose. Sie ist eine solche der Pflanzen und der Tiere, aber der Menschen gleicherweise. Denn auch zum Vorstellungsbereich der Metamorphose gehört das Denken in Stufen, deren höchste die Menschheit ist: „ich war völlig überzeugt, ein allgemeiner, durch Metamorphose sich erhebender Typus gehe durch die sämtlichen organischen Geschöpfe durch, lasse sich in allen seinen Teilen auf gewissen mittleren Stufen gar wohl beobachten und müsse auch noch da anerkannt werden, wenn er sich auf der höchsten Stufe der Menschheit ins Verborgene bescheiden zurückzieht"[31]. Mit dem Vorstellungsbereich der Metamorphose wird weder das Bestehende gerechtfertigt noch wird irgendeiner Form des Umsturzes das Wort geredet. Die der Metamorphose zugeordneten Begriffe heißen Wandel, Verjüngung, Erneuerung, Wiedergeburt – alles Leitmotive der „Italienischen Reise". Sie haben ihre Geltung innerhalb der organischen Naturen ebenso wie innerhalb der menschlichen Gesellschaft. Die der Klassik zugrundeliegende Denkform ist in Goethes naturwissenschaftlichen Schriften am besten zu erläutern. Dem Prinzip der Steigerung durch Polarität kommt dabei eine zentrale Bedeutung zu[32]. Der Revolution im gesellschaftlichen Bereich wird die Evolution in allen Bereichen entgegengesetzt. Auch die Bildungsidee ist so beschaffen: als eine aus den Gegensätzen hervorgehende Synthese. Hier vor allem ist es Schiller, der den Begriff in der Dialektik seiner Dreistufigkeit definiert. Im vierten der „Briefe über die aesthetische Erziehung" spricht er vom Menschen, der sich in doppelter Weise entgegengesetzt sein kann: „entweder als Wilder, wenn seine Gefühle über seine Grundsätze herrschen; oder als Barbar, wenn seine Grundsätze seine Gefühle zerstören". Diesen beiden Menschentypen ist der gebildete Mensch übergeordnet, so daß ein allgemeines Prinzip menschlicher Bildung formuliert werden kann: „Die mannigfaltigen Anlagen im Menschen entwickeln, war kein anderes Mittel, als sie einander entgegen zu setzen. Dieser Antagonismus der Kräfte ist das große Instrument der Kultur"[33]. Der zwölfte der Briefe nimmt die Dialektik dieses Denkens auf einem anderen Gebiet der Anthropologie wieder auf: auf demjenigen der menschlichen Triebe. Schiller versteht sie so, daß dem Stofftrieb ein Formtrieb entgegenwirkt. Der Spieltrieb aber ist derjenige, in dem beide Triebe verbunden wirken und sich aufheben[34].

Im Denken Schillers ist die „produktive Spannung zwischen Dichtung und Politik" von Anfang an angelegt; und in seinem Verhalten zur Revolution gewinnt sie an Schärfe[35]. Der Brisanz seiner gesellschaftskritischen Dramatik, die das Jugendwerk kennzeichnet, haben sich die Zeitgenossen nicht entzogen, und es war nicht ein ganz und gar grundloser Irrtum der Rezeption, als die französische Nationalversammlung im August 1792 auch ihm – neben anderen – den Ehrentitel eines Citoyen français verlieh[36]. Es ist daher auch nicht abwegig mit Hans Mayer zu folgern: „Die gewaltige Revolution selbst, die Veränderung der politischen und gesellschaftlichen Umstände im Vollzug der Vernunftgesetze: ihr fühlte auch er sich verbunden."[37] Man wird der produktiven Spannung erst in ihrem Ausmaß gerecht, wenn man das in vieler Hinsicht revolutionäre „Programm" seiner Jugendwerke erfaßt und mit der Schärfe in Beziehung setzt, mit der er die Ablehnung der Revolution seit 1793 wiederholt zum Ausdruck bringt. Diese Ablehnung ist unmißverständlich: „Was sprichst Du zu den französischen Sachen? Ich habe wirklich eine Schrift für den König schon angefangen gehabt, aber es wurde mir nicht wohl, und da ligt sie mir nun noch da. Ich kann seit 14 Tagen keine französische Zeitung mehr lesen, so ekeln diese elenden Schindersknechte mich an."[38] Das ist deutlich! Aber man hüte sich, falsche Schlüsse zu ziehen – so, als habe damit Schiller die Ideen seines „Sturm und Drang" einfach liquidiert, als sei er nun etabliert und avanciert, zum politischen Repräsentanten des ancien régimes geworden, dem er letztlich diente. Davon kann keine Rede sein. Die Revolution trägt ihre Früchte. Aber der Begriff erhält in Deutschland

schon früh einen veränderten Sinn. Im Spannungsfeld von Dichtung und Politik handelt es sich um eine hochbedeutsame Wendung, die hier vollzogen wird, von Schiller nicht nur!
Im „Athenäum" steht das vielzitierte Wort Friedrich Schlegels: „Die Französische Revolution, Fichtes Wissenschaftslehre und Goethes Meister sind die großen Tendenzen des Zeitalters." Es ist üblich, nur diesen Satz – den ersten des Fragments – zu zitieren. Aber für die nach 1793 charakteristische Konstellation des Denkens in Deutschland ist der zweite Satz im höchsten Grade aufschlußreich; er lautet: „Wer an dieser Zusammensetzung Anstoß nimmt, wem keine Revolution wichtig scheinen kann, die nicht laut und materiell ist, der hat sich noch nicht auf den hohen weiten Standpunkt der Geschichte der Menschheit erhoben . . ."[39] Hier wird unmißverständlich einer Revolution das Wort geredet, die nichts „Materielles" ist. Was ist gemeint? Schlegels Revolutionsbegriff steht keineswegs vereinzelt im geistigen Raum der Zeit. In der Abkehr von den Ereignissen in Frankreich, ihrer Wirklichkeit wie ihrer Praxis, bildet sich eine Vorstellung aus, die darauf zielt, in der Revolution des Denkens die eigene Aufgabe zu erkennen, die zumal der Philosophie übertragen ist. Die Revolutionierung der Denkungsart ist die Wendung, die man aus der Bewußtseinslage der Zeit deduziert. Schon 1788, noch vor Ausbruch der Revolution, hat sie Carl Leonhard Reinhold, Wielands Schwiegersohn, in seinen Vorlesungen über die Kantische Philosophie gebraucht[40]. Den Passus aus Reinholds Vorlesungen hat Hegel in der „Phänomenologie des Geistes" zitiert; und Hölderlin umschreibt das damit Gemeinte mit etwas anderen Worten in dem bekannten Brief an Ebel vom 10. Januar 1797: „Ich glaube an eine künftige Revolution der Gesinnungen und Vorstellungsarten, die alles bisherige schaamroth machen wird . . ."[41] Eine Radikalität des Denkens ist unverkennbar, und die Revolutionierung der Denkungsart, wie sie für die idealistische Philosophie charakteristisch wird, ist selbst eine Denkungsart – eine Denkform, die weder dazu dienen kann, das Bestehende noch den Umsturz zu rechtfertigen. Die Absage an die Ideale der Revolution erweist sich in jedem Fall als höchst komplex. So vor allem in der Auseinandersetzung, die Schiller seit 1793 auf einer Reflexionsstufe führt, die kaum ihresgleichen hat. Daß er es an der Anstrengung des Denkens und der Begriffe fehlen ließe, ist ihm nicht vorzuwerfen. Die Klassikschelte, wie sie hier und da in Mode kommt, nimmt sich wenigstens in diesem Punkt höchst bescheiden aus. Ihre gedankliche Schlichtheit ist evident.

Seine tiefgreifende Auseinandersetzung mit dem Geist der Zeit – und mit der Wirklichkeit der Revolution! – leitet Schiller mit dem Brief an den Herzog von Augustenburg vom 13. Juli 1793 ein. Er geht von dem politischen Schöpfungswerk aus, womit nichts Geringeres als die Revolution in Frankreich gemeint ist. Schon die Ausdrucksweise – „Besonders aber ist es jetzt das politische Schöpfungswerk, was beynahe alle Geister beschäftigt" – gibt zu denken[42]. Was man um jeden Preis ablehnt und verachtet, bezeichnet man nicht so. Denn immerhin ist es ein Schöpfungswerk – ein Schöpfungsakt –, mit dem Politisches verbunden erscheint. Aber Schiller hält mit seiner Auffassung nicht zurück, daß dieses politische Schöpfungswerk mißlungen sei. Er ist überzeugt, daß die Menschen auf einen solchen Zustand der Freiheit und Vernunft noch nicht hinreichend vorbereitet waren; und er läßt es an der Begründung nicht fehlen, die er bündig in dem Satz formuliert: „Alle Reform, die Bestand haben soll, muß von der Denkungsart ausgehen." Daher wird eine Erziehung gefordert, die nur eine ästhetische Erziehung sein kann; und daß er seine Ästhetik auch politisch versteht, ist bei genauer Analyse des Textes nicht zu überhören. Seine Schönheitslehre ist nicht isoliert zu sehen, denn daß das politische Schöpfungswerk erst gelingen kann, wenn die Erziehung geleistet ist, bedeutet ja nicht, daß es damit auf unbestimmte Zeit „vertagt" wird. Schiller denkt nicht an unbestimmte Zeiten; er denkt allenfalls an eine Arbeit für mehr als ein Jahrhundert. In jedem Fall ist dieses Schöpfungswerk auf Erziehung des Menschen angewiesen. Und es ist ein unblutiges Werk! Dabei wird die Kunst auf keinen Fall um ihrer selbst willen gerechtfertigt. Sie zielt auf einen freien Menschen in einem von der Vernunft regierten Staate hin. Sie ist politisch motiviert. Die Französische Revolution – in Schillers Umschreibung „das Signal zur großen Veränderung" – erzwingt hier die Rechtfertigung der Kunst durch Veränderung des Denkens.

Von einer Absage an die Ideale der Aufklärung kann keine Rede sein. Ihre Errungenschaften werden nicht preisgegeben. Aber so wenig das geschieht, so wenig kann sich Schiller mit ihren Einseitigkeiten abfinden. Der Kernsatz seines kritischen Befundes lautet lapidar: „Die Aufklärung, deren sich die höheren Stände unseres Zeitalters nicht mit Unrecht rühmen, ist bloß theoretische Kultur . . ."[43] Daß mit der Kritik an der Aufklärung als einer bloß theoretischen Kultur die Ereignisse des Jahres 1789 in erster Linie gemeint sind, wurde ausgeführt. Aber eine Identifikation mit dem Bestehenden ist damit nicht verbunden.

Das bestätigt der Fortgang des Briefes. Schiller übt nicht einseitig Kritik. Er bezieht die „zivilisierten Klassen" und die „höheren Stände" in seine Kritik ein. Sie bieten seiner Ansicht nach einen widrigen Anblick der Erschlaffung und der Geistesschwäche, was alles um so empörender sei, als die Kultur selbst daran teilhabe. „Der sinnliche Mensch", schreibt Schiller, „kann nicht tiefer als zum Thier herabstürzen, fällt aber der aufgeklärte, so fällt er bis zum Teuflischen herab . . ." Der so herabgestürzte Mensch: das ist in seiner Auffassung der Vertreter des ancien régime unbeschadet seiner Aufklärung; aber es ist ebenso der von der Aufklärung geprägte Anwalt der Revolution. Beide gemeinsam sind sie – trotz aller Gegnerschaft – Anwälte einer bloß theoretischen Kultur, die den Menschen aus der verhängnisvollen Vereinzelung nicht herausführt, in der er sich befindet. Auch die Revolution hat dies nicht vermocht. Daher kommt alles auf eine veränderte Denkungsart an, auf eine Überwindung dessen, was den Menschen vereinzelt und von seiner möglichen Totalität entfernt. Es ist nicht schon die Kunst, der solches zugetraut wird, sondern die Erziehung zur Kunst, die ästhetische Erziehung des Menschen. In der Sprache der deutschen Klassik ist es die Idee der Bildung, die einer bloß theoretischen Kultur überlegen ist – dadurch auch, daß sie zugleich die Kluft überbrücken hilft, die den Bürger vom Adel trennt. Man muß den universalen Sinn dieser Idee im Wortverständnis der Zeit vernehmen, wie er auch dem Bildungsroman des „Wilhelm Meister" zugrundeliegt. Es ist die individuelle Bildung nicht nur, um die es geht. Bildung des Individuums kann auch deshalb so nachdrücklich gefordert werden, weil ohne sie die Bildung der Menschheit nicht gelingen kann. Hölderlin handelt darüber in dem großen Neujahrsbrief des Jahres 1799: „Der Horizont des Menschen erweitert sich, und mit dem täglichen Blick in die Welt entsteht und wächst auch das Interesse für die Welt, und der Allgemeinsinn und die Erhebung über den eigenen engen Lebenskreis wird gewiß durch die Ansicht der weitverbreiteten Menschengesellschaft und ihrer großen Schiksaale so sehr befördert, wie durch das philosophische Gebot, das Interesse und die Gesichtspuncte zu verallgemeinern." [44]
Von solchen Gedanken ausgehend kommt Hölderlin auf Bildung zu sprechen und ähnlich wie für Schiller ist es für ihn mit politischer Bildung nicht getan, wenn sie nicht durch Kunst erweitert wird. Bildung in einem derart universalen Sinn zielt auf „Menschenharmonie". Sie ist eine solche, die Poesie und Politik vereint und eben dadurch aus einer bloß theoretischen Kultur herausführt. „Die höchste Philosophie endigt

in einer poetischen Idee, so die höchste Moralität, die höchste Politik"; so formuliert es Schiller 1795 in einem Brief an die Gräfin Schimmelmann[45].

In den „Briefen über die aesthetische Erziehung des Menschen" hat Schiller seine Kritik nach beiden Seiten hin – nach unten wie nach oben – in der Formulierung modifiziert. Aber sie hat dadurch nichts an Schärfe eingebüßt. Verwilderung und Erschlaffung bleiben die Pole des menschlichen Verfalls, des Verfalls der menschlichen Gesellschaft. Die erstere ist eine Sache der niederen Klassen, die in der Denkweise Schillers nicht abzulösen ist von dem, was in Frankreich geschah, als die bürgerliche Ordnung zerbrach. Die rohen und gesetzlosen Triebe dieser Klassen: das ist ohne Frage die „losgebundene Gesellschaft" in anderen Worten. Die Losgebundenheit hat Entsetzen verbreitet. Aber die höheren Klassen haben nicht an Ansehen gewonnen. Die Kritik an ihnen ist rücksichtslos: „Auf der andern Seite geben uns die civilisirten Klassen den noch widrigern Anblick der Schlaffheit und einer Depravation des Charakters, die desto mehr empört, weil die Kultur selbst ihre Quelle ist ... Aus dem Natur-Sohne wird, wenn er ausschweift, ein Rasender; aus dem Zögling der Kunst ein Nichtswürdiger. Die Aufklärung des Verstandes, deren sich die verfeinerten Stände nicht ganz zu Unrecht rühmen, zeigt im Ganzen so wenig einen veredelnden Einfluß auf die Gesinnungen, daß sie vielmehr die Verderbniß durch Maximen befestigt ..."[46]

Der dritte Weg zwischen den unteren und den höheren Klassen – er ist im Denken Schillers mit dem Gegensatz zwischen Revolution und ancien régime nahezu identisch – heißt auch in seinem Fall: Verjüngung, Erneuerung, Veränderung. Er heißt Geschichte. Aber damit ist in den Werken seiner Klassik mehr gemeint als das, was sie in seinen Jugenddramen als das Feld der großen Handelnden schätzenswert erscheinen ließ. Die Geschichte ist ihm jetzt immer weniger nur Stoff. Sie wird gerade in dem erfaßt, was sie in Wandel und Fortschreiten erst zur Geschichte macht. Es sind die Veränderungen im Umkreis einer Zeitwende, die Reformationen und Revolutionen, für die sich Schiller unter dem Eindruck der Zeitereignisse zunehmend interessiert. Der 1792 zeitweilig erwogene Plan einer Geschichte der deutschen Reformation ist bezeichnend für diese Wendung seines Denkens: „Jetzt über die Reformation zu schreiben ... halte ich für einen großen politisch wichtigen Auftrag, und ein fähiger Schriftsteller könnte hier ordentlich eine welthistorische Rolle spielen."[47] Mit dem „Wallenstein"-Drama gibt Schiller eine Deutung der Geschichte, die in ihrem Gewicht nur verstanden werden kann, wenn man sie aus der Zeitlage heraus versteht. Auf diese verweist schon der Prolog. Im Drama selbst wird geschichtlicher Wandel zum schlechterdings zentralen Motiv. Nicht nur steht die Hauptfigur gegen Kaiser und Reich. Sie steht erst recht gegen die alten Ordnungen dieses Reichs; und gegen das Bestehende begehrt der Feldherr dieses großen Dramas auf:

> „Was grau für Alter ist, das ist ihm göttlich.
> Sei im Besitze und du wohnst im Recht,
> Und heilig wirds die Menge dir bewahren . . ."

Es geht sicher nicht an, Wallenstein nur als den selbstlosen Friedensfürsten zu interpretieren, der lediglich an der Kleinheit seiner Umwelt scheitert. Gegen eine derart einseitige Deutung spricht der „Machtmensch", der sich in keiner Phase der Handlung verleugnet. Dennoch ist er dieser nicht nur. Er ist ein Handelnder, der nicht nur Macht, Intrige und Berechnung kennt; er ist zugleich ein Anwalt des geschichtlichen Wandels und des sich erneuernden Lebens. Damit ist in der Optik des Dramas keine Parteinahme für die Revolution ausgesprochen, so wenig wie Octavio Piccolomini, der Vertreter der bestehenden Ordnung, als Sieger anzusprechen ist, wenn er das letzte Wort erhält. Derjenige, der im Drama selbst die Erneuerung erstarrten Lebens vorantreibt, scheitert. Aber damit wird er innerhalb der Tragödie nicht einfach widerlegt. Die Erneuerung ist ein Teil des tragischen Vorgangs; sie ist ihr eigentliches Thema; und die Struktur dieser Dichtungsart kommt den Denkformen der deutschen Klassik entgegen.

Das bedarf noch eines erläuternden Wortes; denn die Kunstform der Tragödie ist keine Erfindung deutscher Dichter am Ende des 18. Jahrhunderts. Aber sie ist auch keine zeitlose Kunst, sondern ihrerseits dem geschichtlichen Wandel ausgesetzt. Es gibt verschiedene Formen des Tragischen, und Parteinahmen für eine der Seiten im Streit der Kontrahenten – wie in der Märtyrertragödie des Barock – sind durchaus denkbar. Die Parteinahme ist hier eine solche für den Märtyrer und gegen den Tyrannen. Die klassische Tragödie – diejenige der klassischen Ästhetik – kennt solches nicht. Sie basiert auf einer Denkart, in der das Eine ausgespielt wird gegen das Andere, damit ein Drittes zu seinem Recht kommt. Die Tragödie der deutschen Klassik war in dieser Gestalt – als Denkform und als Dramenform – wie geschaffen, einen Vorgang zu verdeutlichen, der den Verzicht auf Parteinahme impliziert. Eine Äußerung Goethes hierüber findet sich nicht zufällig in einer Schrift, die unmittelbar die Zeitereignisse zum Gegenstand hat: in der „Campagne in Frankreich", wo es heißt: „Übrigens läßt sich hiebei bemerken, daß in allen wichtigen politischen Fällen immer diejenigen Zuschauer am besten dran sind, welche Partei nehmen; was ihnen wahrhaft günstig ist, ergreifen sie mit Freuden, das Ungünstige ignorieren sie, lehnen's ab, oder legen's wohl gar zu ihrem Vorteil aus. Der Dichter aber, der seiner Natur nach unparteiisch sein und bleiben muß, sucht sich von den Zuständen beider kämpfenden Teile zu durchdringen, wo er denn, wenn Vermittlung unmöglich wird, sich entschließen muß, tragisch zu endigen. Und mit welchem Zyklus von Tragödien sahen wir uns von der tosenden Weltbewegung bedroht!"[48] Die tragische Form, die Goethe in der Epoche seiner Klassik entwickelt, heißt Entsagung. Sie ist der Fluchtpunkt im Trauerspiel der „Natürlichen Tochter", aber im tragischen Roman der „Wahlverwandtschaften" gleichermaßen. Doch stand eine solche „Lösung" – wenn das Wort gebraucht werden darf – nicht von Anfang an fest. Das Ereignis der Revolution hat ihn durch die Jahre hin nicht nur beunruhigt und verstört; es hat ihn auch die gemäße literarische Form lange Zeit nicht finden lassen. Davon handelt rückblickend der Beitrag „Bedeutende Fördernis durch ein einziges geistreiches Wort": „An ebendiese Betrachtung schließt sich die vieljährige Richtung meines Geistes gegen die Französische Revolution unmittelbar an, und es erklärt sich die grenzenlose Bemühung, dieses schrecklichste aller Ereignisse in seinen Ursachen und Folgen dichterisch zu gewältigen . . ."[49] Die Anhänglichkeit an den unübersehlichen Gegenstand, so führt er aus, habe sein poetisches Vermögen lange Zeit fast unnützerweise aufgezehrt. Das betrifft vor allem die Revolutionskomödien der frühen neunziger Jahre und den Versuch, mit dem Ereignis auf diese Weise fertig zu werden. Er mußte scheitern, und er ist gescheitert. Aber dieses Scheitern ist der Erkenntnis nicht abträglich – im Gegenteil!

Nach der italienischen Reise nahmen ihn diese Komödien zunächst ganz in Anspruch. Daß es sich um mißratene Geschöpfe seiner poetischen Muse handelt, ist die communis opinio der Forschung, eigentlich bis zum heutigen Tag. Das wird verständlich, wenn man bedenkt, daß es der Komödie in der Tradition der Aufklärung vorbehalten war, ihre Gegenstände zu „verlachen". Annäherungen an die Satire sind damit meistens verbunden. Die Dramatisierung der Halsbandgeschichte mit einem Betrüger als Komödienheld mochte sich hierfür allenfalls noch eignen. Aber der Revolution selbst und dem Ernst der Ereignisse war damit nicht beizukommen. Jede Behandlung dieses Vorgangs mit satirischer Tendenz bringt die Gefahr einer Parteinahme mit sich, einer solchen zugunsten der bestehenden Verhältnisse, also des ancien régime. In dem Stück „Die Aufgeregten“ ist es nicht so sehr diese Gefahr als eine andere, die das Gelingen erschwert. Die aus Paris zurückgekehrte Gräfin ist fest entschlossen, jeder Gewalttätigkeit durch besonnene Reformen vorzubeugen, und lieber will sie für eine verhaßte Demokratin gehalten werden als Unterdrückung und Unrecht dulden. So löst sich bei so viel guter Gesinnung alles zur allgemeinen Zufriedenheit auf – aber es löst sich alles zu leicht. Zwar ist die Kritik an beiden Systemen unüberhörbar; aber das Dritte – die redliche Gesinnung der Gräfin – bleibt im Moralischen stecken. In dem Revolutionsstück „Der Groß-Kophta“ spielt noch ein anderer Komödienbegriff hinein. An ein opernartiges Theater war hier zunächst gedacht, an ein souveränes Spiel der Freiheit und der Heiterkeit, das an die italienische Volkskomödie erinnert, wie sie von Goethe in Italien im eigentlichen Sinne des Wortes erlebt worden war. Es war offensichtlich an eine Komödie gedacht, der es hätte zukommen sollen, den Zuschauern wie ihrem Dichter das Ärgernis der Revolution gehörig vom Leibe zu halten. Das konnte kaum gelingen, weil sich damit erst recht der Ernst der Zeit einer solchen Verzauberung verweigern mußte[50]. Dies hat nun sehr viel mit dem Komödienbegriff der deutschen Klassik zu tun. Obwohl es an überzeugenden und gelungenen Werken dieser Gattung weithin fehlt, wird die Komödie in der Literaturtheorie der Epoche – bei Goethe ebenso wie bei Schiller – hochgeschätzt. Es ist später bei Hegel nicht anders. In der „Hierarchie der Werte“ reicht die Komödie ihrem Ansehen nach über die Tragödie weit hinaus, wie es Schiller in der Schrift „Über naive und sentimentalische Dichtung“ erläutert. Ihr Vorzug, heißt es hier, liege in der Gemütsfreiheit, die von der Herrschaft der Affekte befreit[51]. Ein Bruchstück aus dem Nachlaß geht über diese Bestimmung noch hinaus: „Welche von beiden, die Comödie oder die Tragödie, höher stehe, ist oft gefragt worden . . . Im Ganzen kann man sagen: die Comödie setzt uns in einen *höhern Zustand*, die Tragödie in eine *höhere Thätigkeit*. Unser Zustand in der Comödie ist ruhig, klar, frei, heiter, wir fühlen uns weder thätig noch leidend, wir schauen an und alles bleibt außer uns; dieß ist der Zustand der Götter, die sich um nichts menschliches bekümmern, die über allem frei schweben, die kein Schicksal berührt, die kein Gesetz zwingt.“[52] Diese alles überragende Stellung, die Schiller der Komödie zuerkennt, erinnert an seine Auffassung und Deutung der Idylle als der höchsten in der Poesie erreichbaren Form. Die höchste Stufe im Antagonismus der Kräfte aber heißt Totalität. Auch in Goethes Komödienbegriff ist sie das höchste Erreichbare, wie es sich ihm am Bild der italienischen Volkskomödie offenbarte: „Gestern war ich in der Komödie, Theater Sanct Lucas, die mir viel Freude gemacht hat . . . Mit unglaublicher Abwechslung unterhielt es mehr als drei Stunden. Doch ist auch hier das Volk wieder die Base, worauf dies alles ruht, die Zuschauer spielen mit, und die Menge verschmilzt mit dem Theater im Ganzen . . ." [53]

Merkwürdiger Vorgang, mit dem man es zu tun hat! Die Revolutionsstücke in Komödienform scheitern am Ernst der Zeit, aber das wiederholte Nachdenken über Idylle und Komödie als dem „höchsten Zustand der Götter" in derselben Zeit! Mit solchen Vorstellungen eines höchsten Zustandes, einer Totalität, in der Getrenntes wieder zur Einheit gelangt, verbinden sich ohne Frage auch utopische Momente und Motive. Die geschichtsphilosophischen Ideen der Klassik wie der Romantik – es sind sehr poetische Ideen! – sind damit verwandt. Und hier vor allem ist an das für die Epoche charakteristische Denkbild zu erinnern: an die Vorstellung vom verlorenen Paradies, das wieder zu gewinnen ist. Auch diesem Vorgang liegt die Dreistufigkeit zugrunde, die Schillers Theorie der sentimentalischen Dichtung bestimmt. Von einer Trennung, vom Verlust einer Einheit geht sie aus, und Einheit soll wieder werden, was Einheit war. Diese – sie mag zurückliegen oder voraus – hat stets etwas vom Zustand der Idylle oder der goldenen Zeit. Und nur dem sentimentalischen Dichter kommt es zu, diesen Zustand herbeizuführen. Nur ihm ist „die Macht verliehen . . . jene Einheit, die durch Abstraktion in ihm aufgehoben worden, aus sich selbst wieder herzustellen . . ." [54]. Aber eigentlich sind Idylle, Totalität und neue Einheit nur Umschreibungen für das, was Poesie als jenes Dritte in ihren höchsten Möglichkeiten selbst zu sein vermag. „Lieber, Sie sind kein Chemist, sonst würden Sie wissen, daß durch echte Mischung ein Drittes entsteht, was beides zugleich und mehr als beides einzeln ist", so umschreibt Novalis die bestimmende Denkform der Epoche in einer etwas saloppen Art [55].

Das Dritte als das, was sich aus der Vereinigung der Gegensätze ergibt, ist der Zustand einer besseren Welt, wiedergegeben im dichterischen Bild, im Symbol, das sich der Utopie jederzeit annähern kann; denn beide – Symbol und Utopie – sind ihrer Intention und ihrer Struktur nach miteinander verwandt. Dieses Dritte ist als Idee der Bildung, als Metamorphose, als Tragik oder Symbol identisch mit Poesie und ist stets auch mehr als nur Poesie. Als diese – als Literatur – ist es ein eigener Bereich, von Politik nicht zu trennen, aber ihr nicht untertan. Das hat Goethe stellvertretend für sein Zeitalter in dem berühmten Sylvesterbrief des Jahres 1809 an den Grafen Reinhard, einen entschiedenen Befürworter der Revolution, zum Ausdruck gebracht. In einer Fabel lasse man sich etwas gefallen, so wie man sich in der Geschichte nach einigen Jahren die Hinrichtung eines alten Königs gefallen läßt. Danach der oft zitierte Satz: „Das Gedichtete behauptet sein Recht, wie das Geschehene . . ."[56] Mit diesem Satz wird prägnant formuliert, was man seit der Zeit Goethes als Autonomie der Literatur bezeichnet. Aber schon in der Zeit, in der sie begründet wird, ist es eine relative Autonomie, die von politischen und sozialen Gegebenheiten nicht abgelöst zu denken ist. Daß sie durch Politik und durch das Ereignis der Revolution nicht nur, aber durch diese doch auch erzwungen wurde, ist keine Frage. Was aber haben wir von einer solchen Autonomie noch zu halten in einer Zeit, in der die Klassik selbst und mit dieser ihre Autonomie historisch geworden sind? Wir haben allen Grund, wachsam zu sein, wenn man die Sache, um die es geht – und um die es der deutschen Klassik ging – für etwas ein für allemal Vergangenes erklärt, wie man es im neuesten Schrifttum nachlesen kann. Denn solche Entfernung ins Vergangene und bloß noch Historische hat Methode. Sie hat zum Ziel, die Poesie – um diesen etwas altmodisch gewordenen Begriff mit Absicht zu verwenden – so oder so der Politik zu unterstellen, wie sie ehedem der Theologie unterstellt war. Eine Bevormundung, aus der sie sich befreit hat, würde damit durch eine neue, in Wirklichkeit veraltete Bevormundung ersetzt. Die Möglichkeit der Literatur, etwas Drittes zwischen den Gegensätzen zu sein, ist aber ihrerseits Fortschritt und als dieser irreversibel. Wer Autonomie mit bloßem Ästhetizismus verwechselt, wird wohl im Recht sein, sie zu bekämpfen. Wer aber den Hang zu Bevormundungen aller Art nicht für erledigt hält, wird auch die Probleme nicht für erledigt halten, die sich aus dem beispielhaften Widerspiel von Französischer Revolution und deutscher Klassik ergeben – mit der Einsicht in einen Zusammenhang der Dinge, wonach aus dem Zusammentreffen von Widerstand und Bewegung ein Drittes hervorgeht, „Was weder Kunst noch Natur, sondern beides zugleich ist . . ."

Anmerkungen

[1] Als Vortrag zuerst in einer Veranstaltung bayerischer Deutschlehrer in Hohenschwangau, 1968 gehalten; mit geringfügigen Veränderungen, aber mit demselben Titel am 4. Januar 1973 in Straßburg wiederholt. Der hier veröffentlichte Beitrag ist eine neue Fassung dieser Vorträge, aus denen nur die Grundgedanken übernommen wurden.

[2] Der Frage nach Hölderlins Republikanertum ist Adolf Beck in vorbildlicher Behutsamkeit nachgegangen – der Frage vor allem, ob wir es mit einem Jakobiner oder einem Girondisten zu tun haben. Um eine letztlich biographische Frage handelt es sich auch hier, wenn man sie nicht als eine solche der allgemeinen Geschichtswissenschaft ansehen will. Daß die entscheidenden Auskünfte aus der Dichtung selbst, aus den Gedichten Hölderlins, zu erhoffen wären, deutet Beck gegen Ende seines Beitrags an: „Wir denken aber nicht daran, den Dichter nun als ‚Girondisten' anzurufen. Es geht hier weder um den ‚Jakobiner' noch um den ‚Girondisten' Hölderlin. Es geht um den Republikaner – und die Art seines Republikanertums, d. h. um dessen Verhältnis zu seinem Dichtertum." So ist es in der Tat! Aber gerade in diesem Punkt bleibt uns Bertaux nahezu alles schuldig. Er argumentiert – bloß biographisch und auf einer Reflexionsstufe, die dem heutigen Stand der Literaturwissenschaft kaum entspricht. (Adolf Beck: Hölderlin als Republikaner, in: Hölderlin-Jahrbuch 1969, S. 47). Die gelegentlichen Berührungen der Lyrik sagen über diese nichts aus.

[3] Vgl. Pierre Bertaux (Hölderlin und die Französische Revolution, in: Hölderlin-Jahrbuch 1967/68, S. 6): „Von Hölderlins drei großen Erlebnissen, dem Wesen der Griechen, der Liebe zu Susette Gontard und der Revolution, ist das Letztere das entscheidende gewesen . . ."

[4] Stilwandel, Studien zur Vorgeschichte der Goethezeit, Zürich 1963, S. 9.

[5] Vgl. Maurice Boucher: „et, c'est cette complexité qui fait l'interêt du cas Schiller". (La Révolution de 1789, vue par les écrivains allemands, Paris 1954, S. 95).

[6] Georg Lukács, Goethe und seine Zeit, Berlin 1953, S. 45.

[7] Hans Mayer, Das Ideal und das Leben, in: Schiller. Reden im Gedenkjahr 1955, hrsg. v. Bernhard Zeller, Stuttgart 1955, S. 173.

[8] Paul Böckmann, Politik und Dichtung im Werk Friedrich Schillers, in: Schiller. Reden im Gedenkjahr 1955, S. 196; wieder abgedruckt in: Formensprache. Zur Literarästhetik und Dichtungsinterpretation, Hamburg 1966, S. 268 ff.

[9] Benno von Wiese, Schiller und die Französische Revolution, in: Der Mensch in der Dichtung. Studien zur deutschen und europäischen Literatur, Düsseldorf 1958, S. 152.

[10] Zitiert von Victor Zmegaç, Marxistische Literaturkritik, Frankfurt/M. 1970, S. 14.

[11] An Körner vom 8. Februar 1793 (Jonas III, S. 246).

[12] „Bedeutende Förderung durch ein einziges geistreiches Wort" (HA XIII, S. 39); vgl. ferner „Campagne in Frankreich", wo es heißt: „so ergriff mich nunmehr die Revolution selbst als die gräßlichste Erfüllung . . ." (HA X, S. 338).

[13] Tag- und Jahreshefte, 1789 (HA X, S. 433).
[14] HA X, S. 356. [15] GA XVIII, S. 601.
[16] Die Grundlagen der deutschen Klassik, in: Arbeiten zur deutschen Literatur, Stuttgart 1965, S. 92.
[17] Vgl. Gonthier-Louis Fink, Das Märchen, in: Goethe, NF. 1971, S. 98: „Allen diesen Werken liegt schließlich eine patriarchalische Auffasssung zugrunde, die mehr oder weniger deutlich dem ‚Ancien Régime' das Wort redete . . ."
[18] W. H. Bruford, Kultur und Gesellschaft im klassischen Weimar. Deutsche Ausgabe, Göttingen 1966. – Vgl. auch: Die gesellschaftlichen Grundlagen der Goethezeit, Weimar 1936.
[19] Zitiert von Bruford ohne nähere Angaben (Die gesellschaftlichen Grundlagen, S. 44).
[20] An Johann Caspar Lavater vom 19. Februar 1781 (GA XVIII, S. 567).
[21] Goethes „Italienische Reise", in: Zur deutschen Klassik und Romantik, 1963, S. 58.
[22] An Knebel vom 17. April 1782 (GA XVIII, S. 659/60).
[23] Gespräche mit Eckermann (GA XIV, S. 549/50).
[24] Tag- und Jahreshefte, 1789 (HA X, S. 434).
[25] Ebd. S. 434.
[26] Einfache Nachahmung der Natur, Manier, Stil (HA XII, S. 32).
[27] HA XII, S. 577.
[28] Schicksal der Handschrift (HA XIII, S. 102).
[29] Ebd. S. 102.
[30] Vgl. Tag- und Jahreshefte, 1789 und 1790 (HA X, S. 433/4).
[31] Tag- und Jahreshefte, 1790 (HA X, S. 436).
[32] „Die Erfüllung aber . . . ist die Anschauung der zwei großen Triebräder aller Natur: der Begriff von *Polarität* und von *Steigerung* . . ." (HA XIII, S. 48).
[33] Über die aesthetische Erziehung des Menschen in einer Reihe von Briefen (Schillers Werke. Nationalausgabe 20, I. Teil, Weimar 1962, S. 318/26).
[34] Vgl. NA XX, S. 353: „Derjenige Trieb also, in welchem beyde verbunden wirken . . . der Spieltrieb also würde dahin gerichtet seyn, die Zeit *in der Zeit* aufzuheben . . ."
[35] Vgl. Paul Böckmann, Dichtung und Politik, S. 270/71.
[36] Vgl. Karl Berger, Schiller II, S. 123.
[37] Von Benno von Wiese ohne Angabe des Ortes zitiert in dem Beitrag „Schiller und die Französische Revolution", in: Der Mensch in der Dichtung, S. 148.
[38] An Gottfried Körner vom 8. Februar 1793 (Jonas III, S. 239).
[39] Kritische Schriften, hrsg. v. W. Rasch, München 1956, S. 46.
[40] Carl Leonhard Reinhold, Briefe über die Kantische Philosophie, Leipzig, 1790. 1. Brief S. 3/39; erste Veröffentlichung: Der Teutsche Merkur, August 1786, S. 97/127.
[41] Sämtliche Werke 6, hrsg. v. Adolf Beck, Stuttgart 1954, S. 229.
[42] An den Herzog Friedrich Christian von Augustenburg vom 13. Juli 1793 (Jonas III, S. 330).

[43] Ebd. S. 334.

[44] Sämtliche Werke 4, S. 304.

[45] Vom 4. November 1795 (Jonas IV, S. 315).

[46] Briefe über die aesthetische Erziehung (NA XX, I. Teil, S. 320).

[47] An Göschen vom 14. Oktober 1792 (Jonas III, S. 220); vgl. Benno von Wiese, Schiller und die Französische Revolution, in: Der Mensch in der Dichtung, S. 149.

[48] HA X, S. 361.

[49] HA XIII, S. 39.

[50] Vgl. Fritz Martini, Goethes ‚verfehlte' Lustspiele: „Die Mitschuldigen" und „Der Groß-Cophta", in: Natur und Idee. [Festschrift] für Bruno Wachsmuth, hrsg. v. Helmut Holtzhauer, Weimar 1966, S. 164–210.

[51] NA XX, S. 446.

[52] NA XXI, S. 92/3.

[53] HA XI, S. 77/8.

[54] NA XX, S. 473.

[55] Schriften, hrsg. v. R. Samuel, H.-J. Mähl und G. Schulz, Stuttgart 1964, II, S. 666.

[56] Goethe und Reinhard. Briefwechsel in den Jahren 1807 bis 1832, Wiesbaden 1957, S. 108.

Claude David

GOETHE UND DIE FRANZÖSISCHE REVOLUTION *

Von 1788 bis 1795, von der Einberufung der Generalstände bis zum Baseler Frieden, bietet das geistige Deutschland angesichts der großen Ereignisse, die Frankreich und bald das ganze westliche Europa erschüttern, ein ziemlich einheitliches Bild. Die Geister reagieren fast alle gleich – die bedeutenden sind gemeint, nicht einzelne Zeitungsschreiber oder Pamphletisten, die gleich zu Beginn extreme Positionen beziehen und heute in ihrer Bedeutung leicht sehr überschätzt werden, weil man die Geschichte neu schreiben und Deutschland mit einer revolutionären Tradition ausstatten möchte. Der Beginn der Französischen Revolution wird mit Wohlwollen, manchmal mit Begeisterung begrüßt. Frankreich, das sich von einer langen Lethargie befreie, der unerträglichen Unterdrückung durch den Hof und die Großen ein Ende setze, erlebe endlich ein geistiges Erwachen und gewinne Anschluß an eine Stufe der Entwicklung, die Deutschland dank der weisen Regierung von Fürsten wie Friedrich dem Großen und Josef II. schon lange erreicht habe. Jedoch läßt die Enttäuschung nicht lange auf sich warten. Für einige tritt sie mit den Streitigkeiten in der Verfassunggebenden Nationalversammlung ein, für andere mit den Septembermorden oder den Kriegsgreueln, für fast alle mit der Hinrichtung Ludwigs XVI. Es ist eine Frage des Zufalls oder der Stimmung, wann sich der Sinneswandel vollzieht. Der Zeitpunkt hängt eher vom Temperament des einzelnen als von seinen politischen Vorstellungen ab, denn diese unterscheiden sich bei jenen Schriftstellern und Denkern kaum, die alle aus der Aufklärung hervorgegangen sind, alle der am Ende des 18. Jahrhunderts kaum bedrohten und von den Fürsten zur um so besseren Sicherung ihrer absoluten Macht gern zugestandenen Gedankenfreiheit anhängen. Sie alle sind überzeugt, daß sich die neuen Forderungen mit Hilfe einiger weniger Korrekturen in die Struktur des überkommenen Staates einfügen lassen. Sie alle geraten in Verwirrung und verlieren den festen Halt, sobald die Ereignisse sich ausweiten und der Fluß über die Ufer zu treten droht.

---

* Aus dem Französischen übersetzt von Hermann Krapoth.

Ihnen, die Montesquieu gelesen hatten, erschien die Reform der Institutionen ganz natürlich. Für die Aufnahme der Ideen der Freiheit und Gleichheit hatten die Gedanken Rousseaus den Boden bereitet. Aber über den Begriff des Volkes – das Volk als Masse und nicht als Träger der Überlieferung verstanden –, über die Gewalt, den Umsturz, über die paradoxen Verflechtungen im Ablauf der historischen Ereignisse (den man sich gern als einen langsamen und harmonischen Prozeß vorstellte) hatte man noch kaum nachgedacht. Dies beginnt erst im Gefolge der Vorgänge in Frankreich. Das historische Ereignis geht hier in so unvorhergesehener Weise der Reflexion über die Geschichte voraus, daß jene politischen Denker ihm bald alle hilflos gegenüberstehen. Sie hatten die Anfänge und die ersten Unruhen nur deshalb positiv beurteilen können, weil sie deren Natur und völlige Neuheit verkannten (wie übrigens auch die Akteure des revolutionären Dramas selbst).

Goethe bildet in dieser einförmigen geistigen Landschaft so etwas wie einen erratischen Block. Seine Haltung läßt sich mit keiner von einem seiner Zeitgenossen vergleichen. Er zeigt sich von Anfang an ablehnend, ohne Einschränkung und ganz selbstverständlich. Von Zeit zu Zeit wird versucht, ihm die Rolle eines Demokraten oder Revolutionärs zuzuschreiben, um sein Denken dem Geschmack von heute anzupassen oder seine Kraft zu schwächen. Man hat sich das zu untersagen und muß dieses Denken in seiner Schroffheit und gelegentlichen Übertreibung akzeptieren. Er sagt zwar in *Hermann und Dorothea*, daß die Revolution und die folgenden Kriege Heldentum geweckt, Solidarität und gegenseitige Hilfe vervielfältigt hätten, aber deshalb, weil die Revolution in seinen Augen einer Feuersbrunst oder Naturkatastrophe gleicht. Durch eine Feuersbrunst kann Heldenmut hervorgerufen werden, das aber rechtfertigt die Feuersbrunst nicht. Goethe stellt der revolutionären Praxis keine konservative Theorie entgegen, denn er mißtraut zu sehr den reinen Gedanken und Vorstellungen, die sich der Geist macht. Nach einer Erwähnung Burkes sucht man in seinem Werk vergeblich. Gentz wird nur selten genannt und nicht immer wohlwollend. Aber er spürt sofort und von Anfang an das ihm nicht Gemäße der Ereignisse in Frankreich und die in ihnen liegende Gefahr für die wenigen unausgesprochenen Grundsätze, auf denen er sein Leben aufgebaut hatte. Die *Venetianischen Epigramme* – vor dem Föderationsfest, das dem revolutionären Frankreich so viele Sympathien einbrachte, entstanden – enthalten schon eine entschiedene Verdammung. Goethe stand dem Traditionalismus Justus Mösers näher als den politischen Ideen der Aufklärung und fand an den Verfassungsentwürfen der Nationalversammlung nichts, das seiner Vorstellung hätte entsprechen können. Wenn er auch keine Erwartungen und Hoffnungen hegte, so machten ihn der Umsturz und die Wirren doch betroffen. Da er somit von Anfang an außerhalb des Geschehens stand, mußte er einen Teil des Dramas, das sich in Frankreich abspielte, in seiner Bedeutung verkennen. Dafür erlaubte ihm diese Distanz aber, andere Seiten zu erfassen, die den meisten seiner Zeitgenossen entgingen. Hat er wirklich am Abend von Valmy die Prophezeiung ausgesprochen, daß von hier eine neue Epoche der Weltgeschichte ausgehe[1]? Es läßt sich nicht beweisen. Er schrieb jedoch schon am 27. September 1792 an Knebel – Wilhelm Mommsen hat darauf hingewiesen[2] –: „Es ist mir sehr lieb, daß ich das alles mit Augen gesehen habe und daß ich, wenn von dieser wichtigen Epoche die Rede ist sagen kann: et quorum pars minima fui." Diese neue Epoche barg für ihn gewiß mehr Gefahren als Versprechungen in sich, aber er erlebte die Anfänge mit offenem Blick für die Bedeutung des historischen Augenblicks, der Tatsache bewußt, daß sich eine Zeitwende vollzog.

Man wird sagen, daß Goethe nicht der einzige war, der von Anfang an Abstand wahrte, daß zum Beispiel von Schiller oder Humboldt ähnliches gilt. Das ist richtig, mit dem einen Unterschied jedoch, daß der Ausbruch der Revolution Humboldt und Schiller nur zu theoretischen Überlegungen und philosophisch-politischen Abhandlungen veranlaßt hat, während Goethe die Erfahrung der Zeit sofort in Dichtung umsetzte. Das noch lebendige aktuelle Geschehen wird zum dramatischen Stoff oder zum Thema eines Gedichts, wird im Kunstwerk gestaltet. Wenigstens einige dieser Werke, darunter *Hermann und Dorothea*, haben die Zeit überdauert. In der deutschen Literatur haben die Vorgänge in Frankreich paradoxerweise im Werk Goethes, der unter den Schriftstellern des ausgehenden 18. Jahrhunderts die geringste Sympathie für sie empfand, ihre lebendigste Spur hinterlassen. So klug und scharfsinnig die Kommentare Wielands im *Teutschen Merkur* gewesen sein mögen, sie sind heute nur noch von dokumentarischem Interesse. Die Oden Klopstocks sind kaum mehr als Zeugnisse erschöpfter dichterischer Kraft, und nichts belegt besser als diese Palinodien, als dieser plötzliche Umschlag von der Begeisterung zur Invektive, die Unsicherheit der öffentlichen Meinung in Deutschland gegenüber einer historischen Entwicklung, die deren Urteilsvermögen bei weitem überstieg. Nach zwei Jahrhunderten darf trotz allem Goethe als der zuverlässigste Zeuge gelten.

Auch er jedoch zeigt sich der Größe und dem Übermaß des historischen Augenblicks nicht gewachsen. Seine ersten Werke über die Französische Revolution, *Der Groß-Cophta, Der Bürgergeneral, Die Aufgeregten,* sind, man muß es zugeben, seines Genies nicht würdig. Konnte man so bedeutende und blutige Ereignisse in farcenhafter Manier behandeln? Konnten solche Probleme in dem engen Rahmen einer dörflichen Handlung untergebracht werden? Das große Geschichtstableau entsprach nicht Goethes Art, und es wäre verfrüht gewesen, sich darauf einzulassen. Aber eine geschichtliche Umwälzung auf ein Miniaturformat zu bringen, war nicht weniger utopisch. Goethe begriff es bald. Die *Unterhaltungen deutscher Ausgewanderten* mußten das Unglück der Zeit eher vergessen lassen, als daß sie es geistig bewältigen konnten. Selbst in *Hermann und Dorothea* blieb die Revolution vor allem Rahmen und Vorwand. Es sollte die Idylle inmitten der Katastrophe, ein wenig Humanität in einer inhumanen Zeit bewahrt werden. Die Revolution erschien nur wie ein Feuerschein am Horizont. Das Geschehen ließ sich doch nicht so leicht auf die Dimensionen des Kunstwerks reduzieren. Aber Goethe gab nicht auf. Zu Beginn des Jahrhunderts, als längst schon wieder Ruhe eingetreten war, wagt er einen neuen Versuch. Der Stoff der *Natürlichen Tochter* müßte ihm, so glaubte er, eine Ausdrucksmöglichkeit in dem geforderten ernsten Ton bieten. Würden die Strenge des klassischen Stils und die fast der Allegorie sich nähernde Zeichnung der Personen schließlich die Umsetzung des Geschehens leisten? Es gelang dies bekanntlich nicht. Bei den ersten Stücken war der Rahmen zu eng, hier erwies er sich als zu weit gespannt. Nur der erste Teil der Trilogie wurde geschrieben, nur die Exposition, die nicht erkennen läßt, wohin Goethe die Personen geführt und welche Themen er hätte hervortreten lassen. Schon zehn Jahre vorher war eine einfache Skizze wie die *Aufgeregten* unvollendet geblieben. Wieder einmal entzog sich der Gegenstand der Behandlung, und es wird Goethe niemals gelingen, ihn ganz zu bewältigen. Er war sich dessen bewußt und wunderte sich nicht darüber. Hätte es anders sein können? Ist jemals in einem Kunstwerk die Darstellung der Revolution oder von einem der beiden Weltkriege gelungen? Um wieviel schwieriger war das Unterfangen, als die geschichtliche Erfahrung noch ganz frisch war, beunruhigend wirkte und die am sichersten begründeten Überzeugungen in Frage zu stellen schien. Goethe ist gescheitert, wenn man damit sagen will, daß keins seiner Werke über die Revolution dem Umfang und Anspruch des Stoffes angemessen ist und dessen Gehalt ausgeschöpft.

Von einem Versuch zum anderen jedoch, von einem Fehlschlag zum anderen entfaltet sich eine der eigentümlichsten Auseinandersetzungen, die in Deutschland der Ablauf der revolutionären Ereignisse hervorgerufen hat.

Die *Natürliche Tochter*, die Goethe im Jahre 1803 aufführen läßt, ist zwar das letzte der unmittelbar auf die Revolution bezogenen Werke, bedeutet aber keineswegs das Ende dieser Auseinandersetzung. Seit 1789 sieht sich Goethe mit einem historischen Wandel konfrontiert, dessen Wirklichkeit er bis dahin vor sich selbst hatte verleugnen können. Er versucht, nicht in seinen Sog zu geraten und sich, soweit ihm das noch möglich ist, in unberührt gebliebene Bereiche zurückzuziehen. In jedem Augenblick aber wird er durch das bedrängend Neue der Gegenwart, durch das Hervortreten unbekannter Kräfte, durch den geschichtlichen Aufruhr zu dieser Auseinandersetzung getrieben, die man bis zu seinem Tode verfolgen kann.

Liest man die Briefe aus den Revolutionsjahren, so ist man zunächst erstaunt, wie selten von der Politik die Rede ist. Erst am 3. März 1790 findet sich in einem Brief an Jacobi eine erste, höchst lakonische Erwähnung: „Daß die Französische Revolution auch für mich eine Revolution war kannst du denken." Zur Zeit der Campagne in Frankreich, 1792, sind die politischen Aussagen, wiewohl ein wenig zahlreicher, noch sehr zurückhaltend. Er schreibt am 10. September nach einigen in Frankfurt verbrachten Tagen an Christian Gottlob Voigt:

> Je weiter man in der Welt herumkommt desto mehr sieht man daß der Mensch zur Leibeigenschaft geboren ist. Auch bin ich jetzt da ich meine Vaterstadt wieder besucht habe aufs lebhafteste überzeugt worden daß dort für mich kein Wohnens und Bleibens ist.

Er lehnt es ab, für eine der beiden Seiten Partei zu ergreifen, so an Jacobi am 18. August 1792, im Augenblick des Aufbruchs zur Armee: „[. . .] da mir weder am Tode der aristokratischen noch demokratischen Sünder im mindesten etwas gelegen ist." Will er damit nur die unbequeme Unparteilichkeit bewahren, die er an anderer Stelle als das Los des Dichters beschreibt[3]? Das ist wenig wahrscheinlich, denn zwischen den beiden sich gegenüberstehenden Parteien schwankt er keinen Augenblick. Seine Anteilnahme und seine Überzeugungen verbinden ihn ganz mit den Alliierten, und er macht daraus kein Geheimnis. Die Bemerkung zeugt vielmehr von der Gereiztheit darüber, Problemen ausgesetzt zu sein, die ihn stören und von denen er sich noch zu befreien hofft. Vor allem aber ist er sich der Fruchtlosigkeit des Diskutierens bewußt. Über Gesellschaften in Frankfurt äußert er in dem Brief an Jacobi vom 18. August 1792:

> [...] denn wo zwei oder drei zusammenkommen, hört man gleich das vierjährige Lied pro und contra wieder herab orgeln und nicht einmal mit Variationen sondern das crude Thema. Deswegen wünschte ich mich wieder zwischen die Thüringer Hügel wo ich doch Haus und Garten zuschließen kann.

In dieser Briefstelle drückt sich auch schlechte Stimmung aus. Der Aufenthalt in Italien liegt noch nicht lange zurück. Goethe kann sich in Deutschland, so wie er es jetzt vorfindet, nicht wohlfühlen. Für kriegerische Eskapaden, in die der Wille des Herzogs ihn hineinzieht, ist er nicht gemacht. Bald tragen weitere Gründe dazu bei, sein seelisches Befinden zu verschlechtern. Sein Vater stirbt, seine Mutter, allein in Frankfurt, verläßt das alte Haus in der Nähe des Römerberges. Beim Herannahen der Invasionstruppen ist sie der vordersten Front ausgesetzt. Sie bringt die Wertsachen so gut es geht in Sicherheit. In Weimar werden eilig Unterkünfte für die herbeiströmenden Flüchtlinge hergerichtet. Man trifft Vorbereitungen, um selbst die Stadt zu verlassen, wenn die Umstände es fordern sollten. Goethe hatte den Ausbruch dieses Krieges ebenso gefürchtet wie den Beitrag, den Weimar zu leisten sich entschieden hatte: „Wir werden also auch mit der Herde ins Verderben rennen – Europa braucht einen 30jährigen Krieg um einzusehen was 1792 vernünftig gewesen wäre." (An C.G.Voigt, 15.Oktober 1792). Er hatte mehr als einmal das unglückliche Manifest des Herzogs von Braunschweig verurteilt und steht nun bei einem Unternehmen in der ersten Reihe, das er für sinnlos hält. Aber er denkt vor allem, daß es Situationen gibt, in denen Worte nichts ausrichten können. Lieber hüllt er sich in Schweigen als Kassandrarufe auszustoßen. Fünf Jahre später, am 12. August 1797, schreibt er aus Frankfurt, auf der Durchreise in die Schweiz, an Schiller:

> Für einen Reisenden geziemt sich ein skeptischer Realism, was noch idealistisch an mir ist wird in einem Schatullchen, wohlverschlossen, mitgeführt wie jenes undenische Pygmäenweibchen, Sie werden also von dieser Seite Geduld mit mir haben.

Aber Dummheit und Arroganz breiten sich in einem solchen Maße um ihn aus, daß er in Zorn gerät und sich am liebsten weit weg wünschte.

Am 17. Juli 1794 schreibt er an Johann Heinrich Meyer, der damals in Rom weilt:

> Übrigens ist jetzt mit den Menschen, besonders gewissen Freunden, sehr übel leben. Der Koadjutor erzählte: daß die auf dem Petersberge verwahrten Klubbisten unerträglich grob werden sobald es den Franzosen wohl geht und ich muß gestehen daß einige Freunde sich jetzt auf eine Art betragen die nah an den Wahnsinn grenzt. Danken Sie Gott daß Sie dem Raphael und andern guten Geistern, welche Gott den Herrn aus reiner Brust loben, gegenüber sitzen und das Spuken des garstigen Gespenstes, das man Genius der Zeit nennt, wie ich wenigstens hoffe, nicht vernehmen . . .

Man darf sich durch diese Worte jedoch nicht täuschen lassen. Schon damals stellte Goethe die Kräfte, die sich feindlich gegenüberstanden, nicht auf die gleiche Stufe. Aber er läßt Zeit vergehen und drückt erst dreißig Jahre später die Auffassung offen aus, die er damals vertrat: in *Campagne in Frankreich* und wenig später in den *Tag- und Jahresheften,* mit deren Niederschrift er 1823 beginnt. Es besteht kein Anlaß zu der Annahme, daß, wie man gelegentlich geglaubt hat, das Wiederaufleben liberaler Strömungen, auf die mit den Karlsbader Beschlüssen reagiert worden war, seine Haltung verhärtet oder seinen Worten größere Schärfe gegeben haben könnte. Seine Überzeugungen hatten sich nicht geändert, wenn auch vielleicht der zeitliche Abstand die Konturen ein wenig deutlicher hervortreten läßt:

> Ich hatte nun zwei Jahre unmittelbar und persönlich das fürchterliche Zusammenbrechen aller Verhältnisse erlebt [. . .]
> Einem tätigen produktiven Geiste, einem wahrhaft vaterländisch gesinnten und einheimische Literatur befördernden Manne wird man zugute halten, wenn ihn der Umsturz alles Vorhandenen schreckt, ohne daß die mindeste Ahnung zu ihm spräche, was denn Besseres, ja nur anderes daraus erfolgen solle. Man wird ihm beistimmen, wenn es ihn verdrießt, daß dergleichen Influenzen sich nach Deutschland erstrecken und verrückte, ja unwürdige Personen das Heft ergreifen.
>
> (*Tag- und Jahreshefte* 1793)

Zum Tod Robespierres bemerkt er: „Robespierres Greueltaten hatten die Welt erschreckt, und der Sinn für Freude war so verloren, daß niemand über dessen Untergang zu jauchzen sich getraute" (*Tag- und Jahreshefte* 1794). Oder noch ein weiterer Satz: „Ich aber, die greulichen, unaufhaltsamen Folgen solcher gewalttätig aufgelösten Zustände mit Augen schauend und zugleich ein ähnliches Geheimtreiben im Vaterlande durch und durchblickend, hielt ein für allemal am Bestehenden fest" (*Tag- und Jahreshefte* 1795).

Es könnten leicht viele Zitate dieser Art angeführt werden. Aus der um einige Jahre früheren *Campagne in Frankreich* seien noch einige Stellen mitgeteilt:

> Den Thron sah ich gestürzt und zersplittert, eine große Nation aus ihren Fugen gerückt und nach unserm unglücklichen Feldzug offenbar auch die Welt schon aus ihren Fugen (X, 358).
> Unter solchen Konstellationen war nicht leicht jemand [. . .] gedrückter als ich; die Welt erschien mir blutiger und blutdürstiger als jemals (X, 359).

Der Prozeß gegen den König und sein Tod bedeuten den Gipfel des Unheils:

> Ein König wird auf Tod und Leben angeklagt, da kommen Gedanken in Umlauf, Verhältnisse zur Sprache, welche für ewig zu beschwichtigen sich das Königtum vor Jahrhunderten kräftig eingesetzt hatte (X, 359).

Das war die Meinung Goethes zur Zeit der Schreckensherrschaft und der Revolutionskriege selbst, er hatte damals nur aus Haß gegen das, was er Kannegießerei[4] nannte, gegen die Stammtischpolitik, seine Überzeugungen nicht ausgesprochen. Diesen liegt eine sehr einfache Vorstellung zugrunde: stets lauert Anarchie im Verborgenen, droht Unruhe, wenn sie nicht von einer starken Regierung im Zaume gehalten wird. Das Königtum gilt als notwendige und ewige Ordnung.
Es entspricht nicht Goethes Art, über die Ursachen lange nachzudenken. Er beschreibt das Phänomen und stellt eher die wirkenden Kräfte als die Genese dar. In diesem Falle kann er sich jedoch nicht enthalten, auf die Vorzeichen hinzuweisen und die Verantwortlichen zu nennen. Bekanntlich hat ihn die Halsbandaffäre sehr erregt. Er mißt diesem Skandal im Grunde sogar eine größere Bedeutung bei, als ihm tatsächlich zukommt. Aber er sieht darin ein Symptom, weil seiner Meinung nach die Wurzel für das Übel der Revolution einzig und allein in dem inneren

Verfall der adligen Führungsschicht zu suchen ist. Die Masse sei passiv und unbeweglich. Sie breite sich nur dann aus und lasse sich nieder, wenn die Herren die ihnen zukommende Macht nicht mehr ausübten. Von unten könne keine Bewegung ausgehen. Für Goethe gibt es weder Wechsel des politischen Systems noch Klassenkonflikt, vielmehr sind es moralische Probleme, auf die sich alles zurückführen läßt. Wenn der Adel sich seinem Prestigestreben und seinen Streitereien hingebe, könne der Boden von den wilden Nesseln überwuchert werden und das Chaos der niederen Kräfte sich ausbreiten. So wird es an dem imaginären Königreich in der *Natürlichen Tochter* dargestellt. Intrigen am Hof, wo jeder der Feind des anderen ist und in jedem Augenblick von einem Lager ins andere übertreten kann. Eine Welt der Unsicherheit und der Verdächtigungen, in der die Akteure ihr eigentliches Ziel bald aus dem Auge verlieren. Der Herrscher selbst ist schwach und wird betrogen. Eine ihres Sinnes beraubte Etikette kann die Auflösungserscheinungen nicht überdecken. Aber nicht nur Ehrgeiz und Ranküne sind am Werk, sondern auch das Theoretisieren spielt seine Rolle. Da sind alle jene, die Goethe die Schwärmer nennt, die mit Ideen jonglieren und mit dem Feuer spielen. Man müßte sie, wird in den *Venetianischen Epigrammen* gesagt, mit dreißig Jahren ans Kreuz schlagen (Nr. 52). Diese Frömmler nach der neuen Mode sind nur wieder die Wegbereiter eines neuen Obskurantismus. Gleich wird der Ideologe zum Betrüger und nützt die Lage für sich aus. Diese Falschmünzer geben nur Lügen und Dummheiten von sich. Die Revolution hätte nicht stattgefunden, wenn nicht einige Vertreter der führenden Schicht ihre Hand gereicht und sich nicht einige Schwächlinge und Ehrgeizlinge von der Ideologie – man sagt damals Philosophie – hätten anstecken lassen. Die *Xenien* verfolgen auf sarkastische Art diese Abtrünnigen, die im trüben fischen: die Reichardt, Forster, Cramer, Anacharsis Cloots, Philippe-Egalité. Die Krankheit habe in Deutschland bald um sich gegriffen. In den oberen Ständen werde ein gewisses Streben nach Demokratie erkennbar. Man verehre die Büsten von Mirabeau und La Fayette wie Götterbilder. Man sehe, als das linke Rheinufer bedroht ist, wie einige schwankend wurden und leicht der allzu deutschen Neigung zur Nachahmung folgten[5]. Einige unter ihnen, wie Herder oder Knebel, gehörten zur unmittelbaren Umgebung Goethes. Er zählte sie zu den besten Köpfen, aber diese geistige Verirrung ist ihm schwer erträglich. An Friedrich von Stein, dem gegenüber Goethe eine gewisse erzieherische Verantwortung empfand, schreibt er am 23. Oktober 1793:

> Herr Sibeking mag ein reicher und gescheuter Mann seyn, so weit ist er aber doch nicht gekommen, einzusehen, daß das Lied 'Allons, enfans etc. in keiner Sprache wohlhabenden Leuten ansteht, sondern blos zum Trost und Aufmunterung der armen Teufel geschrieben und komponirt ist. Es kommt mir das Lied an wohlbesetzter Tafel eben so vor, wie die Devise eines Reichen: pain bis et liberté[6].

Der Magister in den *Aufgeregten*, ein ehemaliger Geistlicher, der die neuen Ideen verkündet, ist von allen Personen der Komödie die anmaßendste und vulgärste. Aber auch die Besten und Edelsten sind nicht davor gefeit, sich von jenem Geist mitreißen zu lassen. Zu ihnen gehört der Vetter Karl in den *Unterhaltungen deutscher Ausgewanderten*, ein Edelmann, dessen zukünftiges Erbe in die Hände des Feindes gefallen ist. Er begeistert sich für den Gedanken, entgegen seinem persönlichen Interesse zu handeln und selbst ein Opfer zu bringen. Er habe das Glück gehabt, in einem der wenigen noch bewohnbaren Räume des morschen Gebäudes zu wohnen. Dies sei aber kein Grund, in der Gewohnheit befangen zu bleiben, nicht mehr Gerechtigkeit und eine bessere Verteilung der Lasten und Güter zu wünschen. Dieser fehlgeleitete Edelmut ist das Schlimmste. Nicht nur hat er rasch die äußeren Regeln der Höflichkeit vergessen lassen, sondern sogar auch die Höflichkeit des Herzens. Karl verletzt durch seine Worte die, die ihm am nächsten stehen. Er beleidigt Menschen, die sich im Unglück befinden, und zerstört die gesellschaftlichen Bande. Der Reiz des Neuen, der Hang zum Opfer stellt hier so etwas wie eine geheime Lust an der Gefahr, den Ruf des Chaos dar. Der Stand, der zu regieren und die Ordnung zu erhalten berufen ist, verfalle auf diesem Wege dem Zweifel an sich selbst und wirke an seinem eigenen Untergang mit. Arthur Schnitzler hat in seinem Einakter *Der grüne Kakadu* eine Pariser Spelunke am Abend des 14. Juli 1789 dargestellt. Ehemalige Schauspieler führen dort adligen Besuchern ein Verbrecher- und Revolutionsmilieu vor. Die Adligen lassen sich darauf ein und spielen das Spiel genußvoll mit, bis alles in bitteren Ernst umschlägt. Es scheint, daß Goethe einen ähnlichen Einfall gehabt hat, denn in den *Aufgeregten* sollten die Adligen nach dem skizzierten Entwurf sich selbst die Nationalversammlung vorspielen. Einer von ihnen wäre der Präsident gewesen, eine andere hätte die Fürstin dargestellt, deren Macht beschränkt werden soll. Ein Dritter hätte die Rolle des Edelmannes übernommen, der seinen Stand verläßt und zum Volk übergeht. Es ist sehr zu bedauern, daß Goethe den Plan niemals ausgeführt hat und die Szene nicht geschrieben worden ist.

Goethe hat nicht abgelassen, gefährliche Spiele und Akte der Selbstverleugnung dieser Art zu verurteilen. Das Volk setze sich an die Stelle des Adels, wenn dieser sich selbst und seine ihm zukommende Aufgabe preisgebe. Es ist unmöglich, alle Aussprüche Goethes über des Volk im Sinne von Masse und Pöbel zu zitieren. Schon 1775 nimmt er das Wort Ariosts über den Pöbel „Werth des Tods vor der Geburt" auf[7]. In den *Venetianischen Epigrammen* (Nr. 53) heißt es:

> [. . .] doch wer beschützt die Menge
> Gegen die Menge? Da war Menge der Menge Tyrann.

In der *Natürlichen Tochter* wird Eugenie von der Hofmeisterin entgegengehalten:

> Die rohe Menge hast du nie gekannt,
> Sie starrt und staunt und zaudert, läßt geschehn;
> Und regt sie sich, so endet ohne Glück,
> Was ohne Plan zufällig sie begonnen. (2352–55)

Eugenie kann ebensowenig auf die Hilfe des Volkes rechnen wie Klärchen, als sie einen Volksaufruhr zur Befreiung Egmonts zu entfachen sucht. In den *Maximen und Reflexionen* bemerkt Goethe:

> Nichts ist widerwärtiger als die Majorität; denn sie besteht aus wenigen kräftigen Vorgängern, aus Schelmen, die sich akkomodieren, aus Schwachen, die sich assimilieren, und der Masse, die nachtrollt, ohne nur im mindesten zu wissen, was sie will. (XII, 382, Nr. 136)

Gegenüber Eckermann äußert er:

> Freilich bin ich kein Freund des revolutionären Pöbels, der auf Raub, Mord und Brand ausgeht und hinter dem falschen Schilde des öffentlichen Wohles nur die gemeinsten egoistischen Zwecke im Auge hat.
>
> (Eckermann, *Gespräche mit Goethe*, III. Teil, 27. April 1825)

Diese Aussagen zeigen deutlich genug den Abstand zwischen Goethes Ansicht und der heutigen Auffassung. Jener aristokratische Individualismus bildet eine Konstante in seinem Denken. Es wäre falsch, darin eine Reaktion auf die Französische Revolution zu sehen; er vertrat, wie wir gerade gesehen haben, diese Haltung schon zur Zeit des *Werther*. Aber es wird verständlich, daß Goethe mehr als irgendein anderer durch die Ereignisse in Frankreich beunruhigt wurde und sich betroffen fühlte. Vergessen wir nicht, daß es die Zeit ist, in der er die Arbeit an *Wilhelm Meisters Lehrjahren* wieder aufnahm und abschloß. Seine Entwicklung und Bildung heben Wilhelm nach und nach auf die Stufe der adligen Gesellschaft, deren Bild in den letzten Kapiteln des Romans gezeichnet wird. Diese ist eine so offene Gesellschaft, daß sie über die Schranken der Geburt hinwegsehen und auch diejenigen in sich aufnehmen kann, die danach verlangen und sich dessen würdig erweisen. Es handelt sich um eine gesellschaftliche Gruppe, die keineswegs an Privilegien für sich selbst denkt, sondern die unter der Voraussetzung, daß jeder einzelne auf dem Platz bleibt, der ihm zukommt, die in ihr verkörperte Ordnung und die von ihr ausgehenden Wohltaten über das ganze Volk verbreiten möchte, denn nur in dieser Ordnung erscheint ihr die Entfaltung des Individuums möglich. Diese Gesellschaft sei gerade erst entstanden. Es sei noch nicht lange her, daß in Deutschland Roheit und Mangel an Bildung geherrscht hätten. Das, was man gewonnen habe, drohe nun infolge der durch das französische Beispiel begünstigten Geistesverwirrung zerstört zu werden. Frankreich habe seine Probleme, aber das seien nicht die deutschen. Einige Tollköpfe und eine Handvoll Ehrgeizlinge machten sich daran, ein kostbares und noch zerbrechliches Gut zugrunde zu richten, ohne daß irgendeine historische Notwendigkeit dazu zwinge. Ich folge hier frei Goethes Gedanken, denn er äußert sich nicht allzu ausführlich über dieses Thema und zieht es gewöhnlich vor zu schweigen. Aber das Gesagte geht eindeutig aus seinen Schriften und Briefen hervor. Gewiß seien nicht alle Adligen Vorbilder an Geist und Tugend, sondern es gebe unter ihnen Versager, lächerliche und hassenswerte Gestalten. Aber diese stellen für ihren Stand und dessen Aufgaben keine Gefahr dar. Gewöhnlich sind sie nämlich ohne Anmaßung. Diese aber findet man bei denen, die die Umstände zu nutzen verstehen, bei den bürgerlichen Emporkömmlingen wie jenem Breme von Bremenfeld in den *Aufgeregten*, einem unerträglichen Aufschneider, der vom Stolz auf seine Vorfahren durchdrungen ist und alle Fähigkeiten zum Tyrannen besitzt, wenn sein Umsturzversuch gelingt. Sobald man das einfache Volk an die Macht läßt, ist der schlimmste Despotismus zu befürchten. Goethe beschreibt die Mischung von Liederlichkeit und Machtstreben als *Sansculottismus:* „[. . .] die ungebildete Anmaßung, womit man sich

in einen Kreis von Besseren zu drängen, ja Bessere zu verdrängen und sich an ihre Stelle zu setzen denkt [. . .]"[8]. Es gibt meines Wissens im ganzen Werk Goethes keine direkte Anspielung auf die Gewalttaten und die Schreckensherrschaft. Was er fürchtet, ist die Herrschaft der Gemeinen, die Tyrannei der Mittelmäßigkeit.
Muß man sich darein schicken? Goethe glaubt es nicht. Man kann sich die Störung der Ordnung immer ersparen. Dazu genügen ein wenig Vernunft und guter Wille. In Deutschland seien die staatlichen Institutionen dafür nicht nur kein Hindernis, sondern kämen dem in hervorragender Weise entgegen. Goethe mißtraut auch aller Form von Borniertheit, den eingefleischten Konservativen. Mal sind es Dummköpfe wie der Richter im *Bürgergeneral,* mal infame Spitzbuben wie der Amtmann in den *Aufgeregten.* Jeder, der einsichtig ist, kann die Notwendigkeit von Reformen erkennen, kann nachgeben, wenn es erforderlich ist, und dem Unrecht abhelfen, bevor es Rachegefühle erzeugt und unheilbar wird. Diese Fähigkeit besitzt die Gräfin in den *Aufgeregten:*

> Seitdem ich aber bemerkt habe, wie sich Unbilligkeit von Geschlecht zu Geschlecht so leicht aufhäuft, [. . .] seitdem ich mit Augen gesehen habe, daß die menschliche Natur auf einen unglaublichen Grad gedrückt und erniedrigt, aber nicht unterdrückt und vernichtet werden kann: so habe ich mir fest vorgenommen, jede einzelne Handlung, die mir unbillig scheint, selbst streng zu vermeiden und unter den Meinigen, in Gesellschaft, bei Hof, in der Stadt über solche Handlungen meine Meinung laut zu sagen. Zu keiner Ungerechtigkeit will ich mehr schweigen, [. . .] und wenn ich auch unter dem verhaßten Namen einer Demokratin verschrien werden sollte. (III. Aufzug, 1. Auftritt)

Der Hofrat, der in diesem Falle gewiß Goethes eigene Meinung vertritt, beglückwünscht die Gräfin zu der Einsicht, die sie aus der Betrachtung der großen Begebenheiten der Zeit gewonnen habe, und fährt fort:

> Es ziemt Ihnen, Ihrem eignen Stande Widerpart zu halten. Ein jeder kann nur seinen eignen Stand beurteilen und tadeln. Aller Tadel heraufwärts oder hinabwärts ist mit Nebenbegriffen und Kleinheiten vermischt, man kann nur durch seinesgleichen gerichtet werden. Aber eben deswegen, weil ich ein Bürger bin, der es zu bleiben denkt, der das große Gewicht des höheren Standes

> im Staate anerkennt und zu schätzen Ursache hat, bin ich auch unversönlich gegen die kleinlichen neidischen Neckereien, gegen den blinden Haß, der nur aus eigner Selbstigkeit erzeugt wird [. . .]. Das will ich sagen da, wo ich eine Stimme habe, und wenn man mir auch den verhaßten Namen eines Aristokraten zueignete.

So wirken die Stände im gegenseitigen Verstehen zusammen. Jeder mit seinem eigenen Stolz und bedacht auf seine Rechte erkennt die Berechtigung des anderen an. Geleitet von dem gleichen Sinn für Recht und Gerechtigkeit, stärkt jeder die Macht des anderen und damit die innere Festigkeit des Staates. Dasselbe Humanitätsideal, das die Grundanlagen des Menschen – Sinnlichkeit, Gefühl und Vernunft – in ein harmonisches Verhältnis zueinander bringt, führt auch zum Gleichgewicht zwischen den im Staat wirkenden Kräften. Die Gräfin in den *Aufgeregten,* die Baronin in den *Unterhaltungen,* Therese und Natalie in den *Lehrjahren,* sie alle sind Menschen von gleicher Wesensart. Es gibt kein Problem, das durch einsichtsvolles Verstehen nicht zu meistern wäre, ein Verstehen, über das einige wenige, die *aristoi,* verfügen, das aber von allen anerkannt werden kann. Gewalt kann das Übel nur verschlimmern, wenn es einmal aufgetreten ist. Das Übel hängt nicht von den Institutionen und Gesetzen ab, sondern wird im Herzen und von den Leidenschaften hervorgebracht.

Wir sollten in dieser idyllisch scheinenden Vorstellung nicht voreilig Blindheit und Flucht vor der geschichtlichen Realität sehen. Schließlich sind die politischen Strukturen in Deutschland durch den revolutionären Ansturm nicht ins Wanken geraten. Aus Gründen, die zu analysieren dem Historiker nicht schwerfallen wird, waren die Spannungen zwischen den gesellschaftlichen Gruppen in Deutschland viel geringer als in Frankreich. Wer könnte die „Bewegung der Geschichte", die sich nur um den Preis einiger Vereinfachungen im Rückblick leicht rekonstruieren läßt, im jeweiligen historischen Augenblick erkennen? Wer wäre am Ende des 18. Jahrhunderts in der Lage gewesen, überhaupt deren Begriff zu bilden? 1792/93 konzentrierte sich Goethe in seiner Abwehr auf die unmittelbarste Gefahr. Er ist wie alle anderen von der Gewalt einer Bewegung überrascht, die von den Emigranten gern als künstlich und vorübergehend hingestellt wurde. Er erkennt, wie groß die Gefahr der Ansteckung ist. Er ist im Innersten davon überzeugt, daß dieser vom Volk ausgehende Umsturz nur in die Katastrophe führen kann und

daß sich hinter der Anarchie die Tyrannei vorbereitet. Zuerst glaubt er, daß einige Worte der Vernunft dazu beitragen könnten, die Gefahr abzuwenden. Deshalb meint er zunächst – er, der gewöhnlich so wenig auf Belehrung bedacht ist –, daß er etwas sagen müsse und vielleicht eine Aufgabe habe. Er nimmt ein Dorfstück, das einen geringen Erfolg gehabt hatte, erfindet eine von den Tagesereignissen bestimmte Fortsetzung und führt als neue Gestalt einen Edelmann nur zu dem einen Zweck ein, die patriarchalischen Zustände zu schildern, die weiterhin in Deutschland auf dem Lande herrschten. So entstand der *Bürgergeneral*, in drei Tagen niedergeschrieben, um sofort Partei zu ergreifen, jedoch ohne große Sorgen um die dabei angewandten Mittel. Die Bauern sprechen mit dem Herrn wie mit ihresgleichen. Eine herzliche Vertrautheit verbindet sie mit ihm. Die Großsprecher nach der neuen Mode sollen es schwer haben, wenn sie sich über ein von alters her bestehendes und so lebendig gebliebenes harmonisches Verhältnis hermachen wollen. Im anderen Falle geht es um einen auszubessernden Weg, um die unbedeutende Geschichte von Bauern, die in ihrem Stolz getroffen sind und einen Dienst unter Berufung auf ein altes Privileg verweigern. Das reicht für die Darstellung einer Revolution im Dorf, das Thema der *Aufgeregten*. Die Fehler und Leidenschaften sind dieselben wie auf der großen politischen Bühne, aber in dieser lächerlichen Verkleinerung läßt sich ihnen leichter begegnen. Im komischen Genre wird man damit fertig.
Jedoch war dies alles nur die Reaktion im ersten Augenblick. Schon bald, um 1795/96, ist offenkundig geworden, daß satirische Komödien solcher Art das Wesentliche nicht fassen können. Das Übel ist zu ernst, als daß es mit Worten der Vernunft überwunden werden könnte. Heroismus und Opferbereitschaft werden verlangt. Goethe faßt den Plan zu einem Stück über das *Mädchen von Oberkirch*, das lieber sterben als sich dem Kult der Göttin Vernunft unterwerfen will. Wie man weiß, werden nur die ersten Szenen geschrieben. 1799 aber beginnt die Arbeit an der *Natürlichen Tochter*. Wie wäre das Drama ausgegangen? War ein Ausgleich zwischen den sich widerstreitenden Kräften denkbar? Oder wäre Eugenie schließlich den gegen sie verschworenen Kräften zum Opfer gefallen, ohne daß Vernunft diese in Schranken hätte halten können? Man kann das kaum ausmachen. Andererseits sind nun aber Revolution und Tragödie nicht mehr voneinander zu trennen.
In der Tat hat der revolutionäre Vorgang eine andere Tiefe gewonnen. Er ist nicht mehr von der Art, daß nur ein wenig Vernunft und guter Wille

ausreichen, um alles in die richtige Bahn zu lenken. Es sind Kräfte am Werk, die von der Vernunft allenfalls ermessen, aber von ihr nicht mehr gemeistert werden können. An die Stelle einer vernünftigen Ordnung ist so etwas wie eine Schrecken verbreitende und Anstoß erregende Naturnotwendigkeit getreten. Das Wort „Tragödie" erscheint in einem Satz auf einer der ersten Seiten der *Campagne in Frankreich*. Schon Emil Staiger hat auf die Stelle aufmerksam gemacht[9]. Die Herden sind unter die Regimenter verteilt worden, und man hat den Bauern als einzige Bezahlung auf Ludwig XVI. ausgestellte und natürlich völlig wertlose Papiere überreicht. Die ausgehungerten Soldaten aber schlachten die Schafe sofort vor den Augen der Besitzer. Goethe schreibt dann:

> So gesteh' ich wohl, es ist mir nicht leicht eine grausamere Szene und ein tieferer männlicher Schmerz in allen seinen Abstufungen jemals vor Augen und zur Seele gekommen. Die griechischen Tragödien allein haben so einfach tief Ergreifendes. (X, 201)

Die Betroffenheit Goethes rührt gewiß nicht einfach vom Mitleid für die hingeschlachteten Tiere her. Sie entsteht vielmehr aus dem Gefühl für die schockierende und absurde Notwendigkeit, der gegenüber alle Bemühungen der Vernunft sinnlos sind.

Was könnte hier die Neigung zur Belehrung, die am Anfang da war, noch ausrichten? Wozu sollte es andererseits nützen, wenn man der Katastrophe zuschaute, die nicht mehr abgewendet werden konnte? Goethes Haltung gegenüber der Revolution wandelt sich. Was vermag der Einzelne, was vermag der Dichter angesichts dieser Ereignisse, die alles zu zerstören, die vernünftige Ordnung zu vernichten, der schlimmsten Tyrannei den Weg zu ebnen drohen? Ehemals habe Luthers Lehre einen Rückfall der Kultur herbeigeführt. Nun sei sie durch den neufränkischen Geist abgelöst worden[10]. Noch 1823 wiederholt Goethe, daß Deutschland in den letzten dreißig Jahren erneut das Unheil durchlebt habe, das Luther vor dreihundert Jahren angerichtet habe[11]. Was kann man tun, außer zu retten, was noch zu retten ist? Jeder solle sich wenigstens das bewahren, was am meisten zähle, nämlich die Möglichkeit, sich seinen Gedanken und seiner Arbeit hinzugeben. Möge doch jeder seinen Garten bestellen, vor seiner Tür kehren, statt die Welt verbessern zu wollen. Man hat das als Flucht und unpolitische Haltung bezeichnet. Aber das ist eine Täuschung. Goethe hatte sich von Anfang an entschieden und machte niemals ein Hehl aus seiner Ansicht. Wenn er sich jetzt von den Geschehnissen abwendet, so nicht deshalb, weil er deren Bedeutung verkennt, sondern weil er im Gegenteil allen Widerstand für vergeblich und jede Gegenaktion für realitätsfern hält. Je mehr Jahre vergehen, desto mehr verstärkt sich Goethes Überzeugung, daß der Weise besser schweigt. Er teile nicht alle Gedanken mit, die ihn bedrängen, schreibt er in der *Campagne in Frankreich*. Warum die Rolle von Kassandra spielen? Der Dichter, sagt er noch, könne der Weltgeschichte nicht immer nacheilen[12]. Von Jahr zu Jahr ist das, was Goethe unter dem Einfluß der Revolution schreibt, weniger für das breite Publikum bestimmt. Die *Natürliche Tochter* kann gerade eben noch auf Zuschauer hoffen. Er hüllt sich immer mehr in Schweigen. Auf die Werke zurückblickend, die mit der Revolution zusammenhängen, hat er das Gefühl, sich in eine Sackgasse verirrt und seine Zeit vergeudet zu haben:

> [. . .] es erklärt sich die grenzenlose Bemühung dieses schrecklichste aller Ereignisse in seinen Ursachen und Folgen dichterisch zu gewältigen. Schau' ich in die vielen Jahre zurück, so seh' ich klar, wie die Anhänglichkeit an diesen unübersehlichen Gegenstand so lange Zeit her mein poetisches Vermögen fast unnützerweise aufgezehrt.
>
> (*Bedeutende Fördernis durch ein einziges geistreiches Wort*, XIII, 39)

Die Bilanz ist also enttäuschend, für Goethe, der das Gefühl hat, seine Zeit vertan zu haben, enttäuschend für den Leser, der anderes erwartete als die lange Reihe von Verdammungen. Ein solcher Manichäismus ist für Goethe ungewöhnlich. Man konnte von dem Schöpfer der Gestalt des Mephistopheles, des Teufels, der das Böse will und wider seinen Willen das Gute schafft, eine differenziertere und dem komplexen Vorgang gerechter werdende Beurteilung erwarten. Die Revolution zerstört das alte Gebäude, aber hinterläßt sie deshalb nur Ruinen? Wenn sie das Chaos ist, steht dann von vornherein fest, daß aus diesem Chaos auf die Dauer keinerlei Ordnung hervorgehen kann?

Das Schicksal hat Goethe ein langes Leben zugemessen. Nach dem Kriegszug, der ihn an der Seite Karl Augusts zum Argonner Wald geführt hatte, lebte er noch vierzig Jahre. Er sieht in diesen vierzig Jahren, wie ein politisches Regime das andere ablöst, wie die revolutionären Unruhen sich legen und der Tyrann, dessen Heraufkunft er angekündigt hatte, seine Macht über Europa errichtet. Jedoch ist dieser Tyrann kein Unhold. Goethe versagt ihm jedenfalls nicht die Achtung. Er erlebt dann, wie das alte Regierungssystem in Frankreich wiederhergestellt wird und eine konservative Allianz Europa das Gepräge gibt. In die Zeit vor seinem Tode fallen die Unruhen von 1830, deren Auswirkungen in Deutschland allerdings nur schwach zu spüren sind. Er kann nun das Phänomen der Revolution in größerer geistiger Freiheit betrachten und ihm im System der Welt den Platz zuweisen, den er ihm vorher bestritten hatte. Man würde die Perspektiven verfälschen, wenn man Goethes Auseinandersetzung mit der Revolution und sein Nachdenken über den Gebrauch der Gewalt mit dem Abschluß der *Natürlichen Tochter* im Jahre 1803 enden ließe. Noch etwa dreißig Jahre lang versucht er, über die instinktive Abneigung hinwegzukommen und Revolution und Gewalt in das Bild der Geschichte einzufügen.

Wir dürfen nicht erwarten, daß Goethe seine Überzeugung ändert. Seinen Sinn für das Bestehende, seine Neigung zur Herrschaft der wenigen kann er nicht verleugnen. Wir dürfen uns auch nicht vorstellen, daß Goethe eine Geschichtsphilosophie entwickelt. Er versucht vielmehr auf empirischem Weg, über die Anspielung und das Symbol, den Ort des Chaos innerhalb der Ordnung selbst zu bestimmen.

Weit davon entfernt, die Politik als den Bereich des Unreinen anzusehen, ist Goethe, der keineswegs dazu beigetragen hat, die traditionell unpolitische Haltung der Deutschen zu verstärken, (wie ihm oft vorgeworfen worden ist), im Gegenteil davon überzeugt, daß von der Politik ein wesentlicher Teil des Schicksals abhängt. Man kann sein Spiel mit dem Schicksal treiben, aber man kann es nicht vergessen wollen oder leugnen. Die Revolution ist eine Naturkraft. Sie läßt sich, wenn nicht eine ganz falsche Vorstellung entstehen soll, aus der Ökonomie des Ganzen nicht ausschließen. Vielmehr bildet das Infragestellen eine historische Konstante und kann wahrscheinlich als Triebkraft des Werdens gelten. 1826 notiert Goethe:

> Der Kampf des Alten, Bestehenden, Beharrenden mit Entwicklung, Aus- und Umbildung ist immer derselbe. Aus aller Ordnung entsteht zuletzt Pedanterie; um diese los zu werden, zerstört man jene, und es geht eine Zeit hin, bis man gewahr wird, daß man wieder Ordnung machen müsse. Klassizismus und Romantizismus, Innungszwang und Gewerbsfreiheit, Festhalten und Zersplittern des Grundbodens: es ist immer derselbe Konflikt, der zuletzt wieder einen neuen erzeugt. Der größte Verstand des Regierenden wäre daher, diesen Kampf so zu mäßigen,

daß er ohne Untergang der einen Seite sich ins gleiche stellte; dies ist aber den Menschen nicht gegeben, und Gott scheint es auch nicht zu wollen.

(*Maximen u. Reflexionen*, XII, 383, Nr. 138)

Es ist ein weiter Weg von dieser Vorstellung des Wechsels und Pendelschlags zu einer dialektischen Rechtfertigung der Revolte. Aber der Weg ist vorgezeichnet und die Auseinandersetzung damit nicht mehr zu umgehen.

Durch die bittere Erfahrung der 90er Jahre belehrt, versagt Goethe es sich allerdings, unmittelbar in die Staatsangelegenheiten einzugreifen. Er glaubt, daß dies nicht seine Aufgabe ist. Seine Auseinandersetzung vollzieht sich auf einer höheren Stufe und auf Umwegen. Da sein Denken von dem Prinzip beherrscht wird, alle Bereiche des Geistes in ihrem wechselseitigen Zusammenhang zu betrachten, findet man die politische „Theorie" weitab von der Diskussion über Tagesprobleme. Ich möchte zwei Beispiele nennen, die beide sehr berühmt sind.

1784, also fünf Jahre vor Ausbruch der Revolution, schreibt Goethe einen hymnischen Aufsatz: *Über den Granit*. Dieses lyrische Stück war als Teil eines „Romanes über das Weltall" gedacht, einer umfassenden dichterischen Kosmogonie, die er in jener Zeit plante und deren Idee ihn bis in seine letzten Jahre hinein beschäftigt hat. Der Granit sei ein Gestein, das die Grundfeste der Erde bilde. Sein Ursprung sei geheimnisvoll und entziehe sich unserem Wissen. Es gebe unter den geschaffenen Dingen eine natürliche Rangfolge, und in dieser stelle der Granit den königlichen Pfeiler dar, die unerschütterliche Grundfeste, auf der alles ruhe, die Steinart, der die höchste Würde zukomme. Mag um ihn herum alles ins Wanken geraten, mögen sich Vulkane in die Höhe heben und die Welt mit Untergang bedrohen, die Grundfeste des Granits sei sicher, dauernd und von unbezweifelbarer Wahrheit. Jene Ordnung, deren Grund oder Symbol der Granit sei, sei mit der Schöpfung selbst gegeben. Die Revolutionen, die sich auf dem Erdball abspielten, könnten die Figuration einiger Datails in der Landschaft ändern, könnten aber die Hierarchie, in der der Sinn der Welt sich offenbare, nicht antasten.

Einige Jahre später stellen Geologen jedoch das Alter des Granits und die Rolle, die er in der Erdgeschichte gespielt hat, in Frage. Goethe erhebt Widerspruch. Diejenigen, die heute den Granit entthronen wollten, seien denen zu vergleichen, die vor dreißig Jahren das Königtum beseitigt hätten. Von Ansicht zu Ansicht werde alles herabgesetzt und ende im Chaos: „What is the inference?" fragt Goethe mit den Worten eines englischen Gelehrten, die er als Leitsatz einem anderen geologischen Aufsatz voranstellt: „Only this, that geology partakes of the uncertainity which pervades every other department of science." [13] Und gleichsam als Gegengewicht gegen diesen Hang zur Skepsis in der modernen Wissenschaft fügt er den Satz des Archimedes hinzu: „Gib mir wo ich stehe." Der Streit über den Granit veranlaßt Goethe in den *Zahmen Xenien* zu folgenden Versen:

> Wie man die Könige verletzt,
> Wird der Granit auch abgesetzt;
> Und Gneis der Sohn ist nun Papa!
> Auch dessen Untergang ist nah:
> Denn Pluto's Gabel drohet schon
> Dem Urgrund Revolution;
> Basalt, der schwarze Teufels-Mohr,
> Aus tiefster Hölle bricht hervor,
> Zerspaltet Fels, Gestein und Erden,
> Omega muß zum Alpha werden.
> Und so wäre denn die liebe Welt
> Geognostisch auch auf den Kopf gestellt. (1694–1705)

Der sarkastische Ton kann keinen Zweifel über Goethes Absicht aufkommen lassen. Was bedeuten schon die Meinungen einiger Leute, die sich als Gelehrte ausgeben, was bedeuten die spektakulärsten politischen Erschütterungen gegenüber der Wahrheit und ihrer Evidenz? Man braucht gegen den Irrtum nichts zu unternehmen, man lasse das Gewitter vorüberziehen. Die Ordnung der Welt wird sich von selbst wieder herstellen.

Ein ganz ähnliches Problem wird mit der Polemik zwischen Neptunisten und Vulkanisten berührt; sie besitzt auch eine ähnliche symbolische Bedeutung. Wie hat sich die Erde gebildet? Durch die Wirkung des Wassers als allmähliche Sedimentation oder, wie manche, unter ihnen auch Alexander von Humboldt, glaubten, durch die Kraft des Feuers, vulkanische Ausbrüche und Erdbeben? Goethe nimmt an diesem Streit mit solcher Leidenschaft teil, weil dabei zugleich die Auffassung von der Geschichte in Frage steht. Schreitet die Geschichte in Sprüngen fort, mit großen Umwälzungen und chaotischen Einbrüchen, oder ist sie der harmonische Fortgang, die ruhige Entwicklung, wie die Weimaraner es sich gerne vorstellten?

Der Streit ist natürlich müßig, denn sowohl das Feuer als auch das Wasser haben an der Gestaltung der Erde mitgewirkt. Es gibt Sedimentgestein und vulkanisches Gestein, Goethe verkannte das nicht. Er wußte, daß es für beide Theorien Argumente gibt. Was tun? Sollte man die fruchtlosen Diskussionen weiterführen und den Streit nur noch verschärfen? Wilhelm Meister ist „ganz verwirrt und verdüstert", als er von „kolossalem Krachen und Heben", „wildem Toben und feurigem Schleudern" reden hört. Ihm scheint „die so wohl geordnete, bewachsene, belebte Welt vor seiner Einbildungskraft chaotisch zusammenzustürzen". Das Fest, bei dem das Gespräch geführt wird, droht, da die Wirkung des Weins noch ein übriges tut, in tödlichem Streit zu enden. Man könnte meinen, die Zeit der heftigen Auseinandersetzungen zwischen den deutschen Ausgewanderten sei zurückgekehrt. Aber eine andere Gestalt des Romans, Montan, der hier offensichtlich für den Autor spricht, hat nicht eindeutig Partei ergriffen und sich über seine wahre Meinung in Schweigen gehüllt. Er sagt zu Wilhelm:

> Ich habe mich durchaus überzeugt, das Liebste, und das sind doch unsere Überzeugungen, muß jeder im tiefsten Ernst bei sich selbst bewahren, jeder weiß nur für sich, was er weiß, und das muß er geheimhalten [. . .]. Wenn man einmal weiß, worauf alles ankommt, hört man auf, gesprächig zu sein.
>
> (*Wilhelm Meisters Wanderjahre,* II. Buch, 9. Kap.)

Worauf alles ankommt, das ist für jeden Menschen der Zusammenhang von Denken und Tun. Lassen wir also das Predigen, hören wir auf mit dem Versuch, andere überzeugen zu wollen. Wir sollten sogar über das Unvermeidliche, die Gewalttätigkeiten, denen uns der Lauf der Zeit unterwirft, nicht weiter grübeln. Wenn wir uns davon gefangennehmen lassen, könnte unser Denken entmutigt und unser Handeln gelähmt werden.

Goethe hat in den letzten Jahren seines Lebens, zwischen 1826 und 1830, das Thema der Revolution ein letztes Mal aufgegriffen und ihm innerhalb der grandiosen Allegorie der *Klassischen Walpurgisnacht* im zweiten Akt von Faust II dichterische Gestalt verliehen. Unter Sirenen und Sphinxen, den Meergottheiten und den Zeugen des überzeitlich Dauernden, taucht der alte Seismos auf. Er, Abkömmling der Nacht und des Chaos, ließ einst die Insel Delos aus den Meeresfluten auftauchen, spielte mit Pelion und Ossa Ball, setzte dem Parnaß den Doppelgipfel auf und errichtete Zeus' Thron auf dem Olymp. Wie sähe die Welt aus, wenn die fruchtbare Unruhe, die ihm allein zuzuschreiben ist, nicht in ihr gewirkt hätte:

> Und hätt' ich nicht geschüttelt und gerüttelt,
> Wie wäre diese Welt so schön? (7552–53)

Bald werden die von ihm emporgetriebenen Berge von allerlei Gnomen und Zwergen, Ameisen, Pygmäen, Daktylen bevölkert, arbeitsamen, kriegerischen Wesen voller Tatendrang und Begierde, gegen die Kraniche und Reiher sofort den Kampf aufnehmen. In allen Jahrhunderten flammt immer erneut derselbe blutige und nutzlose Konflikt auf. So will es der Lauf der Welt. Im übrigen aber erstrahlt das Licht der Ordnung bald gerade dort, wo Seismos das Chaos verbreitet hatte: auf Delos wird Apollo geboren, und der Gipfel des Parnaß ist der Sitz der Musen. Zuletzt siegt die Ordnung immer über das Chaos, der Aufruhr legt sich, verschwindet, und die immergleiche Geschichte beginnt von neuem. Für den, der nicht im Augenblick befangen bleibt und nach Jahrtausenden zu zählen gelernt hat, verliert somit die Geschichte ihre Wirklichkeit. Es gibt nur noch ewige Wiederkehr, aber nicht das Erscheinen eines Neuen.

Zwei griechische Philosophen setzen über die Zeiten hinweg den immerwährenden Dialog zwischen Ordnung und Chaos fort. Anaxagoras tritt für das Feuer, die Gewalt, das tätige Genie, die Schöpfung aus dem Nichts ein, Thales für das Wasser, die harmonische Entwicklung, die langsame Folge der Zeiten. Dieser Dialog kann nicht beendet werden und bringt keine Versöhnung. Seit Urzeiten scheiden sich hier die Geister, und es wird immer so weitergehen. Der alte Streit der Vulkanisten und Neptunisten hat eine neue Dimension gewonnen. Über die wissenschaftliche Kontroverse und die politischen Gegensätze hinausreichend, wird die Auseinandersetzung zwischen Anaxagoras und Thales zur Manifestation des fundamentalen Antagonismus, der die Menschen von Anbeginn der Geschichte an in Widerstreit miteinander bringt und der Bewegung des Geistes Nahrung gibt.

Die Macht des Feuers wird nicht mehr bestritten, der Anteil, den die Gewalt an der Geschichte hat, anerkannt. Bedeutet dies, daß Goethe jetzt zwischen den Parteigängern und den Gegnern der Revolution keinen Unterschied mehr macht? Will er nicht mehr zwischen Anaxagoras und Thales wählen? Ganz gewiß nicht. Anaxagoras ruft die Mondgöttin an und entfesselt die Gewalt. Aber er erschrickt selbst über das von ihm heraufbeschworene Chaos:

> Auf einmal reißt's und blitzt und funkelt!
> Welch ein Geprassel! Welch ein Zischen!
> Ein Donnern, Windgestüm dazwischen! –

Er fleht die himmlischen Mächte an, ihm zu vergeben:

> Demütig zu des Thrones Stufen! –
> Verzeiht! Ich hab' es hergerufen.
> (Wirft sich aufs Angesicht) (7925–29)

Wie Montan in den *Wanderjahren* fordert dagegen Thales dazu auf, von den müßigen Spekulationen über den Gang der Weltgeschichte abzulassen. Natürlich gibt es die Gewalt und niemand wird die Wirkungen leugnen, die von Revolutionen ausgehen. Aber der Weise wendet sich von den Doktrinen der Gewalt ab, mit denen doch nur das Volk an der Nase herumgeführt wird:

> Mit solchem Streit verliert man Zeit und Weile
> Und führt doch nur geduldig Volk am Seile. (7871–72)

Anaxagoras verschwindet, Thales bleibt allein. Das Gewalttätige, das bei Anaxagoras Schrecken und Reue hervorrief, gilt Thales nur als unwirkliches Trugbild. Die Welt bleibt sich gleich. Der Mond, Symbol der Dauer und des Friedens, glänzt weiter am nächtlichen Himmel:

> Gestehen wir, es sind verrückte Stunden,
> Und Luna wiegt sich ganz bequem
> An ihrem Platz, so wie vordem. (7933–35)

Anmerkungen

[1] Vgl. *Campagne in Frankreich*, Goethes Werke. Hamburger Ausgabe in 14 Bänden, Bd. X, S. 235. Zitiert wird, wenn möglich, nach dieser Ausgabe und nach der Hamburger Ausgabe der Briefe Goethes in 4 Bänden, bei Texten, die dort nicht abgedruckt sind, nach der Weimarer Ausgabe.

[2] Vgl. W. Mommsen, Die politischen Anschauungen Goethes, Stuttgart 1948, S. 96.

[3] Vgl. *Campagne in Frankreich*, X, S. 361.

[4] Vgl. Brief an Jacobi vom 7. 7. 1793.

[5] Vgl. *Campagne in Frankreich*, X, S. 317.
[6] WA IV, 10, S. 123.
[7] Brief an Lavater, September 1775, WA IV, 2, S. 286.
[8] *Literarischer Sansculottismus*, XII, S. 240.
[9] Vgl. E. Staiger, Goethe, Bd. II, Zürich 1956, S. 92.
[10] Vgl. *Vier Jahreszeiten*, Herbst, Nr. 62.
[11] Vgl. *Zahme Xenien* 698–701.
[12] Vgl. *Campagne in Frankreich*, X, S. 359.
[13] *Zur Geologie, besonders der böhmischen*, XIII, S. 275.

Gerhard Kaiser

IDYLLE UND REVOLUTION

Schillers „Wilhelm Tell" *

Als das literarische Deutschland in der Mehrheit seiner bedeutenden Vertreter den Ausbruch der Französischen Revolution enthusiastisch begrüßte, standen Schiller und Goethe abseits: ihnen war die Revolution ein Irrweg [1]. Trotzdem schildert in Goethes „Hermann und Dorothea" der Richter der Flüchtlinge den Beginn der Revolution in leuchtenden Farben, die durch alle Düsternis seiner nachfolgenden Erfahrungen nicht ausgelöscht, eher vertieft worden sind. Dabei bedient sich der Richter einer Metaphorik, die aus den literarischen Zeugnissen deutscher Revolutionsbegeisterung geläufig ist. Wie Herder den Tag des Bastille-Sturms als „Taufe der Menschheit" und „Fest des Bundes" zwischen Gott und seinem Volke feiert [2], wie Hölderlin die Revolution als „neue Schöpfungsstunde" anspricht, in der die Liebe das Paradies wiederherstellt, das durch das Gesetz zerstört wurde [3], so erscheint in den Worten des Richters die Revolution als ein Pfingstereignis, in dem die „ersten Verkünder der Botschaft" aufstanden [4] – quasi Apostel und Evangelisten der Revolution –, ein Ereignis, in dem „jedem die Zunge gelöst" wurde: „es sprachen die Greise, Männer und Jünglinge laut voll hohen Sinns und Gefühles" [5]. „Wuchs nicht jeglichem Menschen der Mut und der Geist und die Sprache?" [6]
In jedem dieser drei Zeugnisse – dem Herders, dem Hölderlins, dem Goethes – wird die Revolution als ein heilsgeschichtliches Datum gesehen, das im Korrespondenzverhältnis der Vollendung und Wiederherstellung zu früheren heilsgeschichtlichen Ereignissen steht: Bei Herder ist auf das Verhältnis von altem und neuem Bund angespielt, bei Hölderlin auf Gesetz und Liebe, Paradies und eschatologische Erneuerung Himmels und der Erde, bei Goethe ersteht im Pfingstfest der Revolution das Bild einer Idylle aus dem Geiste als Gegenbild zur Naturidylle der Ackerbürgerkleinstadt, gegen die nun die geschichtlichen Wirren der Revolutionskriege anbranden. Leuchtet über ihr die ewige Sonne der Natur –

* Erweiterte Fassung des Vortrages.

man möchte mit Schiller sagen: die Sonne Homers –, so hebt sich in der Revolution „der erste Glanz der neuen Sonne“ [7]; führt die Idylle der Ackerbürgerkleinstadt die Naturgesellschaft der Nachbarn und Bürger vor, die als freie und gleiche einander begegnen, so hört man in der Revolution „von der begeisternden Freiheit und von der löblichen Gleichheit“ [8]; bezeichnet der uralte Birnbaum, unter dem die Schnitter und die Hirten rasten und unter dem Hermann mit seiner Mutter spricht, Mitte und Grenze der Idylle, so pflanzt man in der Revolution „mit Lust die munteren Bäume der Freiheit“ [9]; ist in der Idylle vom „fröhlichen Tanz“ die Rede, „den alle Jugend begehret“ [10], so beginnt in der Revolution um die „neue Standarte“ „der muntere Tanz“ der Freiheit [11].

Wie Goethe in „Hermann und Dorothea“ spiegelt Schiller in „Wilhelm Tell“ Idylle und Revolution ineinander [12]. Wie bei Herder geht es auch hier um alten und neuen Bund, Altes und Neues Testament. Wie bei Hölderlin spielt sich auch hier Zerstörung und Erneuerung des Paradieses ab [13]. Schillers Dramen seit der „Jungfrau von Orleans“ stehen im Zeichen seiner geschichtsphilosophischen Konzeption der Idylle, in der die Idee der Idylle Ausgang und Ziel der Geschichte bezeichnet [14]. Als Hirtenidylle ist sie Darstellung der naturgegebenen Harmonie des Menschen mit sich selbst und seiner Welt, aus der er in die geschichtliche dissonante Entfaltung seiner Kräfte und Möglichkeiten hinaus muß, um schließlich aus der Kultur eine neue höhere Naturharmonie hervorzubringen, Naturharmonie deshalb zu nennen, weil es in der Natur des Menschen liegt, sich selbst und seine Welt zu erschaffen und zu verantworten. Die Darstellung dieser höheren Naturharmonie ist die Aufgabe des modernen sentimentalischen Dichters: „Er mache sich die Aufgabe einer Idylle, welche jene Hirtenunschuld auch in Subjekten der Kultur und unter allen Bedingungen des rüstigsten feurigsten Lebens, des ausgebreitetsten Denkens, der raffinirtesten Kunst, der höchsten gesellschaftlichen Verfeinerung ausführt, welche mit einem Wort, den Menschen, der nun einmal nicht nach *Arkadien* zurückkann, bis nach *Elisium* führt.“ [15] Mit den drei thematisch und formal so gegensätzlichen Dramen „Jungfrau von Orleans“, „Braut von Messina“, „Wilhelm Tell“ findet stufenweise ein Durchgang durch den Problemkomplex des Idyllischen statt. In der „Jungfrau von Orleans“ ist es der einzelne Mensch, der als Repräsentant der Menschheit den Weg von Arkadien nach Elysium geht; in der „Braut von Messina“

sind im Verhältnis von Chor und Einzelfiguren Arkadien, Geschichte und Elysium als Folge und Simultaneität, als Miteinander, Ineinander und Gegeneinander gefaßt; in „Wilhelm Tell" schließt die Wiederherstellung der Idylle für ein ganzes Volk den Keim der großen Idylle ein, die eschatologische Aufhebung und Vollendung der Geschichte meint. Weil Schiller die Thematik der Idylle in „Wilhelm Tell" nicht nur als Prozeß einzelner, wenn auch repräsentativer Subjekte, sondern als Prozeß eines ganzen Volkes vorführt, ist hier der Ort, an dem die Idyllenkonzeption auf die geschichtliche Wirklichkeit der Französischen Revolution stoßen muß[16].

Zunächst allerdings wird im Drama die Gefährdung der ursprünglichen Idylle exponiert, die sich schon im Eingang andeutet: Das idyllische Szenarium – die Bucht des Sees mit der Hütte am Ufer, Vieh auf der Weide, im Hintergrund Matten, Dörfer, Höfe im hellen Sonnenschein, als Umrahmung die Eisgebirge – wird vom aufziehenden Sturm überschattet, der in anthropomorphisierender und personifizierender Redeweise als „der graue Talvogt" angesprochen wird (38)[17] – Vorweis auf den Landvogt Geßler, der wie ein Wetter über das Land fährt. Auch in durchgehenden Ideen-, Motiv- und Bildreihen wird die Idylle der Schweizer Hirten, Jäger, Fischer und Bauern entfaltet. Das Haus und die Hütte, wie sie in der ersten Szene des ersten Aktes im Bühnenbild aufgeführt wird, sind traditionelle Orte der Idylle im Gegensatz zur Straße als dem gebahnten Weg ins Unbegrenzte, Unbehauste, in die Weite der Welt[18]. „Denn jede Straße führt ans End' der Welt", weiß Tell im Monolog in der hohlen Gasse, ehe er – eben dort auf der Straße – den Landvogt Geßler erschießt (2620).

> Fort! Wandle deine fürchterliche Straße,
> Laß rein die Hütte, wo die Unschuld wohnt (3188 f.),

weist Tell am Ende den Parricida ab. Nach der Rettung der Idylle kehrt Tell in denselben häuslichen Kreis zurück, von dem er in der ersten Szene des dritten Aktes ausgeht, ja, er tritt erst jetzt ins Innere des Hauses ein, auf dessen Herd ein Feuer brennt (V, 2). Das Herdfeuer, das nicht verlöschen darf, ist Sinnbild der Geborgenheit, des bei sich Seins, des innersten Zirkels menschlichen Lebens, Sinnbild des Lebens als einer Dauerordnung überhaupt; in diesem Sinne spricht Tell von „des Herdes Heiligtum" (3179). Im Kontrast von Haus und Straße, Wanderschaft und Seßhaftigkeit ist auf ein altes Konstituens der Idylle hingewiesen. Sie ist eine Insel, ein Refugium überdauernder Einheit und

Zusammenstimmung von Mensch und Natur in der Weite der Geschichte, die diese Harmonie verloren hat[19]. Das Bild der idyllischen Insel, umgeben vom stürmischen Meer der Geschichte, das die räumliche Grundkonstellation der „Braut von Messina" abgibt, taucht im „Wilhelm Tell" ausdrücklich in der Auseinandersetzung zwischen Berta von Bruneck und Rudenz auf, in der Rudenz sein Streben aus der Idylle in die Weite als Irrtum erkennt. Die Idylle ist Paradies, der Unschuld Land; als selige Insel Insel der Seligen; das selige Tal ist das Tal Elysium (Ovid, Amor. III, Eleg. 9, v. 60).

Es ist ein Grundzug der Idylle, daß der Mensch gut ist in dem Maße seiner Naturnähe – deshalb gibt es keine Idylle, wo der Erbsündengedanke des Christentums ungebrochen ist. Melchthal will, um den Aufstand gegen Geßler vorzubereiten, die Hirten

> zusammenrufen im Gebirg,
> Dort, unterm freien Himmelsdache, wo
> Der Sinn noch frisch ist und das Herz gesund (635 ff.).

Auch die Gesellschaftsformen in der Idylle sind Naturformen und als solche gerechtfertigt. In Naturformen der Gesellschaft leben die Schweizer: Familie, Nachbarschaft, Orts- und Landsmannschaft. Herrschaft erscheint als Naturform in der Gestalt patriarchalischer Beziehungen. Der liebende, fürsorgende, noch herrschend Freiheit als Menschenwürde belassende Vater ist Abbild Gottes, Urbild des Kaisers und überhaupt des legitimen Herrn. Das ist eine Sinnbildlichkeit, die nicht allein in „Wilhelm Tell" herrscht, sondern zu den wichtigsten Konstanten des Schillerschen Symbolhaushalts gehört. Von den „Räubern" bis zum „Wilhelm Tell" wird bei ihm im Thema Vaterordnung die Weltordnung verhandelt. Der Herzog von Schwaben ist nicht nur deshalb ein Parricida, ein Vatermörder, weil der ältere Blutsverwandte durch ihn fiel, sondern auch deshalb, weil er den Kaiser ermordet hat, der noch dann im Sinne patriarchalischer Vorstellungen eine Vaterfigur bleibt, wenn er Unrecht tut. So erheben sich auch die Schweizer ausdrücklich nicht gegen den Kaiser – an sich selbst ist kaiserliche Oberhoheit keine Beeinträchtigung der Freiheit, wie sie von ihnen verstanden wird –, sondern gegen seinen Statthalter. Allerdings ist kein Zweifel daran, daß der Kaiser Unrecht getan hat – auch gegen den Herzog, vor allem aber gegen die Schweizer, indem er, statt ein väterlich-unmittelbares, Freiheit und Würde achtendes Regiment zu führen, sich hinter Räten verschanzt

(1332) und Statthalter entsendet, die sich als Tyrannen zwischen ihn und sein freies Volk schieben. In der Vorstellung vom Kaiser als schlechtem Vater ist der politische Konflikt um die Reichsunmittelbarkeit der Schweizer in die naturrechtlichen Kategorien der Idylle überführt. Daß der Kaiser die Schweizer unväterlich behandelt, zeigt ebenso wie der „Vatermord" des Herzogs von Schwaben die abgrundtiefe Zerrissenheit und Verkehrung der geschichtlichen Welt an.

Weil die Idylle eine Sphäre patriarchalischer Ordnung ist, weil in ihr, noch in der Umbildung, väterliches Erbe gilt, ist sie in einer ganz spezifischen, von der illegitimen Tell-Rezeption des modernen Nationalismus vergessenen Weise Vaterland.

> Ans Vaterland, ans teure, schließ dich an,
> Das halte fest mir deinem ganzen Herzen.
> Hier sind die starken Wurzeln deiner Kraft (922 ff.)

– diese Mahnung Attinghausens an Rudenz hat hier ihren Sinn[20]. Stellt sich im Lebenskreis Tells die intakte patriarchalische Familie dar, dann im Verhältnis des alten Attinghausen zu seinen Leuten die intakte patriarchalische Gesellschaft, in welcher der Feudalherr als ein Vater waltet. Attinghausen trinkt mit seinen Leuten aus *einem* Becher und wirft Rudenz vor:

> Den Landmann blickst du mit Verachtung an
> Und schämst dich seiner traulichen Begrüßung. (782 f.)

Das Recht wird bei dieser Lage der Dinge als uralt-heilige Väterordnung verstanden; Freiheit ist „alte Freiheit" (186), Treue „alte Treue" (1702). Stauffacher sucht „die alten Zeiten und die alte Schweiz" (512). Wo das Alte das Rechte ist, gilt das Neue als Abfall vom Bewährten, als bedenklich und verderblich. Man möchte bei dieser Haltung der Schweizer an Goethes „Götz von Berlichingen" oder „Egmont" denken, wo ständische Gesellschaften Recht als einen Bestand alter Rechte gegen modernere Zentralgewalten verteidigen, und in der Tat bietet die mittelalterliche Schweiz einen vergleichbaren historischen Anknüpfungspunkt für Schiller. Doch unter der historischen Einkleidungsform ständischer und deshalb alter Rechte geht es bei Schiller um etwas anderes und Eigentümliches – eben Idylle. Wie die Natur sich immer gleich ist, ist es in der Idylle auch das Recht, die Lebensform, die Freiheit[21]: Sie sind, weil ewig, von alters her.

Am wichtigsten für diesen Zusammenhang ist die Rütliszene. Der Bundschluß der Schweizer für ihre Befreiung versteht sich als Wiederherstellung des Gewesenen:

> Wir stiften keinen neuen Bund, es ist
> Ein uralt Bündnis nur von Väter Zeit,
> Das wir erneuern! (1155 ff.)

Weil der neue Bund sich als erneuerter alter Bund versteht, weil die Umwälzung gemeint ist als Wiederherstellung, deshalb steht in der Mitte der Rütliszene die Ursprungserzählung. Die Eidgenossenschaft muß, um zu sich zu kommen, an den Ort ihres Ursprungs zurückgehen. „Daß sich der neue Bund am alten stärke", berichtet Stauffacher, „was die alten Hirten sich erzählen" (1165 f.) – eine Geschichte, die nicht in erster Linie den Charakter einer Mitteilung, sondern einer Beurkundung und Berufung hat[22]. Wanderschaft und Landnahme der Schwyzer erinnern an die Geschichte des auserwählten Volkes der Juden, und wie diese sich auf die Führung durch den Gott der Väter berufen, wie Christus sich als Begründer des neuen Bundes auf das Alte Testament, den alten Bund bezieht, in gleicher Weise zitieren die Schweizer die Vätergeschichte, um sich darin als Volk zu erkennen und zu bestätigen.
Als Erneuerung des Alten soll der Bund der Eidgenossen hergebrachte Rechtszustände nicht antasten. Es wird ausdrücklich beschlossen, daß jeder in dem Rechtsstand bleiben soll, in dem er war. Zugleich verdeutlicht sich darin, daß die Freiheitsvorstellung, auf die der Bund sich gründet, weder juristisch noch sozial noch politisch bestimmt ist, denn alle Bundesgenossen, auch die juristisch Unfreien (vgl. 1078 ff.; 1359 ff.), können schwören:

> – Wir wollen frei sein, wie die Väter waren,
> Eher den Tod, als in der Knechtschaft leben. (1450 f.)

Es geht den Schweizern um Freiheit als Ermöglichungsgrund von Menschheit und Bedingung der Menschennatur; in dieser ihrer Menschheit fühlen sie sich am tiefsten bedroht. Wenn vom Helden des Dramas gesagt wird, Tells „Atem ist die Freiheit" (2361), ist er damit als ein Mann charakterisiert, der nicht primär für Freiheit, sondern aus Freiheit lebt. Freiheit in diesem Sinne ist eine Kategorie der Natur, aber der des Menschen, wobei erinnert werden muß, daß Schillers Naturbegriff der Idylle ein Ideal ist und ein Ideal des natürlichen Menschen meint: nicht egoistisches Triebwesen, sondern von Natur gut; nicht einfach Geschöpf, sondern auch Schöpfer der Natur und seiner selbst. Weil der Mensch sich von Natur darauf angelegt begreift, gut und rechtlich zu sein; weil er Güte und Rechtlichkeit als Ordnungen anzunehmen bereit ist, in die ihn die Natur stellt, können Himmel und Gott synonym für die Idee der Naturordnung als einer Rechts- und Gemeinschaftsordnung des Menschen einstehen. Der Bestimmung des Naturverhältnisses des Menschen liegt eine Wechselformel zugrunde: in Gott und Natur lebt der Mensch recht – deshalb ist seine Freiheit nicht, wie etwa in Goethes „Götz", Raum zur Entfaltung der großen Persönlichkeit, sondern die Freiheit, recht zu leben –; im rechten Leben sind Gott und Natur. In diesem Sinne heißt es: „... Doch Gott Ist überall, wo man das Recht verwaltet" (1114f.); in diesem Sinne erfolgt Der Schwur auf dem Rütli bei den ewigen Sternen: „Ich kann die Hand nicht auf die Bücher legen", sagt Reding,

> So schwör' ich droben bei den ew'gen Sternen,
> Daß ich mich nimmer will vom Recht entfernen (1147ff.).

Sinnbilder dieses Ineinander sind der Mondregenbogen, der über dem Anfang, und die aufgehende Sonne, die über dem Ende der Rütliszene steht. Sie sind als Naturerscheinungen zugleich geistige und religiöse Zeichen: die aufgehende Sonne ist das Wahrzeichen der Aufklärung, auch ein altes Christussymbol; der Mondregenbogen erinnert an den alttestamentlichen Bundschluß zwischen Jehovah und Noah als Ende des Gerichts der Sintflut. Im Zeichen dieses Gottesbundes zogen die aufständischen Bauern unter Thomas Müntzer in die Schlacht.

Daß der Mensch von Natur nicht nur Geschöpf, sondern auch Schöpfer der Natur ist, zeigt die Ursprungserzählung in einem Motiv, bei dem Schiller wiederum an einen traditionellen Bestand der Idyllik anknüpft und ihn steigernd entfaltet: Schon die herkömmliche Idylle stellt die Natur nicht als Wildnis vor, sondern freundlich dem Menschen zugewandt und von ihm domestiziert. Sie ist gezähmt in den Weidetieren der Hirten, im Acker und in den Feldfrüchten der Bauern. In der Natur findet sich Kultur im Sinne von cultura. Die Ursprungserzählung der Schwyzer berichtet zu ihrer Legitimation, daß sie die Idylle aus einer wilden Natur erst in einer Art Wiederholung der Schöpfungsgeschichte hervorgebracht haben. Der Mensch prägt seine Natur in der Natur aus, indem er sie kultiviert. Seine Arbeit, den Naturbedingungen angepaßt, bedingt rückwirkend die Natur, nicht im Sinne bloßer Ausbeutung und Benutzung, sondern der Hinführung zu ihrer idealen Möglichkeit, gute Natur zu sein; es entsteht ein Gleichklang im Rhythmus von Mensch und Natur, der Idylle ausmacht. An sich selbst, vom Menschen abgelöst, ist die Natur unmenschlich und fremd; ja, der bloß natürliche Mensch im Sinne lediglich vorhandener Natur ist es sich selbst[23]. Von hier aus wird die Meinung und damit das grammatische Gefüge des vielzitierten Satzes deutlich:

> Der alte Urstand der Natur kehrt wieder,
> Wo Mensch dem Menschen gegenübersteht – (1282f.).

Das darf nicht im Sinne der Staatsrechtslehre von Thomas Hobbes gelesen werden, als bestünde der Urstand der Natur darin, daß Mensch dem Menschen feindlich gegenübersteht; die Bedeutung ist umgekehrt: Wo Mensch dem Menschen feindlich gegenübersteht, da bricht der Urstand der wilden Natur, wie sie etwa die Schweizer bei ihrer Landnahme vorgefunden haben, im menschlichen Bereich auf als etwas dem Menschen zutiefst Unnatürliches, als eine Denaturierung der Idee des natürlichen Menschen. Draußen im Reich der Geschichte ist homo homini lupus: „Dort darf der Nachbar nicht dem Nachbar trauen" (1810). Wo die Unmenschlichkeit aus der Geschichte in die Idylle eindringt und sie tödlich bedroht, muß sie in die Wildheit umschlagen, die sie in der von der Ursprungserzählung berichteten Tötung des Drachens besiegte – zur Rettung ihrer naturhaften Menschlichkeit. Das geschieht in Tell, wenn sich ihm die Milch der frommen Denkart in gärend Drachengift verwandelt (2572f.). Und so ist auch, weil es sich dabei nicht um die spezifische Naturverfassung des Menschen, sondern um einen Urstand allgemeiner, auch vor- und außermenschlicher Natur handelt, das Naturinstitut des Widerstandsrechts in „Wilhelm Tell" nicht als dem Menschen eigentümlich formuliert, sondern als etwas, was der Mensch mit aller Kreatur teilt.

Wie die Schweizer für die Idylle der Naturordnung stehen, so sind die Vögte des Kaisers die Gegenspieler der Idylle. Schon durch Herkunft und Stellung befindet sich Geßler in äußerstem Gegensatz zu den Schweizern: Sie stehen alle in einem Familienverband oder streben in einen solchen; Geßler ist völlig für sich, umgeben lediglich von Amtsträgern und Spießgesellen. Die Schweizer sind, als Adlige und Bauern, Hirten, Jäger und Fischer gleichermaßen dem Boden verhaftet; Geßler ist, wie Gertrud Stauffacher sagt,

> ein jüngrer Sohn nur seines Hauses,
> Nichts nennt er sein als seinen Rittermantel,
> Drum sieht er jedes Biedermannes Glück
> Mit scheelen Augen gift'ger Mißgunst an (267ff.).

Im Unterschied zu anderen Bösewichtern Schillers, die planvoll eine Intrige ausspinnen, handelt Geßler offensichtlich aufs Ganze völlig planlos, aus der puren Spontaneität des Bösen. Zwar ist von politischen Motivationen Geßlers die Rede – durch Härte sollen die Schweizer zum Verzicht auf ihre Reichsunmittelbarkeit gebracht werden (vgl. 2709 ff.) –, aber sein Verhalten gegen die Schweizer ist nicht in erster Linie hart, sondern willkürlich und muß sie deshalb weniger niederdrücken als aufs äußerste reizen. Wie im Handeln der Schweizer sind auch im Handeln Geßlers politische, juristische und soziale Kategorien hinübergespielt in Kategorien einer natürlichen Moral, einer Moral der Natur. Anstelle politischer Aktionen steht bei Geßler und seinen Gesellen eine Kette rohester Eingriffe in die Naturordnungen und Naturformen des menschlichen Lebens. Schon die Eingangsszene des Dramas zeigt einen Flüchtling, der einen Angriff auf das heilige Naturinstitut der Ehe abgewehrt hat und deshalb von den Leuten des Landvogts Wolfenschießen verfolgt wird; am Ende der Szene werden Herde und Hütte, Sinnbilder der Idylle, zerstört. In der vierten Szene erhält Melchthal, der Sohn, die Nachricht von der Blendung seines Vaters – eine doppelte Beleidigung der Natur als Verbrechen an einem Vater, der für seinen Sohn einstand, und als Raub der „edlen Himmelsgabe" des Lichts, die dem Menschen als Geschöpf von der Natur geschenkt ist (590 ff.). „. . . der Stern des Auges" ist „in seiner Höhle nicht mehr sicher" – nicht von ungefähr ist in den Worten Melchthals (641 f.) der Urtopos des Bergenden der Idylle, die Höhle, metaphorisch mit den Sternen des Himmels verknüpft, die den Schweizern in der Rütliszene zum Gleichnis ihres ewigen und unzerbrechlichen Naturrechts werden. Die Bedrohung reicht in dieser Metapher von den Tiefen der Erde bis zu den Sternen, sie ist wahrhaft total.
In der Mitte des Schauspiels, am dramaturgischen Ort der Peripetie im dritten Akt der Tragödie, steht die Szene, in der sich die Bedrohung zusammenfaßt. Mit satanischem Witz und „teufelischer Lust" (2582) bringt Geßler Tell zur Strafe für den unterlassenen Gruß des Herzogshutes in eine Situation, in der er das Leben seines Kindes und sein eigenes nur durch äußerste Gefährdung des Kindes retten kann. Die Verbrechen gegen Melchthal und Baumgarten werden dadurch noch überboten, daß nicht nur gegen Naturbindungen verstoßen, sondern ein Partner solcher Naturbindungen selbst zum Werkzeug des Verstoßes gemacht wird. Wiederholt in der Szene wird Geßler der Gottes- und Naturfrevel der Bedingung – „Du schießest oder stirbst *mit* deinem

Knaben" (1899) – vorgehalten; ihre weitestreichende Deutung aber erfährt sie durch den Fischer, der das Unwetter interpretiert, welches nach Tells Schuß und seiner Gefangennahme ausbricht: Der Aufruhr der außermenschlichen Natur wird hier als Antwort auf den Umsturz alles Menschlichen verstanden, der da stattfindet, wo ein Vater auf seinen Sohn schießen muß. Die Vision steigert sich über die Vorstellung der Wiederkehr der alten Wildnis zur Vorstellung einer neuen Sintflut, die alles Lebendige verschlingt, einer Sintflut, in der die Natur selbst als rächende Gottheit handelt. Geßler hat die Welt ins Chaos zurückgeworfen. Das ist für Schiller die äußerste Zuspitzung der Tyrannis[24].
Indem Geßler als der schlechthin Böse und Widernatürliche dargestellt wird, gerinnt die gesamte dramatische Konstellation des „Wilhelm Tell" zu einem Dualismus von Gut und Böse, der nirgends in Schillers Dramen so scharf heraustritt wie hier. Sinn und Berechtigung dieses Dualismus, durch den das Werk von den beiden anderen Dramen abgehoben ist, in denen Schiller gleichfalls die geschichtsphilosophische Thematik der Idylle verhandelt, liegen in der Perspektive des Schauspiels. In der „Jungfrau von Orleans" und in der „Braut von Messina" ist die Welt der Geschichte breit entfaltet; sie ist die Position, von der her sich Arkadien und Elysium als Grenzwerte bestimmen. In „Wilhelm Tell" aber dominiert thematisch die Idylle; sie ist der Richtpunkt, von dem her sich die Geschichte als Grenzwert bestimmt. Einmal wird die Idylle als Gegenwelt der Geschichte gedeutet, das andere Mal die Geschichte als Gegenwelt der Idylle. Wo die Welt der Geschichte vor dem Hintergrund der Idylle thematisch wird, erscheint das menschliche Handeln auf mannigfache Weise abschattiert und moralisch vielschichtig; Schuld und menschliche Vollendung bedingen einander vielfältig; es entsteht das Phänomen des Tragischen. Wo die Welt der Idylle vor dem Horizont der Geschichte thematisch wird, tritt die Welt der Geschichte an die Idylle als unter den Kategorien der Idylle gedeutete heran. Insofern diese aber als Arkadien der Geschichte vorausliegt, wird die Geschichte darauf reduziert, Negativ der Idylle zu sein. Die Mächtigkeit und Vielschichtigkeit des Historischen kommen nicht in den Blick. Steht die Idylle auf der Gleichung des Natürlichen mit dem Guten, so gerät die Geschichte unter die Gegengleichung des Geschichtlichen mit dem Bösen; die spezifischen Zwecke und Ziele politischen und geschichtlichen Handelns fallen – wie bereits deutlich wurde – aus; Tragik entsteht nicht. Das Böse ist das Fremde, und das Fremde ist das Böse[25].
Wolfenschießen, Burgvogt des Kaisers auf Roßberg, ist der einzige Ein-

heimische, der wirklich zum Verräter geworden ist: Wenn der Vorhang aufgeht, ist er schon durch Baumgarten erschlagen. Sonst sind die Vögte Landfremde. Die Unterdrückung ist Fremdherrschaft – auch das klärt die Fronten. Gerade diese schlichte Schwarz-Weiß-Technik und die entsprechende Vereinfachung der Motivationen sind es, die dem Stück etwas Legendenhaftes verleihen. Man könnte „Wilhelm Tell" als Schillers dramatische Legende bezeichnen[26].
Welche Konsequenzen die Konzeption einer dramatischen Legende für die Handlung des „Wilhelm Tell" besitzt, ergibt sich aus der Nebenhandlung zwischen Berta von Bruneck und Rudenz. Ulrich von Rudenz wirft ein politisches und historisches Problem auf, wenn er zweifelt, ob es für die Schweizer besser ist, ihre Reichsunmittelbarkeit zu behaupten oder Erbland des Hauses Österreich zu werden. Aber wo das Politische als Argument ausfällt, besitzt diese Alternative keine Tragfähigkeit; sie erweist sich als bloße Einkleidung der Frage, wie Berta von Bruneck zu gewinnen sei. Rudenz entscheidet sich für die Freiheit der Schweizer, als ihm klar wird, daß das die Entscheidung im Sinne Bertas ist, und er wird in der Erhebung der Schweizer aktiv, als Berta entführt worden ist. So steht auch hinter Bertas Argumenten gegenüber Rudenz für die Schweizer ihr eigenes Schicksal: Man will ihr das Joch einer verhaßten Ehe aufzwingen und sie um ihre Güter bringen. Es läge nahe zu sagen, Rudenz entscheide sich demnach nicht für die Freiheit, sondern für ein privates Gefühl, und das Entsprechende gelte für Berta. Aber diese Deutung der Figuren ginge am Kern der Sache vorbei: daß die Liebe in Schillers Entwurf der Idylle nicht Privatsache ist, sondern eine Naturordnung im Gefüge anderer Naturformen der Gesellschaft, die zusammen die Freiheit und Natur der Schweizer ausmachen, so daß Berta und Rudenz, indem sie scheinbar rein privaten Motivationen folgen, in tieferem Sinne doch eben dafür Partei nehmen, wofür die Eidgenossen stehen. Seine volle Tragweite zeigt der Entwurf der dramatischen Legende aber erst beim Blick auf Wilhelm Tell, ihren Helden, und seine eigentümliche Stellung im Gefüge des Dramas. Sie besteht darin, daß er an der öffentlichen Sache am wenigsten Anteil nimmt und daß trotzdem alle von ihm am meisten für die öffentliche Sache erwarten und er in der Tat auch das meiste für sie tut, aber wiederum ganz auf sich gestellt. So rettet zwar Tell gleich anfangs Baumgarten unter höchster eigener Lebensgefahr, aber er entzieht sich dem Werben Stauffachers um Teilnahme an der Eidgenossenschaft mit den Worten: „Der Starke ist am mächtigsten allein" (437)[27]. Angesichts des öffent-

lichen Unglücks neigt Tell dazu, sich auf Haus, Familie und Beruf – die Ungebundenheit des Wildschützen – zurückzuziehen; an Zwing-Uri oder dem Herzogshut Österreich sieht er vorbei, er nimmt sie gar nicht recht wahr. Er hat die entschiedenste Tendenz, den Tyrannen als ein Naturereignis zu nehmen, das man über sich hinweggehen läßt. Und dennoch lehnt Tell nicht grundsätzlich die Hilfeleistung für die Eidgenossen ab. Er werde sich „dem Lande nicht entziehen, wenn es ruft", sagt Tell zu Hedwig (1520f.); charakteristischer aber, weil hier seine Verschiebung des Problems deutlich wird, ist Tells Antwort auf Stauffachers Frage:

> So kann das Vaterland auf Euch nicht zählen,
> Wenn es verzweiflungsvoll zur Notwehr greift? (438f.)

Tell gibt Bescheid:

> Der Tell holt ein verlornes Lamm vom Abgrund,
> Und sollte seinen Freunden sich entziehen? (440f.)

Nicht für das Vaterland, sehr viel konkreter und direkter für das Land, für die Freunde steht Tell bereit, und zwar so, wie er das verlorene Lamm vom Abgrund holt – d. h. in einer spontanen Bereitschaft, dem Lebendigen beizustehen, die allen besonderen Notlagen und Zwängen menschlicher Gesellschaft vorgeordnet ist.

Zur Begründung seines Abseitsstehens beruft sich Tell darauf, er sei kein Mann des Rates: „Ich kann nicht lange prüfen oder wählen" (443). Damit ist Tell aber nicht als der Besinnungslose charakterisiert, dem andere die Entscheidungen abnehmen müssen. Es geht vielmehr darum, daß Tell in den entscheidenden Situationen seines Lebens auf langes Besinnen und Beraten nicht angewiesen ist, weil er das Rechte nicht im diskursiven Denken, sondern intuitiv, nicht in der Diskussion mit anderen Menschen, sondern in einer blitzhaften inneren Gewißheit erfaßt, in einem Bewußtsein, das aus den Tiefen des Unbewußten, aus seinem Naturgefühl für das Recht und das Rechte aufsteigt. Er ist in diesen Augenblicken nicht vereinzelt, sondern in Gemeinschaft und Übereinstimmung mit der Natur selbst, die ihn trägt. Tell ist ein Träumer im Sinne träumerischer Sicherheit und Spontaneität. Gerade diese Kindlichkeit weist Tell als den Zeugen naturhafter Menschlichkeit schlechthin aus, als den Heiligen der Natur in der dramatischen Legende der Natur, wie ihn der Handlungsverlauf in der Auslegung des Sturms durch den Fischer bestätigt: Ist in der ersten Szene des ersten Aktes das

Unwetter Voraussetzung für die Rettungstat Tells an Baumgarten, so gibt der Sturm nach Tells Gefangennahme die Chance für seine eigene Rettung und die Rache an Geßler. Daß Tell aus dem Gericht der neuen Sintflut als Retter seines Volkes und Richter des Landvogts hervorgeht, macht ihn zur Postfiguration des Christus-Salvator; Anspielungen darauf durchziehen das gesamte Stück[28].

Tell als Heiliger der Natur, als Retter seines Volkes vor Geßler, dem Diabolus der Natur – damit ist klar, daß sein Handeln, obwohl es zunächst ein Handeln allein und in eigener Sache ist, nicht mit der Kategorie des Privaten gefaßt werden kann. Das wird durch Tells Selbstdeutung seiner Tat ebenso unterstrichen wie durch die Anerkennung als Retter aller und Held des Landes durch die Eidgenossen, dieselben, die sich in ihrem Bund streng verpflichtet haben, keine Privatrache zu üben (1458 ff.), und die sich an diese Abmachung halten (vgl. 1064 f.). Auch sie sehen Tells Tat also nicht als Privatrache. Wie er die Natur der Idylle am tiefsten repräsentiert, wie die Natur in ihm am tiefsten gekränkt worden ist, ist auch sein Handeln im höchsten Sinne und Maße öffentlich[29]. Ein historisch-politisches Drama hätte Tell in ein enges Verhältnis zum Rütlibund setzen, ihn vielleicht zu seinem Führer machen müssen; es hätte die vielschichtigen Vermittlungen zwischen Protagonist und Masse darzustellen gehabt und wäre zu beurteilen nach dem Grad der Dichte, mit dem diese Verflechtungen dargestellt worden wären. Die dramatische Legende der Natur mit dem Heiligen der Natur als ihrem Helden mußte diesen in ein möglichst unmittelbares Naturverhältnis setzen; in ihm mußte die Natur selbst handeln. Noch der Rütlibund, so sehr er naturrechtlichen Charakter besitzt, ist für Tell zu mittelbar zur Natur, zu sehr schon Institutionalisierung dessen, was in Tell als reine Spontaneität des Guten der Natur antithetisch zur reinen Spontaneität des Bösen in Geßler auftritt. Tell ist der Geist des neuen Bundes, der auf dem Rütli als Erneuerung des alten Bundes geschlossen wird, deshalb kann er nicht sein Mitglied sein und bedarf der Teilhabe an seinem Buchstaben nicht; er *ist* das Volk, deshalb kann an seinem Schicksal nicht das Verhältnis von Volk und Einzelnem dramatisch entfaltet werden[30]. Zugespitzt: Nicht obwohl, sondern weil Tell nicht Mitglied des Bundes ist, ist er sein Erfüller und heimliches Haupt.

Nur scheinbar ist über den Erwägungen zu Natur und Idylle in „Wilhelm Tell" die Frage nach der Widerspiegelung der Französischen Revolution in diesem Drama aus dem Auge geraten. Wäre „Wilhelm Tell" nichts anderes als die Legende einer Wiederherstellung dessen, was war, brauchte in der Tat von der Französischen Revolution nicht gesprochen zu werden. „Wilhelm Tell" ist aber nicht nur ein Drama von der Rettung der Idylle, sondern von ihrer Verwandlung, Ursprungsgeschichte eines neuen Bundes. Sofern nun aber die Legende der Wiederherstellung immer auch schon als Legende eines Neuanfangs verstanden werden muß, ist in den bisherigen Erörterungen auch immer schon implizit das Thema der Revolution mitverhandelt worden. Es bleibt lediglich die Aufgabe, die Elemente des Neuen im Alten und darin die Bezüge des Dramas auf das epochale Ereignis der Revolution zu explizieren. Dafür muß zunächst der Rütlibund ins Auge gefaßt werden. Sein Neues liegt zuerst in der Art des Beschlusses. Schon bei der ersten Absprache zwischen Stauffacher, Fürst und Melchthal ist von den „alten Bünden" die Rede, die Uri, Unterwalden und Schwyz verbinden (657 f.). Daß in der Rütliszene an der Stelle dieses Plurals der Singular „der alte Bund" steht, korrespondierend zum neuen Bund, bringt vorab die religiöse Aufladung der Begriffe. Es hat aber eine noch weitergehende Bedeutung: Die alten Bündnisse, seien sie als Plural von Bundschlüssen zwischen den Urkantonen oder zeitlich als Folge von Bundschlüssen und Bundeserneuerungen gedacht, gehen hier insgesamt in der Vorstellung des alten Bundes auf, der seinerseits mehr und anderes meint als eine Summe und Folge von Verträgen. Dieser Aspekt tritt vielmehr in der Rütliszene völlig zurück gegenüber dem einer Stammes-, Blut- und Heimatgemeinschaft:

> Wisset, Eidgenossen!
> Ob uns der See, ob uns die Berge scheiden
> Und jedes Volk sich für sich selbst regiert,
> So sind wir *eines* Stammes doch und Bluts,
> Und *eine* Heimat ist's, aus der wir zogen. (1157 ff.)

Deshalb eben an dieser Stelle die Berufung nicht auf Verträge, sondern auf den gemeinsamen Ursprung, gemeinsames Schicksal und gemeinsame Taten in der Ursprungserzählung! Es widerspräche völlig dem Geist der Szene, den Rütlibund als Repetition eines oder mehrerer ähnlicher früherer Bundschlüsse vorzustellen: Es geht im alten Bund dieser Szene nicht um zurückliegende Schwurvereinigungen; es geht um den alten Bund als gelebtes Leben. Im alten Bund findet man sich vor; er ist eine ererbte Lebensform. Der neue Bund ist eine Stiftung, er ist neuer Bund als in Bewußtsein und Willen gehobener alter Bund. Schon dadurch ist die am Schluß wiederhergestellte Idylle etwas Neues:

nicht nur ererbte, sondern geleistete Idylle, Idylle als Programm. Sein Kernstück ist eine Erklärung der Menschenrechte, die weniger an die spätmittelalterlichen Coniurationes pro libertate erinnert, zu denen auch die Schweizer Eidgenossenschaft gehört, als an den naturrechtlichen Geist und das Pathos etwa der amerikanischen Declaration of Independence von 1776, deren Menschenrechtskatalog in der französischen Erklärung der Menschen- und Bürgerrechte vom 26. August 1789, in der Anfangsphase der Revolution, aufgenommen wurde. Speziell daß die Unterdrückung von außen kommt, läßt beim Rütlischwur an den amerikanischen Unabhängigkeitskampf denken[31].

In der bewußten Erneuerung des Bundes äußert sich eine Entwicklung und Veränderung der Gesinnungen, die sich auch in seinem Inhalt auswirkt. In Attinghausens Altern und Tod steht der Untergang, in Geßlers Tyrannis und den Unrechtshandlungen des Kaisers die Verzerrung der patriarchalischen Ordnung vor Augen; in der Eidgenossenschaft auf dem Rütli vollzieht sich nun die Verwandlung der Vaterordnung in eine Brüderordnung. Wieder handelt es sich hier um eine Sinnbildlichkeit, die, verschlungen mit der Freundschaftsthematik, weit in Schillers früheres Werk zurückreicht: Weil Karl und Franz Moor zerfallen sind, können sie keine Brüderordnung errichten. Don Carlos und Marquis Posa, geistige Brüder, entwerfen gegen die erstarrte, zur Entartung in Tyrannis tendierende Vaterordnung von Philipps Reich, über dem der Schatten des Großinquisitors als eines Übervaters liegt, „das kühne Traumbild eines neuen Staats, der Freundschaft göttliche Geburt" (4280f.). Sein Modell ist die Schöpfung eines himmlischen Vaters, der seine Väterlichkeit in der vollen Freilassung seiner Geschöpfe bekundet. Der Republikaner Verrina, der Fiesco zum Tyrannen entarten sieht, klagt um ihre verlorene Brüderlichkeit. In der „Bürgschaft" wird nicht nur die Stadt vom Tyrannen befreit, indem Dionys zum Glauben an Liebe und Treue gebracht wird, es bildet sich im Freundschaftsbund mit dem Beitritt des Dionys auch die Keimzelle der Coniuratio der freien Bürger, die in brüderlicher Liebe zusammenstehen. So spezifisch, wie das Wort Attinghausens vom Vaterland zu nehmen ist, so spezifisch muß es vor diesem Hintergrund genommen werden, wenn die Eidgenossen erklären:

> Laßt uns den Eid des neuen Bundes schwören.
> – Wir wollen sein ein einzig Volk von Brüdern (1447f.).

Die Steigerung des „Wilhelm Tell" zum Chordrama in der Rütliszene hat hier ihre inhaltliche Begründung: es ist der neue Chor der Brüder, der da spricht[32]. Von den eigentümlichen Voraussetzungen Schillers her schlägt sich ein Bogen zu dem großen Losungswort der Französischen Revolution: Freiheit, Gleichheit, Brüderlichkeit.

Das bestätigt sich beim Blick auf die Träger des Bundes: der Adel gehört zunächst nicht dazu. Bei seiner Ausschließung von der Rütliversammlung argumentiert Stauffacher pragmatisch: „Die Edeln drängt nicht gleiche Not mit uns" (696); Melchthal aber denkt prinzipiell:

> – Was braucht's
> Des Edelmanns? Laßt's uns allein vollenden.
> Wären wir doch allein im Land! Ich meine,
> Wir wollten uns schon selbst zu schirmen wissen. (692 ff.)[33]

Hatte sich in Attinghausens Verurteilung des Neuen der ursprüngliche Geist der Idylle bekundet, ihr Verständnis des Rechten als des Alten, so äußert sich ihre Verwandlung in seiner Todesvision, die unter dem Eindruck der Nachricht vom Abschluß des Rütlibundes steht, vor allem des Sachverhalts, daß dieser Bund ohne die Adligen des Landes abgeschlossen worden ist. Stauffacher teilt es diplomatisch mit:

> Wir harren ihres Beistands, wenn es gilt;
> Jetzt aber hat der Landmann nur geschworen. (2415 f.)

Darauf Attinghausen, „mit großem Erstaunen":

> Hat sich der Landmann solcher Tat verwogen,
> Aus eignem Mittel, ohne Hilf' der Edeln,
> Hat er der eignen Kraft so viel vertraut –
> Ja, dann bedarf es unserer nicht mehr,
> Getröstet können wir zu Grabe steigen:
> Es lebt *nach* uns – durch andre Kräfte will
> Das Herrliche der Menschheit sich erhalten. (2417 ff.)

Attinghausen sieht also im Ausschluß des Adels vom Rütlibund nicht einen Akt der Anmaßung, sondern der Mündigkeit des Volkes. Klagt er am Anfang der Szene: „Und vaterlos lass' ich euch alle, alle" (2387), so sieht er nun, daß dieses Volk der väterlichen Führung durch patriarchalische Herren nicht mehr bedarf. Stand in der Kontrastszene II, 1 seine Todesbereitschaft im Zeichen der Ablehnung des Neuen, so tritt ihm das Neue im letzten Lebensaugenblick in ein helles Licht, als Metamorphose und Verjüngung der menschlichen Naturgesellschaft. Den Schweizern wird

> die neue beßre Freiheit grünen;
> Das Alte stürzt, es ändert sich die Zeit,
> Und neues Leben blüht aus den Ruinen. (2425 ff.)

Wie tief die innere Wandlung Attinghausens ist, zeigt sich darin, daß hier gerade das Neue in Metaphern der Natur – grünen und blühen – gefaßt wird, das Alte als vergängliches, zum Ruin gehendes Menschenwerk. Die Natur ist nicht nur ewig alt, sie ist auch ewig jung, sie ist ewiges Leben, unversiegliche Regenerationskraft, nicht Ewigkeit definitiv geprägter Formen. In einem vergleichbaren Sinne wird in Goethes Idylle „Der Wandrer" die Natur als „ewig keimende" gepriesen. Attinghausens letzte Worte sind ein prophetischer Vorblick auf die Schweizer Geschichte, deren bürgerliche, antifeudale Entwicklung ausdrücklich akzentuiert wird. Wie Moses blickt er sterbend ins Land der Verheißung:

> Der Adel steigt von seinen alten Burgen
> Und schwört den Städten seinen Bürgereid;
> (. . .)
> Die Fürsten seh' ich und die edeln Herrn
> In Harnischen herangezogen kommen,
> Ein harmlos Volk von Hirten zu bekriegen.
> (. . .)
> Der Landmann stürzt sich mit der nackten Brust,
> Ein freies Opfer, in die Schar der Lanzen,
> Er bricht sie, und des Adels Blüte fällt,
> Es hebt die Freiheit siegend ihre Fahne. (2431 ff.)

Hinter der Gestalt Tells, dessen gerettetem Sohn, dem jungen Walter, Attinghausen bei diesen Worten segnend die Hand aufs Haupt legt, taucht die Gestalt eines anderen, noch größeren, weil sich opfernden Retters auf: Arnolds von Winkelried. Ausdrücklich wird hier der Bürgerbund als konstitutiv für die zukünftige Gesellschaft von Attinghausen anerkannt. Der Adel schließt sich dem Bündnis an, indem er zum Bürger wird; und auch darin ist eine Forderung der Französischen Revolution rezipiert und in die Idylle transformiert: Der dritte Stand ist die Nation.

Was Attinghausen vorahnt, verwirklicht sich im Weg Bertas von Bruneck und Ulrichs von Rudenz, auf dem Rudenz und Melchthal von ihren entgegengesetzten Ausgangspunkten her zueinander finden. Das Schutzangebot des Ritters muß Melchthal bei seiner adelsfeindlichen Gesinnung als Anmaßung empfinden. Er weist es zurück und besteht auf Gleichberechtigung, ja, Priorität gegenüber dem Adligen:

> Des Bauern Handschlag, edler Herr, ist auch
> Ein Manneswort! Was ist der Ritter ohne uns?
> Und unser Stand ist älter als der Eure. (2488 ff.)

Nur als Genosse unter anderen wird Rudenz in den Bund aufgenommen, und in der Tat ist er es, der zuerst Schutz und Hilfe braucht. Die Befreiung Bertas von Bruneck wird durch die allgemeine Erhebung der Eidgenossen des Rütlibundes möglich. Im Sturm auf die Zwingburgen ist ein Nachhall des Sturms auf die Bastille, des Signals der Französischen Revolution [34], und in der gemeinsamen Rettung Bertas durch Melchthal und Rudenz gründet sich ein unverbrüchliches brüderliches Bündnis zwischen Freiherrn und Bauer. Im Schlußtableau umarmt Rudenz die Bauern, Berta umarmt Hedwig, Tells Frau. Beide Adligen treten damit endgültig aus ihrer ständischen Privilegierung heraus. Wenn Berta fragt:

> In eure tapfre Hand leg' ich mein Recht –
> Wollt ihr als eure Bürgerin mich schützen? (3286 f.)

ist das durchaus im Doppelsinne zu verstehen: Sie legt nicht nur ihren Rechtshandel, sondern auch ihre Vorrechte in die Hand des Volkes; sie will nicht nur Schweizer Bürgerin, sondern Bürger unter Bürgern werden, so wie sie schon früh Rudenz als den „Ersten von den Freien und den Gleichen" (1707) zu sehen wünscht. Wenn aber Rudenz im Schlußwort des Dramas alle seine Knechte frei erklärt, dann ist zuletzt auch der juristische Vorbehalt des Rütlibundes stellvertretend und vorbildlich gefallen: Die naturrechtlich formulierte Freiheit zieht die positiv rechtliche und soziale Freiheit nach sich und damit jene Gleichheit aller, die in der Forderung nach Freiheit, Gleichheit und Brüderlichkeit gemeint ist.

Der neue Bund der Brüder wird zur Form eines neuen Volkes: Traditionell fassen sich die Bewohner von Schwyz, Uri und Unterwalden als „die drei Völker des Gebirgs" auf (1150; vgl. 1127), so wie sich Stauffacher, Fürst und Melchthal als Repräsentanten der drei Länder verstehen (740 ff.); bisher hat „jedes Volk sich für sich selbst regiert"

(1159). Die Ursprungserzählung Stauffachers ist eine Schwyzer Überlieferung. Im Rütlibund nun eignen sich alle Anwesenden diese Ursprungserzählung zu: Sie erkennen sich als *ein* Volk. Wenn im Anschluß an die Erzählung alle Anwesenden einander die Hände reichen mit den Worten: „Wir sind *ein* Volk, und einig wollen wir handeln" (1204), ist aus den drei Völkern des Gebirges eins geworden, freilich auf dem Boden einer alten Zusammengehörigkeit: Schwyz ist das Stammland aller (1136). Immerhin bricht im Streit über den Termin der Erhebung noch einmal landsmannschaftliches Sonderbewußtsein unter den Bundesgenossen auf, vor dessen Hintergrund der Schwur: „Wir wollen sein ein einzig Volk von Brüdern" (1448) dann seine besondere verpflichtende Kraft und seinen Glanz die Mahnung des sterbenden Attinghausen: „Seid einig – einig – einig –" (2452) ihre Bedeutung gewinnt. Hans auf der Mauers Berufung auf *ein* Herz und *ein* Blut meint eine Naturvoraussetzung der Volksentstehung, die hier stattfindet; das Bekenntnis aller, ein Volk sein zu wollen, ist plebiszitär im Sinne einer unmittelbaren Demokratie, wie sie in der Schweizerischen Landsgemeinde als Ur- und Naturform menschlicher Freiheit gedacht werden kann. Es ist charakteristisch, daß in der Rütliszene erstmals im Drama die Prädikation „Eidgenossen" verwendet wird (1108). Der Zusammenschluß erinnert an das westeuropäische, in der Französischen Revolution verankerte Verständnis der Nation als einer politischen Willens- und Überzeugungsgemeinschaft. Und noch eine dritte Komponente des Volksbegriffs, wie er am Übergang des 18. zum 19. Jahrhundert gebräuchlich war, klingt hier an: Volk kann Landsmannschaft und Nation sein; es ist auch das einfache Volk im Gegensatz zur Aristokratie und Obrigkeit[35]. Dieses einfache Volk stiftet im Rütlischwur plebiszitär das neue Volk der Schweizer.

> Wir stehen hier statt einer Landsgemeinde
> Und können gelten für ein ganzes Volk (1109 f.),

sagt Rösselmann. Das Volk erweist sich als Volkssouverän, indem es auf dem Rütli das „erste Landsgesetz" erläßt:

> Der sei gestoßen aus dem Recht der Schweizer,
> Wer von Ergebung spricht an Österreich! (1303 f.)

Auch in dieser Hinsicht gründet der neue Bund vom Rütli auf Entscheidung und ist darin Veränderung der Idylle.

Die wichtigste Öffnung der Idylle liegt schließlich in der Gestalt Tells, des Tyrannenmörders – eine Öffnung allerdings, die auch vom Thema der Revolution wieder wegführt, indem sie zeigt, daß bei Schillers Spiegelung von Revolution und Idylle ineinander weniger die Idylle in der Revolution als die Revolution in der Idylle aufgeht. Daß Tells Spontaneität nicht mit Bewußtlosigkeit verwechselt werden darf, daß sie vielmehr naturhaftes Bewußtsein, ja, Bewußtsein der Natur selbst ist, zeigt sich am tiefsten in dem großen Monolog im vierten Akt, der dieses Bewußtsein entfaltet und zum Wort bringt. In dieser Entfaltung erweist sich sein Bewußtsein als das umfassendste des Dramas, umfassender auch als das der sentimentalischen Figur Berta und Rudenz, aber dabei naiv – ein Sachverhalt, der einer mißverstehenden Kritik immer wieder anstößig geworden ist, weil sie Tell als psychologisch konzipierte Figur statt als Heiligen der Natur zu fassen suchte[36]. Das Umfassende von Tells Bewußtsein zeigt sich vor allem in seiner elementaren Todes- und Freiheitserfahrung und in deren Zusammenhang untereinander, das Naive bezeugt sich vorab darin, daß diese Erfahrungen in ihm als dem Alpenjäger, der von Berufs wegen dem Tod und der Gefahr begegnet, ‚natürlich' angelegt sind[37]. Todeserfahrung und Freiheitserfahrung Tells aber hängen darin zusammen, daß er täglich in der Lebensgefahr, die sein Beruf mit sich bringt, seine Freiheit von Todesangst und damit vom innersten Kern aller menschlichen Sorge und Bedrückung empfindet.

Tells Freiheit zum Leben durch Todesexponiertheit erinnert an die Haltung der Kürassiere in „Wallensteins Lager" und das Reiterlied, das vom Ethos der Kürassiere geprägt ist:

Der dem Tod ins Angesicht schauen kann,
Der Soldat allein ist der freie Mann (1064f.).

Beide Haltungen aber weisen auf Schillers Bestimmung der ästhetischen Freiheit, die sich von der moralischen dadurch unterscheidet, daß sie nicht Niederwerfung der Sinnennatur durch die Gesinnung, sondern deren Einheit, Distanz vom Andrang der Lebensansprüche und -bedürfnisse als Voraussetzung für eine souveräne Lebensteilhabe meint. Allerdings besteht in beiden Fällen auch ein Unterschied zur ästhetischen Freiheit: Freiheit wird von Tell weder in der spezifischen Weise des ästhetischen Spiels erfahren, das den Menschen aus dem Widerspruch von Sinnlichkeit und Sittlichkeit in der Praxis freistellt, noch in der Überhöhung, die der ästhetischen Freiheit in der Todesapotheose nach dem Durchgang durch die Widersprüche und Konflikte der Praxis zuteil wird. Das Reiterlied der Soldaten bleibt als bloße Gesinnungsäußerung Vorgriff, denn die Soldaten treten als Rollenexistenzen nicht in die Handlungssphäre und deren Konflikte über. Tell aber erleidet nicht den sittlichen Konflikt und den Widerspruch von Sinnlichkeit und Sittlichkeit, der sowohl der Versöhnung im ästhetischen Spiel wie der letzten Versöhnung der Todesapotheose vorgängig ist. Todesapotheose und ästhetischer Zustand sind Zielpunkte des sentimentalischen, geschichtlich gespaltenen Menschen, Tell hingegen bleibt vor der Spaltung stehen; die ästhetische Freiheit erscheint auch in ihm, wie bei den Soldaten, nur in einer Art Vorwegnahme, sie ist bei ihm zurückgespiegelt in den Stand der Naivität[38]. Wenn sich Tell nach dem Schuß auf Geßler als Rächer der heiligen Natur deutet, wendet er fast wörtlich eine Formulierung der Abhandlung „Über naive und sentimentalische Dichtung" auf sich an, die dort den dichterischen Genies gilt, welche „schon in sich selbst den zerstörenden Einfluß willkürlicher und künstlicher Formen erfahren oder doch mit demselben zu kämpfen gehabt haben": Sie werden „als die *Zeugen*, und als die *Rächer* der Natur auftreten"[39]. Tell gehört der zweiten Kategorie an – er hat mit der Geschichte kämpfen müssen, aber er hat nicht ihre Widersprüche und Spaltungen in sich erfahren. Er ist dem naiven Genie vergleichbar, das in die Fremdheit der Geschichte hineingestellt ist, so daß in dieser Konfrontation simultan wird, was auf den Gesamtverlauf der Geschichte hin betrachtet sukzessiv ist[40].

Tells Rechtfertigungsmonolog vor dem Schuß auf Geßler ist Dokument der Öffnung und Wandlung der Idylle in ihrer Repräsentativfigur. Wird im Rütlischwur der alte zum neuen Bund, so kommt in Tells Monolog die Natur zum Blick auf sich selbst im Menschen, zu einem Blick, der Todeserfahrung voraussetzt und einschließt. Durch Geßler ist auch in Tell die Natur revolutioniert worden. Er kennt den Tod; jetzt ist Mord sein Geschäft. Tell weiß, daß er das Ungeheure tun wird, will, darf und muß und daß er damit „heil'ge Schuld" (2590) zahlt, weil er in seiner Tat die Naturordnung menschlichen Lebens wiederherstellt und auch sich selbst – er wird mit reinen Händen davongehen und in sein Haus zurückkehren als der er war, wenn auch mit erweiterter Erfahrung und erweitertem Bewußtsein. Denn zwar wendet sich in Tell die Natur um, aber er ist noch in der Wendung der Natur natürlich-selbstverständlich deren Kind, ein unschuldiger Mörder, wenn auch mit vollem Bewußtsein der Verkehrung der Natur in ihm, die auf den rohen

Eingriff Geßlers als wiederherstellende antwortet. Dieses Bewußtsein bleibt als umfassendes naiv; es deutet als naives umfassendes, das im Umsturz der Natur auch die äußerste Entfremdungsmöglichkeit der Geschichte erfahren hat, ohne sie als Konfliktlage zu erleiden, vor auf das mit sich und der Natur versöhnte, aus seinen inneren Widersprüchen wieder Natur werdende und Natur umfassende Bewußtsein am Ende der Geschichte.

Tells Bewußtseinsweite in der Todesexponiertheit und durch sie wird unterstrichen durch die Kontrastfigur des Stüssi, der nicht, wie Tell, Wildschütz auf den Höhen der Berge, sondern Flurschütz ist. Dieser Flurschütz repräsentiert gegenüber Tell eine menschliche Dumpfheit und Beschränktheit, der jede Spur von Verklärung versagt wird. Stüssi genießt die schrecklichen Sensationen der Welt, weil sie ihn seine Saturiertheit tiefer fühlen lassen; Tell aber nimmt das Schreckliche der Welt in sein eigenes Lebensgefühl auf. „Ja, wohl dem, der sein Feld bestellt in Ruh" (2681) oder „Hier wird gefreit und anderswo begraben" (2662) – auf der Ebene solcher Banalitäten und eines ebenso banalen Sicherheitsgefühls bewegt sich der Flurschütz. Abermals zeigt sich hier, daß Idylle bei Schiller kein Zustand, sondern ein Ideal ist. Wo es sich verhüllt, wo der bei Tell leitende Impuls zur Wiederherstellung fehlt, tritt eine krasse Realität hervor, rohe, aber nicht wahre Natur des Menschen. Die Verkehrung der Natur in Tell legt sich über die gesamte Monolog- und Tyrannenmordszene als eine fahle Färbung der Fremdheit und Entfremdung der Welt, die an Büchner erinnert und diese Partie völlig vom übrigen Drama abhebt. Während Wandrer über die Bühne gehen, bedenkt Tell die anti-idyllische Lokalität, wird ihm die Welt fremd:

> Auf dieser Bank von Stein will ich mich setzen,
> Dem Wanderer zur kurzen Ruh bereitet –
> Denn hier ist keine Heimat – jeder treibt
> Sich an dem andern rasch und fremd vorüber
> Und fraget nicht nach seinem Schmerz – Hier geht
> Der sorgenvolle Kaufmann und der leicht
> Geschürzte Pilger – der andächt'ge Mönch,
> Der düstre Räuber und der heitre Spielmann,
> Der Säumer mit dem schwerbeladnen Roß,
> Der ferne herkommt von der Menschen Ländern,
> Denn jede Straße führt ans End' der Welt.
> Sie alle ziehen ihres Weges fort
> An ihr Geschäft – und *meines* ist der Mord! (2610 ff.)

Nicht Bauern, Hirten, Fischer, Jäger haben hier ihren Ort, sondern Kaufleute, Pilger, Räuber, Spielleute, Saumtiertreiber. Ein Hochzeitszug geht vorüber, und daneben ist äußerstes menschliches Elend in der Verzweiflung Armgards, daneben ist der Mord. Während Geßler stirbt, spielt lustige Musik. „Die ganze Hochzeitsgesellschaft", heißt eine Bühnenanweisung, „umsteht den Sterbenden mit einem fühllosen Grausen". Das Volk zeigt Züge der Rohheit, die hart dem Bild der Schweizer kontrastieren, das im übrigen Verlauf des Dramas entworfen wird. Armgard hebt eines ihrer Kinder empor mit den Worten: „Seht, Kinder, wie ein Wüterich verscheidet!" (2812) Diese Fühllosigkeit zeigt die Natur an dem Kulminationspunkt der Verkehrung. Pantomimisches wird akzentuiert, wenn Geßler sterbend „Zeichen mit der Hand" gibt, „die er mit Heftigkeit wiederholt". Das Herantreten der Barmherzigen Brüder steht unter Stüssis Kommentar: „Das Opfer liegt – Die Raben steigen nieder" (2833). Noch die, in deren Namen doch ein Programm der Gnade liegt, werden hier zu Marionetten eines fühllosen Vollzugs, der Gnadenlosigkeit der rächenden Natur.

Wie Tells Tyrannenmord Ergebnis einer Revolution der Natur in ihm ist, so ist es auch der Sturm der Schweizer auf die Zwingburgen der Habsburger am Ende – und darin liegt ein weiterer Bezug auf die Französische Revolution in ihrer ideellen Ausgangslage. Auch ihre Ideologen, die auf dem gleichen Boden naturrechtlicher Vorstellungen stehen wie Schiller, setzen das Natürliche mit dem Vernünftigen in eins und stellen es den nur geschichtlich legitimierten Formen gegenüber, wobei Rousseau, einer der geistigen Väter der Revolution, eine ähnliche Reprojektion der zu erzielenden Natur in die Ursprungsnatur des Menschen vornimmt wie Schiller. Dennoch zeigt sich gerade an diesem Punkt auch der Abstand zwischen Schiller und der Französischen Revolution, und zwar als so fundamental, daß alle Zitate der Revolution in „Wilhelm Tell" sich als Kontrafakturen zu ihr darstellen. Es dürfte deutlich geworden sein, daß Schiller in „Wilhelm Tell" politische Formen naturalisiert; Rousseau dagegen politisiert Naturformen, wenn er politische Ideen und Ideale in die frühe Vergangenheit entwirft. Diese Politisierung ist nicht von ungefähr. Denn die Französische Revolution geht darauf aus, den der menschlichen Natur gemäßen Vernunftstaat aus der Geschichte selbst unmittelbar hervorzubringen, die doch die ursprünglich-harmonische Naturgesellschaft, vom Menschen als Idylle ideiert, als Möglichkeit längst verschlungen hat[41]. Diesem Unternehmen spricht Schiller in seinen Briefen „Über die ästhetische Erziehung des

Menschen" ein gänzlich ablehnendes Nachwort. In „Wilhelm Tell" spielt sich wesentlich anderes ab, worauf schon die Charakterisierung als dramatische Legende der Natur hindeutete. Ihr Dualismus von Gut und Böse ist ein Dualismus von Geschichte und Natur, innerhalb dessen die Infragestellung durch die Geschichte der Natur äußerlich ist. Sie ist nicht untergegangen und geht nicht unter. So wenig wie in Tell bricht in der Idylle ein innerer Widerspruch auf; sie fällt nicht, wie in der „Braut von Messina" und der „Jungfrau von Orleans", in den Bruderkrieg. Wie dem naiven Genie in der Beziehung auf die geschichtliche Zeit der Zerrissenheit zur Konfrontation gerinnt, was im Gesamtverlauf der Menschheitsentwicklung Sukzession ist, so bleiben in „Wilhelm Tell" Idylle und Geschichte einander gegenüber. Die Revolution der Natur gegen die Geschichte erfolgt hier also vom Boden der Natur aus und nicht vom Boden der Geschichte. Eine Naturgesellschaft wehrt sich, wandelt sich, aber hält sich durch – mit solcher Vehemenz, daß in dieser Perspektive die Übergriffe der Geschichte als das schlechte Neue im Gegensatz zur Dauerordnung des Natürlichen erscheinen. Haben Sturm auf die Bastille und Sturm auf die Zwingburgen gemein, daß hier wie dort Wahrzeichen der Unfreiheit zerstört werden, so liegt der Gegensatz darin, daß einmal ein Symbol des schlechten Alten, der Natur überschichtenden Geschichte, das andere Mal ein Symbol des schlechten Neuen geschleift wird. Dieser sich durchhaltenden Konfrontation von Natur und Geschichte entsprechend, bezeichnet auch der Schluß des Dramas nicht Ziel und Ende der Geschichte, die elysische Idylle. Weder transzendiert Tell im Übertritt in den Gott die Grenzen der Menschheit – Chiffre dieser Transzendenz ist bei Schiller der Tod –, noch wird am Schluß die Geschichte durch und mit Tell in die elysische Idylle aufgehoben. Vielmehr kehrt Tell am Ende in sein Haus zurück, und in der Verwirrung im Reich draußen, in Parricida, der von Tell auf den Weg der Reue und Gnade geschickt wird, ist die Geschichte noch im Gange. Das herauszuarbeiten, ist ein Sinn der Parricida-Szene.

Wie allerdings in Schillers Deutung Goethes das naive Genie ein Äußerstes darin leistet und erreicht, daß es die sentimentalischen Stoffe, Motive und Ideen einer zerrissenen geschichtlichen Zeit bearbeitet, so sind im „Wilhelm Tell" Schillers mit der bewahrenden Verwandlung der Idylle die großen Themen, Aufgaben und Möglichkeiten der Geschichte, von denen die Geßler-Sphäre entleert ist, als gutes Neues in die Idylle hineingearbeitet. Die in der Geßler-Sphäre ihrer Zukunftsperspektive beraubte Geschichte wird nicht heimgeholt, kann nicht heimgeholt werden. Sie bleibt aber anwesend und notwendig als die Provokation, unter der erst die Idylle veranlaßt wird, sich zu öffnen und zu wandeln. Nicht die Geschichte wird aufgehoben, aber die aus ihr herausgefilterten positiven Gehalte werden eingefangen in der gleichen Weise, in der Tell ästhetische Freiheit in seiner naiven Freiheit, versöhntes Bewußtsein in seinem ganzen Bewußtsein vorbildet. Hier ist das Maß dessen, was als Verwandlung in die Bewahrung hineingenommen werden kann. Hier ist auch der Grund dafür, daß schon in die idyllische Ausgangslage des „Wilhelm Tell" mehr an freilich transformierten geschichtlich-politischen Motiven rezipiert ist als in den idyllischen Ausgangslagen der „Jungfrau von Orleans" und der „Braut von Messina", die beide den vollen Übergang der Idylle in Geschichte vorführen. Diesem Weltentwurf des Dramas gemäß kehrt am Ende Tell in ein Haus zurück, dessen Tür offenbleibt ins Freie, in die Weite. In Parricida geht die Geschichte weiter, aber als eine unter das Judicium der Idylle geratene. Die Schweiz ist und wird der Freiheit Land, ein Asyl für die vor der Geschichte, ihren Zwängen und Widersprüchen Schutz Suchenden; dieser Aspekt wird durch die Berta-Rudenz-Handlung in das Drama gebracht. Am Ende des *Dramas* steht ein Akt der Asylgewährung, doch am Ende der *Geschichte* muß kein Asyl mehr gewährt werden, Elysium ist nicht offen, es ist allumfassend. So ist die Schweiz von Schillers „Wilhelm Tell" vor und neben der Geschichte und deutet zugleich auf deren Ende: im Ursprung präformiert sich das Ziel[42].

Dieses Ziel ist für Schiller nicht durch eine politische Revolution erreichbar, wie sie in Frankreich stattgefunden hat, weil nach seiner Überzeugung der dissonante Mensch der Geschichte in der politischen Revolution der staatlichen Ordnung nur seine Dissonanzen reproduzieren kann: „Das Gebäude des Naturstaates wankt", heißt es im fünften Brief „Über die ästhetische Erziehung des Menschen", „seine mürben Fundamente weichen, und eine *physische* Möglichkeit scheint gegeben, das Gesetz auf den Thron zu stellen, den Menschen endlich als Selbstzweck zu ehren, und wahre Freyheit zur Grundlage der politischen Verbindung zu machen. Vergebliche Hoffnung! Die *moralische* Möglichkeit fehlt . . ."[43]. Schillers Antwort auf die Französische Revolution heißt deshalb ästhetische Erziehung, durch die der geschichtliche Mensch reif werden soll auch zur Veränderung der politischen Formen; der ästhetisch erzogene Mensch nähert sich auf der höheren Stufe der entfalteten und ausdifferenzierten Kultur einer Erneuerung jener Harmonie an, die der naturhafte Mensch besaß, deshalb kann er die Umbildung der Gesellschaft und des Staates durchführen, die dem von der Geschichte verstörten und durch Vereinseitigung dissonant entfalteten Menschen mißlingen mußte[44]; deshalb kann aber auch als Naturrevolution des naturhaften Menschen in „Wilhelm Tell" vorgebildet werden, was als Staats- und Gesellschaftserneuerung durch den ästhetischen Menschen Ende und Vollendung der Geschichte bezeichnet, die in einem unendlichen Prozeß zu erreichen sind. Nicht am geschichtlichen Menschen, sondern am naturhaften Menschen sind Orientierungen dafür zu gewinnen, in welchem Sinne der ästhetische Mensch Staat und Gesellschaft zu verändern hat. Noch daß diese Veränderung eine die Gesellschaft und ihre Gruppen versöhnende sein soll, deutet sich in der Vorwegnahme des „Wilhelm Tell", im Bild der dort entworfenen Naturrevolution an: mit der Eingliederung des Adels in das Volk von Brüdern, die sich programmatisch auf die Wirklichkeit der deutschen Gesellschaft der Zeit bezieht, polemisch auf die Wirklichkeit der Französischen Revolution. Genauso polemisch sind bei Schiller die „blinde Wut" des revolutionären Terrors in Frankreich der Erhebung des Schweizer Volkes gegenübergestellt, das „selbst im Zorn die Menschlichkeit noch ehrt", wie das Widmungsgedicht „Wilhelm Tell" für den Kurfürsten von Mainz sagt. So ist die Idyllisierung der politischen Ideen der Französischen Revolution, von der man bei Schiller sprechen kann, keinesfalls nur ein Mittel für ihn, um in der Einkleidungsform der Naturgesellschaft Motive von höchster politischer Valenz und Sprengkraft zu verhandeln und zu neutralisieren, die unverhüllt im Deutschland der Zeit nicht verhandelt werden könnten[45]; die Naturrevolution ist vielmehr die angemessenste Metapher für eine Konzeption der Gesellschaft und des Menschen, die an geistige Erneuerung der Natur durch ästhetische Erziehung, an den Weg durch die Schönheit zur Freiheit glaubt. Nur auf dem Boden der Idylle kann Schiller die Revolution rezipieren und akzeptieren. Gleichermaßen bedeutet die Konzeption der dramatischen Legende, die dem „Wilhelm Tell" zugrunde liegt, zwar eine Begrenzung des dramatischen und ideellen Spielraums, aber eine notwendige und in der Sache begründete, der jeweils andere Begrenzungen der Aussage an den anderen Orten entsprechen, an denen Schiller das Thema der großen Idylle verhandelt. Herakles in „Das Ideal und das Leben", die Jungfrau von Orleans, Don Cesar in der „Braut von Messina" gehen zwar, die Grenzen der Menschheit sprengend, von Arkadien nach Elysium und verwirklichen damit die höchste Idee der Menschheit, aber nur als einzelne, von denen allenfalls ein Abglanz auf die geschichtliche Gesellschaft zurückfällt. Allein in „Wilhelm Tell" ist in der Rettung der arkadischen Idylle direkt auf Elysium als *gesellschaftlichen* Zustand verwiesen, aber dafür wird der Weg von Arkadien nach Elysium nicht ausgeschritten, Anfang und Ende werden lediglich ineinander reflektiert. Künstlerischer Takt verbietet Schiller, das utopische Nebelbild einer olympischen Göttergesellschaft der Menschen zu entwerfen. So sind die „Jungfrau von Orleans", die „Braut von Messina", „Wilhelm Tell" nicht einfach Stufen der dramatischen Darstellung der Idee der Idylle; sie realisieren jeweils auch nur Aspekte einer Idee, die als regulative zu sehr Horizont des Denkens ist, als daß sie allumfassend positiv dichterisch ausformuliert werden könnte.

Für das hier angedeutete komplexe Verhältnis Schillers zur Französischen Revolution genügt die auf den ersten Blick einleuchtende Formel: Anerkennung der Ziele bei Ablehnung ihres Verlaufs nicht, weil die Konzeption Schillers mit den Programmen der Französischen Revolution nicht auf gleicher Ebene liegt. Die Naturgesellschaft der Idylle, wie Schiller sie denkt, hat spezifisch politische Zielvorstellungen noch nicht ausdifferenziert, die Kulturgesellschaft am Ziel der Geschichte wird nicht von politischen Zielvorstellungen dominiert. Sie meint den Menschen in der Harmonie aller seiner Möglichkeiten, nicht nur als Bürger in seinen politischen und sozialen Beziehungen und Interessen. Menschenrechte, Aufhebung der Ständeschranken, Rechtsgleichheit, Volkssouveränität im Sinne einer Vertragslehre von Gesellschaft und Staat sind ihr Konsequenzen, nicht Ziele einer Selbstverwirklichung der Menschheit. Daß Schillers Idyllenentwurf den naturhaften Menschen in seiner unentfalteten Totalität denkt, in der sich eine eigentlich politische Dimension seiner gesellschaftlichen Bezüge noch nicht voll ausgeprägt hat, macht die Schwierigkeit aus, im engeren Sinne politische Aussagen in diesem Entwurf zu verankern. Daß man das Volk von Brüdern als Naturform demokratischer Republik auffassen kann, sagt zuviel, wenn man es im verfassungsrechtlichen Sinne präzise nehmen wollte – bleibt doch die kaiserliche Oberhoheit erhalten –, und zu wenig, sofern ein Volk von Brüdern auch mehr ist als eine demokratische Republik. Schon ob wirklich der nationale Einheitsstaat im „Wilhelm Tell" gemeint ist, muß fraglich bleiben. Geht es doch bei den Schweizern viel mehr darum, daß ein Volk sich in einem Staat findet, als darum, daß ein Staat zum Staat eines Volkes wird. Jedenfalls wäre die Schweiz ein denkbar schlechtes Exempel für die in Deutschland im 19. Jahrhundert zur Herrschaft kommende Nationalstaatsidee. Wollte man die Gestalt Tells und die Konstellation, in der er sich vorfindet, ins Politische übersetzen, so könnte man ihn, der die Rettung des Volkes vollbringt, die aber doch von allen vollendet und angeeignet werden muß, als eine Art naturmythischer Präfiguration des Monarchen einer parlamentarischen Monarchie verstehen. Daß Volkssouveränität und Freiheit dem nicht unbedingt entgegenstehen, deutet sich im Wunschtraum Bertas an, Rudenz „im echten Männerwert" zu sehen:

> Den Ersten von den Freien und den Gleichen,
> Mit reiner freier Huldigung verehrt,
> Groß, wie ein König wirkt in seinen Reichen. (1706ff.)

Doch solche Überlegungen zur Regierungsform dahingestellt – sicher ist jedenfalls, daß hier der Protagonist durch seine Sonderstellung nicht als einzelner vom Ganzen geschieden wird, sondern daß er umgekehrt dadurch im höchsten Maße Verkörperung des ganzen Volkes wird. Schon die Jungfrau von Orleans, die Schäferin und tragische Heilige der Natur, ist ein Held aus dem Volke, aber es bleibt hinter ihr zurück. Im Wildschützen Tell, dem untragischen Heiligen der Natur, und durch ihn befreit das Volk sich selbst, es ist, zum einzigen Mal in Schillers Dramen, Subjekt. Noch wichtiger aber als die Frage, ob etwa das Ideal der demokratischen Republik durch Tell *unter*boten wird, bleibt die Feststellung, daß das Ideal einer politischen Form bei Schiller metaphysisch *über*boten ist, durch die an der Todesgrenze verankerte Freiheitsidee und mit der Berufung des ganzen Menschen zum Menschen ganz. In diesem Sinne geht bei Schiller die Revolution in der Idylle auf – eben in deren eschatologischem Horizont.

Revolution und Tyrannenmord sind in „Wilhelm Tell" eingebunden in eine geschichtsphilosophische Idyllenkonzeption, die das Ziel der Geschichte als auf höherer Stufe herzustellenden Ursprung begreift. Daß die Herstellung dieses Ursprungs in der geschichtlichen Situation an die Bedingung vorhergehender Veränderung des Menschen als Individuum gebunden wird, hebt Schiller – und in ähnlicher Weise Goethe – von vielen deutschen Revolutionsenthusiasten der Zeit ab, selbst wo beide die Revolution unter einen positiven Aspekt bringen. Goethe verfährt dabei in „Hermann und Dorothea" in vergleichbarer Weise wie Schiller in „Wilhelm Tell" – der Blick auf das eine Werk schärft den Blick auf das andere. Wie Schiller das Bild einer zukünftigen freien Menschheit reflektiert in die ursprüngliche, sich eben öffnende

Idylle, so wird bei Goethe die sich öffnende Idylle der Ackerbürgerkleinstadt zum Ort, an dem die Keime des politischen Pfingstfestes wachsen, das im Ausbruch der Französischen Revolution strahlend, aber auch blendend aufging. Wird den Menschen am Beginn der Revolution die Zunge gelöst[46], so Hermann, als er in Dorothea den Wirkungen der Revolution begegnet[47]; wie man beim Ausbruch der Revolution um die Freiheitsbäume tanzt, so tritt Hermann, der sich früher dem Tanz fernhielt, erstmals nach der Begegnung mit Dorothea im Zeichen der Muse des Tanzes, Terpsichore, auf[48]; wie den Menschen am Beginn der Revolution die Augen geöffnet werden, so am Ende Hermann. Während die großen Erscheinungen der Revolution verglühen, weil sie in der Geschichte nicht Fuß fassen können, sind die unscheinbaren Revolutionen in Hermann wirkungskräftig. Was Schiller wie Goethe über einen bloß retrospektiven Konservatismus hinaushebt, ist, daß beide vorwärtsweisende Ideen in die Idylle einführen. Schiller entwirft im Rütlibund der Brüder ein Bild der Gemeinschaft mündiger Menschen, die aus dem Paradiese väterlicher Führung in die Selbstverantwortung hinaustreten, eine Möglichkeit, die in seiner Konzeption patriarchalischer Ordnung schon angelegt ist, sofern sie am Vatergott orientiert ist, der seine Kinder freiläßt. Goethe bringt in den Bund von Hermann und Dorothea das geistige Erbe des toten Bräutigams ein, der das Chaos der Revolution bestimmt sah, eine neue Welt zu gebären. Auch bei Goethe, in der Gestalt Hermanns, wird die Idylle programmatisch. Sowohl Goethe wie Schiller machen die Natur, an der sie sich orientieren, als Stilisation kenntlich durch die hohe Stilisierung, die den Naturformen der Gesellschaft in „Wilhelm Tell“ und „Hermann und Dorothea“ zuteil wird; sie unterscheiden sich von einem regressiven Naturalismus dadurch, daß sie in der alten Natur auch eine kommende meinen. Schiller vermeidet die Verklärung der Schweizeridylle zur großen eschatologischen Idylle; Goethe läßt durch die Perspektive des Erzählens deutlich werden, daß die im Bund von Hermann und Dorothea verklärte Idylle eine untergegangene ist. Als er 1796/97 die Idylle der rechtsrheinischen Ackerbürgerkleinstadt aufleuchten ließ, waren die Revolutionskriege bereits über diese kleine Welt hinweggegangen. Hermanns und Dorotheas Verlobung ist ein Ausgangspunkt, kein Ziel – ein Ausgangspunkt zu differenzierten, moderneren Formen der Gesellschaft, wie sie Goethe nicht zuletzt im Gefolge der Revolution heraufkommen sieht und wie er sie etwa in den „Wanderjahren“ dargestellt hat. Verklärung von Naturformen der Gesellschaft meint in diesem Zusammenhang ebensowenig

ein „Zurück zur Natur!", wie die Suche nach der Urpflanze ein Zurück zu ihr programmiert. Sie *ist* vielmehr in ihren Metamorphosen in immer höher organisierten Formen[49].
Daß Goethe und Schiller die großen Ideale der Zeit in die Naturvorstellung installieren, verbindet sie mit der Aufklärung, die insgemein ihre Ideale vom Menschen als Naturideale versteht, sei es als Naturrecht, natürliche Vernunft, Naturreligion, natürliche Gesellschaft. In dieser Erhebung der Natur zur anthropologischen Leitvorstellung liegt die geistesgeschichtliche Voraussetzung für die große Renaissance der Gattung Idylle im 18. Jahrhundert. Es ist kein Zufall, daß Rousseau ein begeisterter Verehrer der Idyllen Salomon Geßners war. Daß Goethe und Schiller Natur in die Spannung von gegenwärtiger und kommender, vorhandener und hervorzubringender Natur aus dem Geiste stellen, ist ihr entscheidender Schritt zur Sprengung der Gattung Idylle zugunsten der Idee der Idylle, die nun in anderen Gattungen dynamisiert und entfaltet wird: so in „Hermann und Dorothea" episch, in „Wilhelm Tell" dramatisch. Während die Literaturgeschichte der Idylle im 19. Jahrhundert dann steil abwärts führt – in Mörikes „Altem Turmhahn" als letztem Höhepunkt wird die Idylle als Märchen gerettet; Idylle ist nur noch möglich im stillen Dasein des beseelten Dinges – geht die Idee der Natur an Hegel vorbei über Schelling und Feuerbach zum jungen Marx der Pariser Manuskripte, der von der Resurrektion der gefallenen Natur spricht, und diese Vorstellung wird in der Gegenwart virulent bei Ernst Bloch, Max Horkheimer, Theodor W. Adorno und Herbert Marcuse[50]. Sie alle träumen von einer Aufhebung der Praxis und der in Praxis entstellten Gesellschaft in einer erscheinenden, versöhnten und alles versöhnenden Natur – ein metaphysischer Ansatz, der, wie der Schillers, über das Politische hinausgeht. In den religiösen Implikationen dieser Vorstellung von erscheinender Natur schlägt ein Erbe durch, das auf Äußerungen wie die Hölderlins oder Herders zur Französischen Revolution zurückverweist, wie sie anfangs zitiert wurden, ein Erbe, dessen Kritik gerade von Schiller her möglich wird. Denn wenn bei Schiller Natur eine Idee des Menschen ist, die er, als ein Göttliches, zu realisieren hat, so erscheint sie bei Hölderlin und Herder, aber auch in der neomarxistischen Kritischen Theorie als ein dem Menschen objektiv Vorgeordnetes. Schillers „Wilhelm Tell" meint im Wechselbezug von Idylle und Revolution eine natürliche Revolution: eine, in welcher der Mensch die Natur herstellt, die ihn herstellt. Adornos und Marcuses Geschichtsphilosophie kommender Natur aber hofft auf eine revolu-

tionäre Natur, weil sie selbst keinen Weg zum Handeln, sei es evolutionär oder revolutionär, sehen[51].

Anmerkungen

[1] Zum Einfluß der Französischen Revolution auf das deutsche Geistesleben s. die gleichnamige Monographie von Alfred Stern, Stuttgart u. Berlin 1928; ferner Maurice Boucher, La Révolution de 1789 vue par les Ecrivains Allemands ses Contemporains, Paris 1954. Für Schillers Verhältnis zur Französischen Revolution s. Benno von Wiese, Schiller und die Französische Revolution, in: B. v. W., Der Mensch in der Dichtung, Düsseldorf 1958, S. 148–169; Ursula Wertheim, Schillers Auseinandersetzung mit den Ereignissen der Französischen Revolution, in: Wissenschaftliche Zeitschrift der Friedrich-Schiller-Universität Jena, Gesellschafts- und Sprachwissenschaftliche Reihe 8 (1958/59), S. 429–449; Hans-Günther Thalheim, Schillers Stellung zur Französischen Revolution und zum Revolutionsproblem, in: Festschrift zur 150-Jahr-Feier der Humboldt-Universität zu Berlin 3, 1960, S. 193–211.

[2] Auf den 14. Juli 1790, in: Herders Sämmtliche Werke, hrsg. v. Bernhard Suphan, 29, Berlin 1889, S. 659f.

[3] Hymne an die Freiheit, in: Hölderlin, Sämtliche Werke, hrsg. v. Friedrich Beissner (= Große Stuttgarter Ausgabe), 1, Stuttgart 1943, S. 139–142.

[4] Hermann und Dorothea, VI. Gesang, V. 17.

[5] Ebd. VI. Gesang, V. 38f.

[6] Ebd. VI, Gesang, V. 19.

[7] Ebd. VI. Gesang, V. 8.

[8] Ebd. VI. Gesang, V. 10.

[9] Ebd. VI. Gesang, V. 24.

[10] Ebd. I. Gesang, V. 210.

[11] Ebd. VI. Gesang, V. 27.

[12] Den umgekehrten Vorgang: die Rezeption der Tell-Legende in der Französischen Revolution, schildert die Dissertation von Ricco Labhardt, Wilhelm Tell als Patriot und Revolutionär 1700–1800. Wandlungen der Tell-Tradition im Zeitalter des Absolutismus und der französischen Revolution, Basel 1947.

[13] Für die zahlreichen biblischen Bezüge des „Tell" ist eine von Karl August Böttiger überlieferte Äußerung Schillers interessant: Als bei der ersten Aufführung des „Wilhelm Tell" in Weimar eine Bemerkung über Schillers „wunderbare(s) Ergreifen der Schweizer Sitte, Natur und Sprache" in Gegenwart des Schweizer Geschichtsschreibers der Eidgenossenschaft, Johannes von Müller, gemacht wurde, erwiderte dieser, „daß wer nur an sich mit *göttlichen Gaben ausgerüstet* sei und dann in Luthers Bibelübersetzung die patriarchalische Geschichte und die Bücher Samuels fleißig studiert, übrigens aber, in Beziehung auf die Schweiz, des herrlichen und in seiner Art nie übertroffenen *Tschudi* eidgenössische Geschichte in der Kraftsprache des 16ten Jahrhunderts, rein in sich aufgenommen habe, wohl ohne weitere Offenbarung dies so treffen könne. Als der ehrwürdige Johannes von Schaffhausen dies kaum ausgeredet hatte, trat

Schiller selbst in diesen Kreis und vernahm, was eben verhandelt worden war. Er stimmte unbedingt in alles ein, was Müller gesagt hatte, rühmte mit freudiger Anerkennung die unberechenbaren Vorteile, welche ihm, als er noch in Stuttgart auf der Carlsschule sich befunden, das Studium der Bibel in Luthers Übersetzung nicht nur für die Sprache, sondern auch für Menschenstudium und Charakterzeichnung solcher Menschen, die mit den Ebräern ohngefähr auf derselben Stufe stünden, gerade jetzt dargeboten hätten, und gestand, daß er die (bei der Vorstellung vorzüglich gefallende) Unterredung (in der zweiten Szene des ersten Aufzugs) zwischen Gertrud und ihrem Ehewirt (das ist der Schweizer Ausdruck) Stauffacher fast wörtlich aus Tschudi genommen hätte". S. Dichter über ihre Dichtungen. Friedrich Schiller II, von 1795 bis 1805, hrsg. v. Bodo Lecke, München 1970, S. 513 f.

[14] Zum Thema Schiller und die Idylle vgl. Horst Rüdiger, Schiller und das Pastorale, in: Euphorion 53 (1959), S. 229–251; Gerhard Kaiser, Johannas Sendung. Eine These zu Schillers „Jungfrau von Orleans", in: Jahrbuch der Deutschen Schillergesellschaft 10 (1966), S. 205–236; ders., Die Idee der Idylle in Schillers „Braut von Messina", in: Wirkendes Wort 21 (1971), S. 289–312; ders., Von Arkadien nach Elysium. Zu Gert Sautermeisters „Idyllik und Dramatik im Werk Friedrich Schillers", in: Zeitschrift für deutsche Philologie 91 (1972), S. 172–181; Gert Sautermeister, Idyllik und Dramatik im Werk Friedrich Schillers, Stuttgart, Berlin, Köln, Mainz 1971. Speziell die Stellung des „Wilhelm Tell" in Schillers Idyllenkonzeption untersucht G. W. Field, Schiller's Theory of the Idyll and Wilhelm Tell, in: Monatshefte (Madison) 42 (1950), S. 13–21. Hellmut A. Hartwig sieht Tell als Verkörperung des edlen Wilden, damit eines Typus der europäischen geistigen Tradition. Sein Aufsatz: Schillers ‚Wilhelm Tell' und der ‚Edle Wilde' (in: Studies in German Literature, ed. C. Hammer Jr., Louisiana State University Press 1963, S. 72–84) ist von Ungereimtheiten nicht frei; z. B. vergleicht er Tells Reden von sich selbst in der dritten Person mit dem Radebrechen der typischen Indianerhäuptlinge Coopers oder Karl Mays: „Ugh, Winnetou hat gesprochen." oder: „Chingachgook hilft jetzt Bleichgesicht!" (S. 81 f.).

[15] Über naive und sentimentalische Dichtung. Schillers Werke, Nationalausgabe 20: Philosophische Schriften 1. Teil, hrsg. v. Benno von Wiese, Helmut Koopmann, Weimar 1962, S. 472.

[16] Die Beziehung des „Wilhelm Tell" auf die Französische Revolution ist am eindringlichsten von der marxistischen Schiller-Forschung thematisiert worden. Außer der schon genannten allgemeinen Literatur über Schiller und die Französischen Revolution s. Franz Mehring, Wilhelm Tell, in: F. M., Aufsätze zur deutschen Literatur von Klopstock bis Weerth = Gesammelte Schriften, hrsg. v. Thomas Höhle u. a., 10, Berlin 1961, S. 259–265. Während Mehring scharf den Gegensatz des „Wilhelm Tell" zur Französischen Revolution herausarbeitet, sieht die spätere marxistische Forschung weitgehende Übereinstimmungen, s. Hans-Günther Thalheim, Notwendigkeit und Rechtlichkeit der Selbsthilfe in Schillers „Wilhelm Tell", in: Goethe-Jahrbuch, NF 18 (1956), S. 216–257; ders., Volk und Held in den Dramen Schillers, in: Weimarer Beiträge 5 (1959), Sonderheft, S. 9–35; Edith Braemer, Wilhelm Tell, in: E. B./Ursula Wertheim, Studien zur deutschen Klassik, Berlin 1960, S. 297–330. Thalheim meint, „daß die französi-

schen revolutionären Forderungen von 1789 auch die Forderungen Schillers für Deutschland waren." (Notwendigkeit und Rechtlichkeit der Selbsthilfe, S. 256) Der Tyrannenmord Tells widerspreche Kants Verurteilung des Tyrannenmordes. Schiller sei kein „prinzipieller Gegner des revolutionären Terrors, der revolutionären Praxis" (S. 248) gewesen und stünde – zwar „nicht theoretisch, aber praktisch-historisch" – mehr in der Nähe Robespierres als Condorcets (S. 230). Benno von Wiese polemisiert unter Verweis auf die völlig eindeutige Quellenlage heftig gegen diese Thesen (Friedrich Schiller, Stuttgart 1959, S. 765–767). In der Tat schafft Schiller mit Sorgfalt extreme Bedingungen zur Rechtfertigung des Tyrannenmordes, und in der philanthropischen Bemühung der Schweizer, noch im Aufruhr Blutvergießen zu vermeiden, kann man allenfalls mit viel Phantasie eine auch nur bedingte Billigung des revolutionären Terrors finden. Zum politischen Ideengehalt des „Wilhelm Tell" s. vor allem noch Max Rouché, Nature de la liberté, légitimité de l'insurrection dans „Les Brigands" et „Guillaume Tell", in: Etudes Germaniques 14 (1959), S. 403–410, und Robert Leroux, L'idéologie politique dans „Guillaume Tell", in ebd. 10 (1955), S. 128–144. Sehr naiv ist H. Orville Nordbergs Nachweis, daß sich in „Wilhelm Tell" alle Basisvorstellungen einer demokratischen Gesellschaft finden (Schiller's Faith in a Democratic Society as revealed in „William Tell", in: The Modern Language Journal 35 (1951), S.13–17). Karl Heinz Kausch behandelt in seinem Referat „Das Politische als Kunstform in Schillers Schauspiel Wilhelm Tell" (in: Nationalismus in Germanistik und Dichtung. Dokumentation des Germanistentages in München vom 17.–22. Oktober 1966, hrsg. v. Benno von Wiese und Rudolf Henß, Berlin 1967, S. 285–304) im Gegensatz zu diesem Titel lediglich die Kunstform in ihrer politischen Relevanz, die er darin sieht, daß sie durch ästhetische Erziehung zur Freiheit führt. In einem Mißverständnis von Schillers Forderung, den Stoff durch die Form zu tilgen, sieht Kausch von einer inhaltlichen Interpretation völlig ab. Von allen vorher genannten Untersuchungen zum Thema Wilhelm Tell und die Französischen Revolution unterscheide ich mich durch den Versuch, die Bezüge auf die Revolution im Rahmen einer integralen Interpretation des „Wilhelm Tell" und der Idyllenkonzeption Schillers festzumachen. Es geht mir nicht um Einzelzüge, die auf die Revolution verweisen, sondern um den Bezug der Gesamtkonzeption auf die Revolution. Das Verhältnis zwischen Dichtung und Philosophie bei Schiller sehe ich so, daß ihre Übereinstimmung anzunehmen ist, solange nicht das Gegenteil als erwiesen gelten muß. Damit spanne ich nicht die Dichtung in das Prokrustesbett der Philosophie, sondern nehme einen einheitlichen Weltentwurf Schillers an, der sich im Wechselbezug und Wechselverweis von Dichtung und Philosophie ausformuliert.

[17] Arabische Zahlen in Klammern bei „Wilhelm-Tell"-Zitaten bedeuten Verszahlen. Bühnenanweisungen werden nach Akt und Szene mit lateinischen und arabischen Zahlen zitiert. Text des „Wilhelm Tell" nach Schiller, Säkularausgabe, hrsg. v. Eduard von der Hellen, Bd. 7. Den Ausdruck „Talvogt" für Sturm hat Schiller bei Scheuchzer, Beschreibung der naturgeschichten des Schweizerlands, Zürich 1706, und bei Stumpf, Gemeiner loblicher eydtgenosschaft stetten, landen und völkeren . . . beschreybung, Zürich 1554, 1586, 1606, exzerpiert. S. Die Quellen von Schillers Wilhelm Tell, zusammengestellt von Albert Leitzmann, Bonn 1912, S. 38, 39.

[18] Vgl. Herman Meyer, Hütte und Palast in der Dichtung des 18. Jahrhunderts, in: Formenwandel. Festschrift zum 65. Geburtstag von Paul Böckmann, hrsg. v. Walter Müller-Seidel und Wolfgang Preisendanz, Hamburg 1964, S. 138–155; s. a. L. A. Willoughby, The Image of the ‚Wanderer' and the ‚Hut' in Goethe's Poetry, in: Etudes Germaniques 6 (1951), S. 207–219; Helmut Rehder, Das Symbol der Hütte bei Goethe, in: Deutsche Vierteljahrsschrift für Literaturwissenschaft und Geistesgeschichte 15 (1937), S. 403–423.

[19] Zur Tradition der Idylle, in der Schiller steht, s. Renate Böschenstein, Idylle (Sammlung Metzler), Stuttgart 1967.

[20] Zur Wortbedeutung Vaterland an der Wende des 18. zum 19. Jahrhundert, die noch viel offener ist als heute, vgl. Trübners Deutsches Wörterbuch, hrsg. v. Walter Mitzka, 7, 1956. So etwa Vaterland als Land der Väter, Herkunftsland: Schubart: „Hör, Jüngling, bist aus Schwaben? Liebst du dein Vaterland?" Goethe an Schiller am 21. 2. 1795: „Wie sehr freue ich mich, daß Sie in Jena bleiben und daß Ihr Vaterland Sie nicht hat wieder anziehen können."

[21] Damit ist natürlich nicht bestritten, daß Schillers Hauptquelle, das „Chronikon Helveticum" von Aegidius Tschudi (1505–1572), erstmals gedruckt Basel 1734, hrsg. v. Johann Rudolf Iselin, ganz auf dem Boden ständischer Rechts- und Freiheitsvorstellungen steht. Ludwig Waldecker entwickelt die Rechtsproblematik des „Wilhelm Tell" völlig vom ständischen Recht her (Das Problem des politischen Mordes in Schillers Tell. Eine Umdeutung, in: Zeitschrift für öffentliches Recht 5, 1926, S. 47–72).

[22] Die Ursprungserzählung fand Schiller in Johannes von Müllers „Geschichten schweizerischer Eidgenossenschaft"; er notiert sich: „NB. kann im Rütli erzählt werden" und weist ihr damit Stelle und Funktion zu (s. Die Quellen von Schillers Wilhelm Tell, S. 34).

[23] Von diesem bloß natürlichen Menschen ist etwa im dritten der Briefe „Über die ästhetische Erziehung des Menschen" die Rede, wenn von dem „natürlichen Charakter des Menschen" gesagt wird, er sei „selbstsüchtig und gewaltthätig, vielmehr auf Zerstörung als auf Erhaltung der Gesellschaft" aus. Der natürliche Charakter des Menschen ist an dieser Stelle seinem „sittlichen Charakter" gegenübergestellt (Schiller, Nationalausgabe 20: PhilosophischeSchriften 1. Teil, S. 315).

[24] Mit den Worten: „Uns trennt kein Tyrann mehr", kehrt Tell zu seiner Familie zurück (3131). Tells Wort vom Tyrannen knüpft die Verbindung von diesem Tyrannenmord zu der schon mit den „Räubern" einsetzenden Tyrannenkritik Schillers in ihrem letzten Zielpunkt, *dem* Tyrannen, der nicht mehr politisch, nicht mehr egoistisch-intrigant, sondern schlechthin und ohne spezielle Motivation böse handelt. „Nun sollt ihr den nackten Franz sehen und euch entsetzen! Mein Vater überzuckerte seine Forderungen, schuf sein Gebiet zu einem Familienzirkel um, saß liebreich lächelnd am Tor und grüßte die Brüder und Kinder. – Meine Augbraunen sollen über euch herhangen wie Gewitterwolken, mein herrischer Name schweben wie ein drohender Komet über diesen Gebirgen, meine Stirne soll euer Wetterglas sein! . . . Ich will euch die zackigte Sporen ins Fleisch hauen und die scharfe Geißel versuchen. –" So träumt Franz Moor von seiner zukünftigen Herrschaft, zu der ihm die Intrige den Weg bahnen soll (II, 2). In diese Linie gehören auch Dionys, der Tyrann von Syrakus, in der „Bürgschaft",

ein Todfeind der Menschheit aus Verkennung der wahren Natur des Menschen, ferner, mit einigem Abstand, Gianettino Doria. In Franzens Wunschbild wird deutlich, worin letztlich die Schrecklichkeit des Tyrannen bei Schiller besteht: Er ist das diabolische Zerrbild des Vaters in dessen Repräsentanz des patriarchalischen Herrschers und Gottes. Der Tyrann appelliert an das Böse, weil er den Menschen für böse hält wie sich selbst; er stellt den Menschen frevelhaft auf eine Probe, die ihm ein Vorurteil bestätigen soll. Das Angebot des Dionys an Möros, die Strafe sei ihm erlassen, aber der Bürge müsse sterben, wenn Möros nicht binnen drei Tagen zurückkomme, hat moralisch den gleichen Stellenwert wie Geßlers Befehl zum Apfelschuß, der Tell so oder so moralisch brechen soll. Indem Möros in der „Bürgschaft" den Dionys an Liebe und Treue zu glauben geradezu zwingt, erreicht er durch die Gesinnungsprobe, was er mit dem Dolche verfehlte – er befreit die Stadt vom Tyrannen; der Tyrann, der des Menschen in seiner höheren Natur ansichtig geworden ist, hört auf, Tyrann zu sein. Umgekehrt Tell: Er antwortet auf den Angriff gegen seine Natur mit Tyrannenmord. Die Situation der frevelhaften Probe kommt ähnlich, wenn auch abgeschwächt, in der Ballade „Der Taucher" vor; desgleichen ist die Situation der Erschütterung der Tyrannis durch Erschütterung der Menschenverachtung des Tyrannen in „Don Carlos" von ferne der Bekehrung des Tyrannen Dionys verwandt. Übrigens verliert Geßler nichts von seiner Verruchtheit dadurch, daß er, von Tell getroffen, die Gnade des Himmels anruft (2785) – so wie auch Franz Moor in Todesangst zu beten versucht: hier bezeugt sich nicht Umkehr, sondern kreatürliche Schwäche. Der sterbende Geßler ist wieder mit irdischen Gedanken beschäftigt (2808).

[25] Nicht ganz unvergleichlich ist die Konstellation in Max Frischs „Andorra", wo auch die ganz Bösen von außen kommen. Nur ist bei Schiller diese Konstellation ideell begründet und konsequent durchgeführt, bei Frisch, dem Tell-Polemiker, nicht.

[26] Benno von Wiese (Friedrich Schiller, S. 769) interpretiert „Wilhelm Tell" als „Festspiel": „‚Wilhelm Tell' ist trotz aller von außen bedrohenden Gewalt das Drama einer heilen Welt" (S. 776). Wiese spricht von „Geßlers Tat als Ursünde des Bösen gegen die Natur . . ." (S. 773). Im Unterschied zu anderen Schauspielen, die einen tragischen Ansatz zur untragischen Versöhnung führen, etwa Goethes „Iphigenie", ist jedenfalls Schillers Schauspiel „Wilhelm Tell" eines, das außerhalb von Tragik steht.

[27] Welche Bedeutung dieser Zug in der Konzeption Schillers besitzt, wird dadurch deutlich, daß bei Tschudi, dem Schiller sonst sehr weitgehend folgt, Tell ein Mitglied des Rütlibundes ist (Die Quellen von Schillers Wilhelm Tell, S. 18). Die marxistische Tell-Forschung sieht Tells Isolierung vom Rütlibund im Zusammenhang der Selbsthelferproblematik, die sie an Goethes „Götz von Berlichingen" und seiner Selbstinterpretation des Werkes in „Dichtung und Wahrheit" entwickelt: Da in Deutschland im Gegensatz zu Frankreich eine revolutionäre Situation fehlt, kommt es hier nicht zur Formierung revolutionärer Massen; vielmehr sind es einzelne Selbsthelfer, die den emanzipativen Anspruch tragen, damit aber auch individualistisch und elitär verzerren. In diesem Rahmen wird auch die Genie-Ästhetik interpretiert. Unter den genannten Prämissen gibt es eine Kontroverse zwischen Edith Braemer, die meint, Tells Abseitsstehen sei ein Zeichen der Zurückgebliebenheit gegenüber den Rütli-Verschwörern – „er bleibt selbst dann

Selbsthelfer, wenn die organisierte Messenbewegung schon vorhanden ist, die ein solches Selbsthelfertum überflüssig machen könnte" (Wilhelm Tell, S. 318) – und Hans-Günther Thalheim, der in der Heraushebung Tells „das von Selbstsucht freie Hervorwachsen der Tat aus einer ... Notwehrsituation" exemplarisch vergegenwärtigt sieht (Notwendigkeit und Rechtlichkeit der Selbsthilfe, S. 239). Während nach Thalheim die Helden der Sturm-und-Drang-Periode Selbsthelfer des Catilina-Typus waren, ist Tell als „patriotischer Tyrannenmörder" (S. 243) die ideale Brutusgestalt. In Parricida und Tell sind der echte Rebell und der „katilinarische Terrorist" einander gegenübergestellt (S. 245). – In dieser Kontroverse knüpft Edith Braemer an bei Franz Mehring (Wilhelm Tell, S. 263) und Georg Walentinowitsch Plechanow (Zur Psychologie der Arbeiterbewegung, in: G. W. P., Kunst und Literatur, Redaktion N. F. Beltschikow, Berlin 1955, S. 838–858, dort S. 841 ff.), die, in völliger Verkennung des symbolischen Gewichts von Tells Tyrannenmord, diesen nur als Anlaß und Signal der Revolution gelten lassen wollen. Warum begrüßen dann alle Schweizer Tell als Erretter? Schiller selbst betont gegenüber Iffland: „Wenn Tell und seine Familie nicht der intereßanteste Gegenstand im Stücke sind und bleiben ..., so wäre die Absicht des Werks sehr verfehlt worden." (Friedrich Schnapp, Schiller über seinen „Wilhelm Tell". Mit unbekannten Dokumenten, in: Deutsche Rundschau 206, 1926, S. 101–111, dort S. 108.) – Völlig abwegig scheint mir Siegfried Melchingers These, Tell handele im Affekt, das Kollektiv bleibe rein (Geschichte des politischen Theaters, Velber 1971, S. 258). – Auch E. K. Groteguts Meinung, Tell bleibe bis zuletzt von den Eidgenossen getrennt (Schiller's ‚Wilhelm Tell': A Dramatic Triangle, in: Modern Language Notes 80, 1965, S. 628–634) kann mich nicht überzeugen. Sie gründet lediglich darin, daß Grotegut die Haltung der Eidgenossen zu politisch nimmt, die Haltung Tells zu individualistisch. Abgesehen davon widerspricht Groteguts Meinung Schillers Brief an August Wilhelm Iffland vom 5. 12. 1803. Richard Plant (Gessler and Tell: Psychological Patterns in Schiller's ‚Wilhelm Tell', in: Modern Language Quarterly 19, 1958, S. 60–70) nimmt Tell sogar als „outsider" im soziologischen und psychologischen Sinne (S. 67).

[28] Baumgartens Worte: „Mein Retter seid Ihr und mein Engel, Tell!" in I, 1 (154) werden am Ende der Szene wiederaufgenommen, wenn in der Verwüstung von Hütte und Herd die Frage aufklingt: „Gerechtigkeit des Himmels, Wann wird der Retter kommen diesem Lande?" (182) Als vollkommenen Repräsentanten der Naturhaftigkeit der Idylle läßt Geßler, der vollkommene Repräsentant der Anti-Idylle, den Tell stellvertretend für alle Eidgenossen gefangensetzen:

> *Den* nehm' ich jetzt heraus aus eurer Mitte,
> Doch alle seid ihr teilhaft seiner Schuld (2083).

Stellvertretend nimmt der Retter das Leiden aller auf sich, und die Antwort Stauffachers unterstreicht diesen Sachverhalt:

> O nun ist alles, alles hin! Mit Euch
> Sind wir gefesselt alle und gebunden! (2091 f.)

> Euch alle rettete der Tell – Ihr alle
> Zusammen könnt nicht *seine* Fesseln lösen! (2370 f.)

klagt Hedwig, Tells Ehefrau, und noch in Geßlers Hohn:

> Dich schreckt kein Sturm, wenn es zu retten gilt.
> Jetzt, Retter, hilf dir selbst – du rettest alle! (1989 f.)

ist das Salvator-Motiv aufgenommen: Er variiert die Aufforderung an Christus, die dieser den Juden Luk. 4, 23 unterstellt: „Arzt,hilf dir selber!" Wenig früher hat auch Tell die Bibel paraphrasiert, wenn er bei seiner Gefangennahme die Hilfe seiner Landsleute zurückweist:

> Ich helfe mir schon selbst. Geht, gute Leute,
> Meint ihr, wenn ich die Kraft gebrauchen wollte,
> Ich würde mich vor ihren Spießen fürchten? (1846 ff.)

So sagt Christus bei seiner Gefangennahme zu Petrus, der das Schwert zieht: „. . . meinst du, daß ich nicht könnte meinen Vater bitten, daß er mir zuschickte mehr denn zwölf Legionen Engel?" (Mt. 26, 53) Schon die Erklärung Tells, er sei ein Mann, der das verlorene Schaf vom Abgrund holt, ist übrigens eine Bibelanspielung auf die Parabel vom Guten Hirten. Der Schluß des Dramas kehrt zum Anfang zurück, wenn Tell von der versammelten Gemeinde mit den Worten begrüßt wird: „Es lebe Tell! der Schütz und der Erretter!" (3282) Vorher hatte Stauffacher zu dieser Huldigung aufgefordert:

> Soll er allein uns fehlen,
> Der unsrer Freiheit Stifter ist? Das Größte
> Hat *er* getan, das Härteste erduldet,
> Kommt alle, kommt, nach seinem Haus zu wallen,
> Und rufet Heil dem Retter von uns allen. (3083 ff.)

Das feierlich-gehobene Wort „wallen" läßt nicht zufällig die Vorstellung der Wallfahrt zu Tell, dem Heiligen, dem „Stifter" der Freiheit (3084), anklingen, der seinerseits seine Armbrust als eine Votivgabe „an heil'ger Stätte . . ." aufbewahrt (3139). In ähnlich feierlichem Sinne findet sich „wallen" 749 und 1163.

[29] Schon beim jungen Schiller gibt es solche aus der Menschenwürde des einzelnen fließenden Motivationen, die politischen Motivationen übergeordnet, weil im Innersten der Menschennatur verankert sind. In der „Verschwörung des Fiesco zu Genua" wird Verrinas Tochter von Gianettino Doria vergewaltigt. Ihr Bräutigam Bourgognino ist deshalb ausersehen, den Tyrannen zu töten – ja, er ‚hat' den Tyrannen erst in dem Augenblick, in dem dieser in das Naturheiligtum der Liebe eingebrochen ist:

> Bourgognino: „. . . Ich habe schon längst ein Etwas in meiner Brust gefühlt, das sich von nichts wollte ersättigen lassen – Was es war, weiß ich jetzt plötzlich – (indem er heroisch aufspringt). Ich hab' einen Tyrannen!" (I, 13)

Schillers eigene briefliche Äußerung zu August Wilhelm Iffland vom 5. 12. 1803: Tells „Sache ist eine Privatsache und bleibt es, bis sie am Schluss mit der öffentlichen Sache zusammengreift" (Dichter über ihre Dichtungen. Friedrich Schiller 1795–1805, S. 503), ist wohl mehr im dramaturgischen als im ideellen Sinne zu verstehen. Sie steht im Zusammenhang einer Erklärung über die Verflechtung der verschiedenen Handlungsstränge und beginnt mit der Erwägung: „Gern wollte ich Ihnen das Stück Aktenweise zuschicken, aber es entsteht nicht Aktenweise, sondern die Sache erfordert, daß ich gewisse Handlungen, die zusammen gehören, durch alle fünf Akte durchführe, und dann erst zu andern übergehe. So z. B. steht der Tell selbst ziemlich für sich in dem Stück . . ." – Ich stimme an diesem Punkt mit Benno von Wiese überein, der ausführt: „in Wahrheit hat das Einstehen für die Familie in Schillers Gedankenwelt niemals rein privaten, sondern zugleich auch politisch-öffentlichen Charakter". (Friedrich Schiller, S. 774) „. . . das nur scheinbar rein private Handeln (hat) eine überpersönliche und damit auch politische Bedeutung" (S.775).

[30] Ich befinde mich hier mit Fritz Strich in Übereinstimmung, s. F. S., Schiller, Berlin 1928, S. 423: „Nur Tell ist nicht dabei, weil er nicht einer vom Volk ist, weil er das Volk ist."

[31] Diese Beziehung wird von H.-G. Thalheim (Notwendigkeit und Rechtlichkeit der Selbsthilfe) besonders betont.

[32] Vgl. Emil Staiger, Friedrich Schiller, Zürich 1967, S. 393f.

[33] Auch nach Tschudi tritt der Adel erst nachträglich dem Rütlibund bei (s. Die Quellen von Schillers Wilhelm Tell, S. 15, 17), aber dieses Faktum wird nicht so wie bei Schiller begründet.

[34] Schiller selbst nennt im Brief an Iffland vom 5. 12. 1803 Zwing-Uri „. . . diese Bastille, die . . . im fünften Akte gebrochen werden soll" (Dichter über ihre Dichtungen. Friedrich Schiller 1795–1805, S. 504).

[35] Zu den verschiedenen Bedeutungsgehalten des Begriffs Volk an der Wende des 18. zum 19. Jahrhundert, insbesondere zu seiner Anwendung auf politische, soziale, nationale und landsmannschaftliche Gruppen s. den Artikel „Volk" im Grimmschen Wörterbuch. In „Kabale und Liebe" I, 7 findet sich die Formulierung „Im Angesicht des versammelten Adels, des Militärs und des Volks". Ein ähnlicher politischer und sozialer Sinn des Wortes Volk, hier im Gegensatz zu Regierung, klingt bei Schiller in den Versen der „Glocke" an, die gegen die Französische Revolution polemisieren: „Wenn sich die Völker selbst befrein, da kann die Wohlfahrt nicht gedeihn." Nur aus Unkenntnis der Wortgeschichte kann Ernst Bloch diese Verse unsinnig nennen und fragen: „. . . wer sonst als sie soll sie denn befreien"? (Weimar als Schillers Abbiegung und Höhe, in: E. B., Literarische Aufsätze, Frankfurt 1965, S. 96–117, dort S. 99). Unsinnig ist diese Aussage Schillers nicht; über ihre Richtigkeit kann man natürlich streiten. In seinen Quellen zum „Tell" konnte Schiller sowohl den engeren wie den weiteren Begriff des Volkes für die Schweizer finden. Erster und zweiter Teil der „Geschichten schweizerischer Eidgenossenschaft" von Johannes von Müller tragen den Untertitel: „Von des *Volks* Ursprung". Schiller benutzte daneben unter anderem J. G. Ebel, Schilderung der Gebirgs*völker* der Schweiz, 2 Teile, Tübingen 1798, Glarus 1802. – Die Thematik der nationalen Einigung auch in „Jungfrau von Orleans" und „Wallenstein" sowie in der „Geschichte des Abfalls der vereinigten Niederlande" wird vor allem von der marxistischen Schiller-Forschung hervorgehoben. In diesem Zusammenhang vgl. auch Hans Mayer, Schiller und die Nation, in: H. M., Studien zur deutschen Literaturgeschichte, 2. Aufl., Berlin 1955, S. 79 bis 122. Allerdings ist der Unterschied wichtig: Allenfalls in der „Jungfrau von

Orleans" stellt sich die Frage einer nationalen Einigung aus der Zerrissenheit. Im „Abfall der Niederlande" geht es um die geschichtliche Entstehung des Staates; in „Wilhelm Tell" um die Konstituierung der Nation aus dem Naturstand landsmannschaftlicher Gliederung. Ein großes geschichtliches Thema der Zeit wird also in die Idylle reprojiziert. Daß Schiller generell ein Vertreter des nationalen Einheitsstaates gewesen wäre, ist kaum auszumachen. Der Gedichtentwurf „Deutsche Größe" meint eine ideelle Größe. Zum Thema der Nation und der nationalen Bindung hat sich Schiller wiederholt sehr skeptisch geäußert. Vgl. den Brief an Körner vom 13. 10. 1789. – Für die westeuropäische Auffassung der Nation als Willens- und Überzeugungsgemeinschaft s. Ernest Renans These vom „Plébiscite quotidien" (Pages françaises, 7. Aufl., Paris 1926, S. 69 f.).

[36] Das geradezu klassische Mißverständnis der Figur Tells in dieser Hinsicht findet sich in dem berühmten Essay Ludwig Börnes „Über den Charakter des Wilhelm Tell in Schillers Drama". Auch Eckermanns Äußerung über das „unedle Benehmen" Tells gegen Parricida kommt aus der fälschlichen Anwendung psychologischer Kategorien auf Tell (Goethes Gespräche mit Eckermann, 16. März 1831). Eckermann und Börne betrachten Tell, als wäre er eine reale, nicht eine ideale Figur.

[37] „Von eurer Fahrt kehrt sich's nicht immer wieder", wird schon in der ersten Dialogpartie des Dramas der Jäger Werni angesprochen (63 f.). Zum folgenden Zusammenhang vgl. Gerhard Kaiser, Vergötterung und Tod. Die thematische Einheit von Schillers Werk, Stuttgart 1967, und: ders., Wallensteins Lager. Schiller als Dichter und Theoretiker der Komödie, in: Jahrbuch der deutschen Schillergesellschaft 14 (1970), S. 323–346.

[38] Ich befinde mich hier im Widerspruch zu Werner Kohlschmidt, der in seinem Aufsatz „Tells Entscheidung" (in: Schiller. Reden im Gedenkjahr 1959, hrsg. v. Bernhard Zeller, Stuttgart 1961, S. 87–101) den „Wilhelm Tell" als „Problemdrama mit kantischem Gewissenskonflikt" interpretiert (ebd. S. 100). Ich unterscheide mich ferner von Fritz Martinis These, die in der Überschrift seiner Abhandlung „Wilhelm Tell, der ästhetische Staat und der ästhetische Mensch" liegt (in: Deutschunterricht 1960, H. 2, S. 91–118).

[39] Schiller, Nationalausgabe 20, S. 432.

[40] Die Grenze dieses Vergleichs liegt allerdings darin, daß Tell nicht, wie das naive Genie in geschichtlicher Zeit der Zerrissenheit, allein steht; er ist, wie ausgeführt, Repräsentativfigur einer ganzen Lebenssphäre, die er trägt und die ihn trägt. So kann ich auch Helmut Koopmanns Meinung nicht teilen, wenn er ausführt: „Tell tritt ja fast wie ein Fremder unter seinen Landsleuten auf – erinnert das nicht an den Künstler, von dem Schiller im 9. Brief über die ästhetische Erziehung gefordert hatte, daß er wie ein Fremder in sein Jahrhundert heimkehren müsse, um es furchtbar zu reinigen?" (Friedrich Schiller II 1794–1805, Stuttgart 1966, Sammlung Metzler, S. 76 f.)

[41] Ich meine mit dieser ursprünglich-harmonischen Naturgesellschaft nicht das, was Schiller in den Briefen „Über die ästhetische Erziehung des Menschen" als „Naturstaat" bezeichnet. Dieser „Naturstaat" ist ein „Nothstaat", denn in ihm herrschen „der Zwang der Bedürfnisse", die „bloßen Naturgesetze". „Dieser Naturstaat . . . ist . . . gerade hinreichend für den physischen Menschen, der sich

nur darum Gesetze giebt, um sich mit Kräften abzufinden". Die ursprünglich-harmonische Naturgesellschaft meint vielmehr den „Naturstand in der Idee" (alle Zitate aus dem 3. Brief, Nationalausgabe 20, S. 313–315), wie er in der Idylle herrscht, die „... Menschen im Stand der Unschuld, d. h. in einem Zustand der Harmonie und des Friedens mit sich selbst und von aussen" darstellt (Über naive und sentimentalische Dichtung, Nationalausgabe 20, S. 467). Dieser Zustand als einer „vor dem Anfange der Kultur in dem kindlichen Alter der Menschheit" vorgestellt (S. 467), wird in der Idylle „dem Menschen als einem der Natur nicht schlechterdings unterworfenen Wesen beygelegt" und als Ausdruck von natürlicher Moral und Freiheit zugerechnet, „obgleich nur insofern als wirklich noch die reine Natur aus ihm handelt" (S. 427); paradox formuliert: diese Natur vor dem Anfange der Kultur ist doch auch immer schon Kultur, und diese Kultur als eine vor der geschichtlichen Entfaltung stehende ist Naturausdruck des Menschen. Hier ist es begründet, daß die arkadische Idylle des Ursprungs auf die elysische Idylle am Ende der Geschichte verweisen kann. Die arkadischen Idyllen „stellen ... das Ziel *hinter* uns, dem sie uns doch *entgegen führen* sollten" (S. 469). Die Dialektik dieser Vorstellung unterscheidet sich von der Hegelschen erstens darin, daß sie nicht die Wirklichkeit selbst, sondern einen ideellen Entwurf von ihr meint, der erst durch menschliches Handeln auf ihn zu verwirklicht und bewahrheitet werden kann; der zweite Unterschied liegt darin, daß das Ziel dieses Prozesses eine regulative Idee ist, die von der Empirie nie völlig eingeholt werden kann – es bleibt also auch am Ende der Sprung zwischen Idee und Wirklichkeit, der schon im Anfang dieses Denkens liegt. In diesem Sprung gerinnt die Dialektik zur Paradoxie. Dem dialektischen Zug dieser Konzeption verschafft Schiller Ausdruck, indem er Idylle nicht als Gattung einer statischen Befindlichkeit erscheinen läßt – in dieser Hinsicht unterliegt sie seiner Kritik –, sondern nur als Moment eines Prozesses. Dem paradoxalen Zug dieser Konzeption verschafft er Ausdruck, indem er für den Sprung zwischen Idee und Wirklichkeit am Ende der Geschichte die Chiffre des Todes setzt, den als Möglichkeit und Grenze zu erfahren Menschheit ausmacht und begründet. Den Sprung zwischen Idee und Wirklichkeit im Ursprung der Geschichte in Natur aber vergegenwärtigt er durch die äußerste Stilisation und Künstlichkeit in der Darstellung der Natur. Das Evokative der Naturanschauung klingt an in dem Imperativ, der dem Kulturmenschen gilt: Nimm die Natur „... in dich auf und strebe, ihren unendlichen Vorzug (der Vollkommenheit – G. K.) mit deinem unendlichen Prärogativ (der Freiheit – G. K.) zu vermählen, und aus beydem das Göttliche zu erzeugen. Sie umgebe dich wie eine liebliche *Idylle* ..." (S. 429).

[42] Im Gegensatz hierzu bestimmt Sautermeister, Idyllik und Dramatik, S. 169 den „Tell"-Schluß als vollendete Geschichte. Ähnlich verfährt G. W. Field im Rahmen seiner Interpretation, die „Wilhelm Tell" als Gang von der arkadischen zur elysischen Idylle versteht (Schiller's Theory of the Idyll and Wilhelm Tell).

[43] Schiller, Nationalausgabe 20, S. 319.

[44] In dieser Überlegung hebt sich der scheinbare Widerspruch zwischen Revolutionsparaphrase im „Wilhelm Tell" und der scharfen Ablehnung der Revolution an anderen Stellen auf, etwa in den bereits zitierten Versen aus der „Glocke": „Wenn sich die Völker selbst befrein, Da kann die Wohlfahrt nicht gedeihn." In der Gegenüberstellung des naturhaften Menschen und seiner Befähigung zur

freien Tat einerseits, des geschichtlichen Menschen der Gegenwart in seiner Unfähigkeit, politische Freiheit herzustellen, andererseits, liegt der Sinn des Widmungsgedichtes „Wilhelm Tell" für den Kurfürsten von Mainz, Karl Theodor von Dalberg. Edith Braemers These, es ginge hier um die Gegenüberstellung von Bürgerkrieg und nach außen gerichteter Revolution (Wilhelm Tell, S. 304, 307), hat kaum Anhaltspunkte im Text – ganz abgesehen davon, daß eben auch hier wieder Bürgerkrieg Chiffre für geschichtliche Zerrissenheit, nach außen gerichteter Krieg Chiffre für die Konfrontation von Natur und Geschichte bliebe. Hier wie immer wieder zeigt sich, daß die marxistische Forschung Schiller, den Dichter höchster ideeller Stilisation und Sinnbildlichkeit, in falscher Weise stofflich nimmt.

[45] Wenn auch die Frage untersuchenswert bleibt, welche ihm sonst entlegenen politischen Motive sich Schiller durch deren Transformation aneignete. Er ist in diesem Sinn ein zugleich eminent politischer und unpolitischer Dichter. Übrigens hat immerhin Tells Tyrannenmord erhebliche Bedenken und Anstoß erregt, s. Schillers Brief an Iffland vom 14. April 1804 und an Christian Gottfried Körner vom 10. Dezember 1804.

[46] Hermann und Dorothea, VI. Gesang, V. 38.

[47] Ebd. V. Gesang, V. 109.

[48] Ebd. II. Gesang.

[49] Im Unterschied zu Schiller ist allerdings bei Goethe, wie schon der Hinweis auf die Urpflanze zeigt, das genetische Modell nicht prozessual, sondern als simultane Stufung zu denken. Schiller muß demgemäß das prozessuale Moment zugunsten einer Simultaneität von Natur und Geschichte in „Wilhelm Tell" reduzieren, damit angesichts der Geschichte doch aus der Natur die gesellschaftliche Erneuerung erfolgen kann. Goethe kann an jedem Punkt der Geschichte zur Natur durchstoßen und Natur in Geschichte einschießen lassen: in punktuellen Eschatologien treten Anfang und Ende zusammen, so wie in der höchsten Naturform eben immer auch die einfachste und darin ursprüngliche anwesend ist.

[50] S. Jürgen Habermas, Technik und Wissenschaft als ‚Ideologie' (edition suhrkamp 287), Frankfurt 1968, S. 48–103, dort S. 54 ff. Desgleichen ders., Ein marxistischer Schelling – zu Ernst Blochs spekulativem Materialismus, in: J. H., Theorie und Praxis. Sozialphilosophische Studien, Neuwied a. Rh. und Berlin 1963. Bei Friedrich Engels findet sich in seinen „Umrissen zu einer Kritik der Nationalökonomie" von 1844 die Vorstellung einer „Versöhnung der Menschheit mit der Natur und mit sich selbst" (Marx/Engels, Werke 1, Berlin 1970, S. 505). Neuerdings versucht Alfred Schmidt im Rahmen einer Revision der Marxschen Feuerbachkritik vom Konzept der Naturbeherrschung beim späteren Marx auf seine früheren Ansätze zurückzukommen. (Emanzipatorische Sinnlichkeit. Ludwig Feuerbachs anthropologischer Materialismus, Reihe Hanser 109, München 1973.)

[51] Der Eingang des „Wilhelm Tell" mit dem Gesang des Fischerknaben, des Hirten und des Alpenjägers hat jüngst durch Oskar Seidlin eine sehr eindringliche Interpretation „als symbolhafte Darstellung der Menschheitsgeschichte" gefunden (Das Vorspiel zum „Wilhelm Tell", in: Untersuchungen zur Literatur als Geschichte. Festschrift für Benno von Wiese, hrsg. v. Vincent J. Günther, Helmut Koopmann, Peter Pütz, Hans-Joachim Schrimpf, Berlin 1973, S. 112–128; Zit. S. 118). Seidlin deutet den Fischerknaben als den Menschen „halb versunken im

Element und wieder in die Urgründe hineingezogen, in das Es, in den Schoß, der ihn noch nicht aus sich entlassen hat" (S. 115). Der Hirt ist „Teil eines Kollektivs ohne eigentliches Gegenüber, ... Teil der Natur ohne Kenntnis seiner Abgesondertheit und seines Sonderseins" (S. 116); der Jäger ist „in weitester Distanz, allein und abgesondert, nicht zurückfallend ins Elementare, nicht zusammenfallend mit der Natur, die ihn umschließt"; in ihm erscheint „die gefügte und organisierte Menschenwelt, der er zugehört, ohne ihr zu gehören" (S. 117). Von der andern Einschätzung des Jägers abgesehen, die sich aus meiner Deutung der Tellgestalt ergibt, scheint mir dieser Ansatz für das Verständnis des Dramenanfangs außerordentlich fruchtbar. Problematisch sind die von Seidlin gezogenen Konsequenzen für das Ganze des „Wilhelm Tell". Denn entgegen seiner eigenen Auffassung des Werkes als Drama von der Entstehung des Staates, der Entwicklung zum Idealstaat (S. 113) kommt Seidlin da, wo ich Momente eines geschichtsphilosophischen Prozesses sehe, zu einer Art Schichtenkonstruktion simultan auftretender geschichtlicher Haltungen: Attinghausens patriarchalische Sphäre ist demnach analog zum Bereich des Hirtenknaben; der Mensch steht unter dem Rückruf der Natur, er ist eingeschlossen in den Schoß der Familie (S. 123); der Rütlibund repräsentiert die Hirten-Welt des Kollektivs in einer kreisförmig verlaufenden Naturgeschichte, deren Neues das Alte ist (S. 124f.); Tell schließlich ist der einzelne, „... in der Agonie seines Selbst- und Bewußtseins", „... erwacht und erweckt zur Schrecklichkeit der Erkenntnis und des ganz auf sich selbst Zurückgeworfenseins" (S. 126). Ich glaube kaum, daß man Schillers Vater-Sohn-Motiv, das sich in der geistigen Vater-Sohn-Beziehung zwischen Attinghausen und seinem Neffen Rudenz darstellt, auf einen *Mutterschoß* der Natur hin interpretieren kann. Daß bei Schiller das Vater-Sohn-Motiv so entschieden alle Mutter-Kind-Beziehungen dominiert, zeigt, wie sehr bei ihm Natur in Bezug auf den Menschen eine geistige Größe ist. Attinghausen ruft Rudenz ins Vaterland, nicht in den Mutterschoß der Natur zurück. Außerdem hat Attinghausens prophetischer Vorblick in die Gesellschaft der Brüder in diesem Konzept Seidlins keinen Platz. Seidlins Interpretation des Rütlibundes und der Tellgestalt muß alle Züge der Programmatik in der Naturrechtsproklamation des Rütlibundes ebenso beiseite schieben wie alle Züge der Spontaneität und Naivität in der Gestalt Tells. Vor allem aber frage ich mich, wo bei dieser Konzeption, die doch im einsamen Einzelnen aufgipfelt, die von Seidlin selbst konstatierte Entwicklungsgeschichte des Staates im „Wilhelm Tell" bleibt?

Lawrence Ryan

HÖLDERLIN UND DIE FRANZÖSISCHE REVOLUTION *

„Die Französische Revolution, Fichtes Wissenschaftslehre und Goethes Meister sind die größten Tendenzen des Zeitalters." [1] Das bekannte Fragment Friedrich Schlegels, das die Französische Revolution einerseits und die deutsche Philosophie und Literatur andererseits auf einen gemeinsamen Nenner bringt, spiegelt ein Verständnis der Revolution wider, das für Schlegel und viele seiner Zeitgenossen weitgehend bestimmend war. Aber wie es sogar in der engeren Friedrich-Schlegel-Forschung nicht an Versuchen fehlt, den Zusammenhang zwischen der Französischen Revolution und Schlegels Begründung einer romantischen Dichtungstheorie in Zweifel zu ziehen, so neigt man vielfach auch sonst zu einer allzu starken Isolierung des Poetischen vom Politischen. Die Verbindung des deutschen Geisteslebens mit dem französischen politischen Ereignis (schließlich läßt sich fast jeder Zeitgenosse Hölderlins und Schlegels unter diesem Gesichtspunkt betrachten) wird oft dahin verstanden, daß die Revolution als absoluter Bezugspunkt genommen, der deutsche Dichter oder Philosoph folglich nur noch auf seine ausdrückliche Stellungnahme zu diesem Ereignis abgefragt wird. So ist die Ansicht verbreitet, daß überhaupt in dieser Zeit die ursprünglich recht starke Begeisterung für die Ideale der Revolution bald danach – angesichts des Pariser Terrors und des Aufstiegs Napoleons – in Enttäuschung und Resignation umgeschlagen sei: durch die französische Wirklichkeit ernüchtert, sei das politisch ohnehin in rückständigen Verhältnissen lebende Deutschland auch am Ideal der Revolution irre geworden. Diese Perspektive gilt es aber zu erweitern, und zwar gerade im Hinblick auf die von Friedrich Schlegel umrissene Sicht auf die gegenseitige Bedingtheit geistig-literarischer und politischer Ereignisse.

---

* Der Verfasser hat der Bitte des Verlags entsprochen, seinen zuerst 1968 in der Festschrift für Klaus Ziegler veröffentlichten Beitrag zum Abdruck im vorliegenden Sammelband zur Verfügung zu stellen. Da es ihm aus Zeitgründen nicht möglich war, die seit 1968 erschienene Literatur heranzuziehen und die Revision einzelner Thesen vorzunehmen, erscheint dieser Aufsatz hier unverändert.

Daß dieses methodische Vorbedenken nicht überflüssig ist, läßt sich schon durch einen Blick auf die Forschung erhärten. Bei ungeschichtlicher Verabsolutierung der Pariser Vorgänge zum alleinigen Maßstab jener Revolution, die gemeinhin die französische genannt wird, wird man leicht dazu verführt, in Hölderlins Verhalten eine gewisse Sprunghaftigkeit festzustellen: er wird gelobt wegen der vermeintlich ‚jakobinischen' Ansichten seiner Frühzeit, dafür aber getadelt (oder allenfalls bedauert) wegen seines Rückfalls in eine „hoffnungslose Mystik"[2]. Freilich wird dieser ‚Rückfall' halbwegs entschuldigt mit dem mancherorts fast obligat gewordenen Hinweis auf die ‚deutsche Misere', die gerade den Verfechtern der jakobinischen Ideale jeder Hoffnung habe berauben müssen. Die bedeutendste Darlegung eines solchen Standpunkts stammt von Georg Lukács, der im oben umrissenen Sinne eine enttäuschte Abkehr Hölderlins von der Revolution feststellt, ja sogar die Geisteskrankheit des Dichters letztlich als Ausfluß einer hierin wurzelnden Verzweiflung verstanden wissen will: er sei nämlich bei allem ideellen Hochflug nicht imstande gewesen, an der „miserablen bürgerlichen Wirklichkeit" vorbeizusehen, und sei demnach als „verspäteter Märtyrer an einer verlassenen Barrikade des Jakobinismus" – allerdings „tapfer" – gefallen[3]. Das Wort vom ‚Jakobiner' Hölderlin taucht auch in einer neueren Untersuchung Robert Minders zur Stellung Hölderlins „unter den Deutschen" auf; auch Minder will aber im „nachthermidorianischen" Roman ‚Hyperion' die „doppelte Enttäuschung über die unmögliche Liebe und über die unmögliche Revolution"[4] erkennen. Der Verdacht liegt nahe, daß die politische Anteilnahme Hölderlins hier etwas vordergründig gefaßt, die Wirklichkeitsferne seiner ‚Mystik' einseitig übertrieben wird. Dieser Verdacht verstärkt sich noch, wenn bei Lukács Hölderlins Stellung zur Französischen Revolution unvorteilhaft abgehoben wird etwa von derjenigen des englischen Lyrikers Percy Bysshe Shelley, der, indem er die englischen Weber zum Aufstand aufzurufen scheine, die bei Hölderlin zugedeckte Perspektive auf den „wirklichen Befreiungskampf der Menschheit" wieder eröffne und „bereits in die neue, in die aufgehende Sonne" (der „proletarischen Revolution", versteht sich) blicke[5]. Wie das politische Engagement Shelleys zu deuten wäre, bleibe dahingestellt, wie auch die weitere Frage, ob Hölderlin das Wesen der Revolution und die Grenzen der poetischen Wirkungsmöglichkeiten nicht doch tiefer und richtiger gefaßt habe als Shelley. Es gibt aber zu denken, daß der revolutionär entflammte Shelley in seiner Schrift ‚Verteidigung der Poesie' nicht etwa auf die soziale Gebundenheit der dichterischen Äußerung abhebt, nicht etwa zur wirklichen Befreiung der Entrechteten aufruft, sondern vielmehr auf der alle Nützlichkeit übersteigenden Fähigkeit der Poesie insistiert, die Grenzen der Einbildungskraft zu erweitern: die Dichtung sei zugleich das Zentrum und der Umkreis alles Wissens, gleichzeitig die Wurzel und die Blüte aller Gedankensysteme, ja die Dichter seien die „nicht anerkannten Gesetzgeber der Welt“[6]. Solche Formulierungen – die übrigens an Hölderlins eigene Begründung der poetischen Verfahrensweise stark erinnern – mahnen zur Vorsicht bei jedem Versuch, die politisch bezogenen Äußerungen des Dichters von seinem Gesamtwerk abzutrennen.

Daß freilich eine Wandlung, ja eine Ernüchterung in Hölderlins Stellung zur Französischen Revolution vor sich geht, ist nicht zu leugnen. Hatte schon der Stiftler den „Freiheitsbaum“ umtanzt, so findet eine solche Begeisterung in den Tübinger Hymnen aus den Jahren 1790–1792 einen Niederschlag. Hölderlin begrüßt in überschwenglichen Tönen das „freie kommende Jahrhundert“, die schon beginnende „neue Schöpfungsstunde“[7]. Dabei ist allerdings nicht zu verkennen, daß das im engeren Sinne revolutionäre Moment überlagert wird durch andere Motive, durch den Ausblick auf das ersehnte Ziel der in „Liebe“ vereinten Menschheit:

> „Staunend kennt der große Stamm sich wieder,
> Millionen knüpft der Liebe Band.“[8]

Schon hier sieht man aber deutlich genug, daß der scheinbar ‚unpolitische‘ Charakter einer solchen Zukunftsvision nicht etwa als Abwendung von der politischen Wirklichkeit oder gar von den Zielen der Revolution aufzufassen ist, sondern diese vielmehr einzuordnen versucht in einen allgemeineren Erneuerungsprozeß, der den französischen politischen Umsturz als wesentliches, aber letztlich untergeordnetes Moment in sich einbegreift.

Auch als er mit der Zeit einen größeren Abstand gewann, erlosch Hölderlins Teilnahme an dem durch die Revolution bedingten politischen Geschehen nicht. Mit deutschen politischen Bestrebungen verwandter Art kam er mittelbar und unmittelbar in Berührung, vor allem durch seine Freundschaft mit Isaak von Sinclair, in dessen Begleitung er 1798 am Kongreß von Rastatt teilnahm. Gewisse Züge Sinclairs sind vielleicht in der Gestalt Alabandas im Roman ‚Hyperion‘ zu erkennen, und Hölderlins Auseinandersetzung mit Sinclair ist auch in den Roman eingegangen; in der Ode ‚An Eduard' wird Sinclair als zu kühnen Taten hinreißender „Bruder"[9] angeredet. Daneben läuft auch die Beschäftigung mit Napoleon Buonaparte weiter, der Hölderlin fasziniert, aber auch beunruhigt, ja in seiner heroischen Größe den Rahmen der dichterischen Äußerung fast zu zersprengen droht („Er kann im Gedichte nicht leben und bleiben,/Er lebt und bleibt in der Welt"[10]) – der aber schließlich, zu einer „Art von Dictator"[11] geworden, offenbar nicht mehr in Hölderlins Sinne wahrhafte Heldengröße zu beanspruchen vermag. Trotzdem weiß sich Hölderlin den „ruhelosen Thaten in weiter Welt" verpflichtet, wenn er den seines „Berufs" inne gewordenen Dichter dazu aufruft, gerade den „neulich" zu hörenden „Donner", die gegenwärtigen „Schicksaalstage"[12] zu rühmen. Wenig später scheint allerdings die Sehnsucht nach der segnenden Göttergegenwart des Friedens die Oberhand zu gewinnen, wie insbesondere durch die Hymne ‚Friedensfeier' bezeugt wird: Hier wird der historisch-politische Anlaß, der Frieden von Lunéville, fast ins Eschatologische verfremdet. – Mit alldem wird aber die Revolution nicht geleugnet, nicht negiert, sondern als Vermitteltes weitergetragen: dem Prinzip dieser Vermittlung möchten wir in den folgenden Ausführungen nachgehen.

Hierzu bietet das schon angeführte Fragment Friedrich Schlegels eine gewisse Handhabe. Dabei handelt es sich um keine zufällige oder vereinzelte Äußerung Schlegels. Nicht nur in dem „berüchtigten Fragment von den drei Tendenzen"[13] werden die Französische Revolution, Fichtes Wissenschaftslehre und Goethes ‚Wilhelm Meister' auf einen gemeinsamen Nenner gebracht, sondern auch an anderen Stellen weist er ausdrücklich auf den Grund dieser Vergleichbarkeit hin. Von der Revolution her scheint er das gemeinsame Moment am ehesten zu fassen; aber mit dem politischen Gehalt der Revolution allein ist es nicht getan. Wenn er nämlich die Französische Revolution als „Schlüssel zur ganzen modernen Geschichte"[14] verstanden wissen will, so nicht nur, weil sie „das größte und merkwürdigste Phänomen der Staatengeschichte", eine „unermeßliche Überschwemmung in der politischen Welt" bilde, sondern auch, weil sie „als ein Urbild der Revolutionen, als die Revolution schlechthin"[15] anzusehen sei. Das Wesen der „Revolution schlechthin" besteht nach Schlegels Formulierung in der „absoluten Veränderung"[16], die er als Zeichen der gegenwärtigen Zeit zu erkennen meint. Von hier aus wird das „Wesen der Moderne" als „Schöpfung aus Nichts" bestimmt, welches Prinzip er nun in vielen Bereichen verwirklicht sieht:

einmal im Christentum, sodann aber „in der Revolution, in Fichtes Philosophie – und desgleichen in der neueren Poesie“ [17].
Es fällt nicht schwer, in den drei genannten „Tendenzen“ das Moment der „Schöpfung aus Nichts“ aufzuzeigen. So bedeutet die Französische Revolution eine Umwälzung, die mit historisch überlieferten politischen Organisationsformen brechen und – im Hinblick eher auf die Antike als auf vorgegebene Staatsformen – einen republikanischen Staat von Gleichberechtigten gleichsam aus dem Boden stampfen will. So will Fichte – wenigstens in seiner früheren Zeit – von der Spontaneität des scheinbar autonom gewordenen, nur der Gesetzlichkeit der eigenen Selbstkonstituierung verpflichteten Ich ausgehen. Und auch der neuere Roman – Goethes ‚Wilhelm Meister‘ ist nämlich nur „eine bequeme äußerst allgemeine Formel für einen Roman“ [18] – verdankt seine Form dem „angeborenen Trieb des durchaus organisierten und organisierenden Werks, sich zu einem Ganzen zu bilden“ [19].
Hier handelt es sich allerdings – auch nach Schlegels Zeugnis – nur um „Tendenzen ohne gründliche Ausführung“ [20]. Daraus ist zu folgern, daß ein vollständiges Erfassen der Revolution solche ‚Tendenzen‘ nach ihren umfassenden Auswirkungen und Konsequenzen in die Betrachtung mit einzubeziehen hätte. Das Bewußtsein einer solchen Ausweitung der Revolutionsproblematik ist bei Hölderlin durchaus anzutreffen. Ihm waren verschiedene, ja einander widersprüchliche Aspekte der Revolution klar: die neu konzipierte Freiheit der Selbstbestimmung war nicht nur nach ihrem proklamierten Gehalt zu fassen, sie brachte gerade in ihrer Unvermitteltheit ganz andere Konsequenzen mit sich, nämlich vor allem eine Auflösung der geschichtlichen Kontinuität. So mußte die Revolution als geschichtliche ‚Zäsur‘ erscheinen, die das Problem des „Übergangs aus Bestehendem ins Bestehende“ [21], der Wiederanknüpfung an das historisch Gegebene akut machte. Ihr komplexer, ja fragwürdiger Charakter erschöpft sich nicht darin, daß die proklamierte „absolute Freiheit“ in den „Schrecken“ umschlug und die „Furie des Verschwindens“ [22] heraufbeschwor: es kommt nicht auf die Exzesse der Revolutionäre an, sondern eher auf die in der Revolution am augenfälligsten verkörperte Krisenhaftigkeit des historischen Übergangs überhaupt.
Das Bewußtsein, in einer Übergangszeit zu stehen, deren weitere Entwicklung – weil verheißungsvoll und bedrohlich zugleich – mit vielen Ungewißheiten behaftet war, spricht sich bei Hölderlin an mehreren Stellen aus. In einem Brief an Johann Gottfried Ebel spricht er von der

„Verwesung" seiner Zeit und deren „ungeheurer Mannigfaltigkeit von Widersprüchen und Kontrasten", die er in einer langen „Litanei" aufzählt. Aber gerade dieser widersprüchliche, zwischen „Altes und Neues" gespannte „Charakter des bekannten Theils des Menschengeschlechts" sei ein „Vorbote außerordentlicher Dinge". Denn jede solche „Gährung und Auflösung" müsse „entweder zur Vernichtung oder zu neuer Organisation nothwendig führen": er glaube „an eine künftige Revolution der Gesinnungen und Vorstellungsarten, die alles bisherige schaamroth machen wird"[23].
Hieraus ergibt sich zweierlei. Einmal betrachtet auch Hölderlin die Revolution als Bild für die ‚absolute Veränderung', von der bei Schlegel die Rede ist; zum andern glaubt er aber, daß die Gärung dieses noch richtungslosen ‚Zeitalters der Tendenzen' nur Vorbereitung ist, daß sie ergänzt werden muß durch den Versuch, zwischen Altem und Neuem zu vermitteln und – ohne auf den Reichtum des Neuen zu verzichten – jene Kontinuität wiederherzustellen, ohne welche die gegenwärtige Entwicklungstendenz nur ins Chaotische führen könnte. Mit einem Wort: für den deutschen Betrachter war die Revolution schon historisch geworden. Es galt demnach, den scheinbar unvermittelten Neuanfang zu relativieren und einen die Revolution einschließenden historischen Entwicklungszusammenhang zu erkennen. Die scheinbare Abkehr von der Französischen Revolution ist keine Flucht in eine ‚hoffnungslose Mystik', sondern der Versuch, die Revolution gleichsam mit anderen Mitteln fortzusetzen, und zwar mit solchen, die den ursprünglichen Impuls eher zu bewahren und fruchtbar zu machen vermöchten als jene, die schon einmal in Paris in die Sackgasse geführt hatten.
Es wird nun zu zeigen sein, daß in seinen Dichtungen und sonstigen Äußerungen Hölderlin einen solchen Weg beschreitet: daß er den in der Französischen Revolution beschlossenen Anspruch auf eine sich neu gründende Absolutheit wahrnahm, diesen Anspruch jedoch auf den Hintergrund der historischen Kontinuität projizierte. Diese Ausrichtung war allerdings nicht von vornherein gegeben, sondern ging erst aus einem Prozeß der Auseinandersetzung mit der Revolution – und den damit verbundenen ‚Tendenzen' der Zeit – hervor. Es ist demnach verständlich, daß – besonders um das Jahr 1795 – der sich entwickelnde Dichter in eine Krise gestürzt wurde, die ihn eine Zeitlang sich selbst entfremdete und ihn veranlaßte, sich der „Region des Abstracten"[24], der idealistischen Philosophie zu widmen. Neuerdings ist von Walter Müller-Seidel die These vom „Modell des unterbrochenen Weges" (bei

Hölderlin, Novalis, Kleist und anderen) aufgestellt worden: das (erst nach und nach bewältigte) Vordringen der „Wissenschaft im Denken des angehenden Dichters“ [25] sieht er in einem weiteren Sinne als Versuch einer Verarbeitung der Revolution, die das Verlangen nach einer Absolutheit des sich selbst begründenden Wissens mit hervorgetrieben hatte. Die Überwindung der ‚Krise‘ erscheint als ein geklärtes und befreiendes Wiederaufleben des zunächst überwältigenden und verwirrenden Anspruchs der Revolution. Eine solche Entwicklung sei nun in verschiedenen Teilen von Hölderlins Werk aufgezeigt, und zwar zunächst an Hand des Verhältnisses zu Schiller und zu Fichte. In den jeweiligen persönlichen Beziehungen – im Hingezogenwerden und in der späteren Befreiung zu unabhängigerem Denken – birgt sich nämlich eine sachliche Auseinandersetzung mit wesentlichen Momenten des von der Revolution geprägten Zeitgeistes.

Der Bezug zu Schiller gewinnt dadurch an Interesse, daß Schillers Stellung zur Französischen Revolution eine ähnliche Entwicklung durchläuft, die man im genannten Sinne auch als ‚unterbrochen‘ bezeichnen dürfte. Hatte Schiller nämlich in der Revolution zunächst die Verheißung erkannt, daß „die politische Gesetzgebung der Vernunft übertragen, der Mensch als Selbstzweck respektiert und behandelt, das Gesetz auf den Thron erhoben, und wahre Freiheit zur Grundlage des Staatsgebäudes“ [26] gemacht werden solle, so zeigte er sich zutiefst enttäuscht über den tatsächlichen Hergang der Revolution: die Erfüllung dieser Verheißung „ist es eben, was ich zu bezweifeln wage. Ja, ich bin so weit entfernt, an den Anfang einer Regeneration des Politischen zu glauben, daß mir die Ereignisse der Zeit vielmehr alle Hoffnung dazu auf Jahrhunderte benehmen“ [27]. Bei der einfachen Negierung dieser Hoffnung ist es aber nicht geblieben. Nach dem Zeugnis der Briefe ‚Über die ästhetische Erziehung des Menschen‘ soll die verlorene Totalität in der Kunst wieder vergegenwärtigt werden, die ja im Gleichgewicht des ‚Form-‘ und des ‚Stofftriebs‘ dem Menschen die unendliche Bestimmbarkeit wiedergibt, „die Freiheit, zu sein, was er sein soll“ [28]. Die in der politischen Welt vermißte Freiheit soll ‚ästhetisch‘ verwirklicht werden, „weil es die Schönheit ist, durch welche man zu der Freiheit wandert“ [29].

Kennzeichnend ist aber nun die Formulierung, mit der Schiller den Status der ästhetischen Versöhnung im Verhältnis zu dem angestrebten, aber eben nicht zu verwirklichenden Ideal der „politischen Gesetzgebung der Vernunft“ umschreibt: wäre dieses „Faktum“ wahr, dieser

„außerordentliche Fall wirklich eingetreten", so würde er „auf ewig von den Musen Abschied nehmen, und dem herrlichsten aller Kunstwerke, der Monarchie der Vernunft"[30], alle seine Tätigkeit widmen. Die Welt des ästhetischen Scheins ist in dieser Sicht kein Zweck an sich (die Schönheit wird ja als Durchgang zur Freiheit gekennzeichnet), sie würde gegebenenfalls der „Monarchie der Vernunft" weichen. Nach wie vor sieht Schiller die autonome Selbstbestimmung – so wäre ja die Monarchie der Vernunft zu verstehen – als das höchste Ziel an, der – nicht mehr monarchische – Gleichgewichtszustand des Ästhetischen ist als solcher eben ein Vorbereitungsstadium. Anders gesagt: wenn die Revolution sonst grundsätzlich – gerade als totaler Umbruch – auch das Historischwerden des ‚Ideals' implizierte, so tritt dieses Moment – die Notwendigkeit eines Neufassens des ‚Ideals' aus der sich verändernden geschichtlichen Situation – bei Schiller letzten Endes doch weitgehend zurück zugunsten eines Rückgriffs auf das an und für sich zeitlose Ideal der ‚Vernunft'. Die in den ‚Ästhetischen Briefen' umrissene, von der Revolution mit hervorgerufene Vermittlung dieser Idee im ästhetischen ‚Schein' kann nicht darüber hinwegtäuschen, daß das monarchische Prinzip des einzigen, vorgegebenen Bestimmungsgrundes gegenüber dem ‚republikanischen' Prinzip der Verbindung des Gegensätzlichen zur sich selbst ‚organisierenden' Ganzheit noch das Hauptgewicht erhält.
Demgegenüber wendet sich Hölderlin gegen alle ‚Monarchie'. Damit erhebt er die Forderung, daß es in keinem Bereich die absolute Herrschaft eines Einzelprinzips geben dürfte, schon weil der Mensch „in seiner eigensten, freiesten Thätigkeit, im unabhängigen Denken selbst von fremdem Einfluß abhängt". So ist die sich selbst bestimmende Vernunft, ja im strengen Sinne überhaupt jede ‚Herrschaft', ein Unding: „Es ist auch gut, und sogar die erste Bedingung alles Lebens und aller Organisation, daß keine Kraft monarchisch ist im Himmel und auf Erden. Die absolute Monarchie hebt sich überall selbst auf, denn sie ist objectlos; es hat auch im strengen Sinne niemals eine gegeben. Alles greift ineinander und leidet, so wie es thätig ist, so auch der reinste Gedanke des Menschen, und in aller Schärfe genommen, ist eine apriorische, von aller Erfahrung durchaus unabhängige Philosophie [. . .] so gut ein Unding, als eine positive Offenbarung."[31]
Es ist klar, daß Hölderlin hier vieles ineinander sieht: die (politische) Monarchie, die absolute Philosophie (er denkt an Fichte) und die Offenbarungsreligion. Wie Schlegel seinerseits drei verwandte ‚Tendenzen' der Zeit zu erkennen meint, so scheint sich Hölderlin hier gegen ent-

sprechende ‚unzeitgemäße' Tendenzen zu wenden, nämlich gegen die Vorherrschaft des monarchischen Prinzips. Die verheißene ‚republikanische' Erneuerung soll auch die verschiedensten Gebiete miteinander verbinden, soll „alles Menschliche an uns und andern in immer freiern und innigern Zusammenhang bringen, es sie in bildlicher Darstellung oder in wirklicher Welt"[32].
Diese Verbindung von „bildlicher Darstellung" und „wirklicher Welt" beruht offenbar auf der Voraussetzung, daß der Dichter, „der die Welt im verringerten Maasstab darstellt", eben an „vaterländische Vorstellungsarten" gebunden ist, die von ihm „nicht verändert werden"[33] dürfen. So läßt sich Hölderlin noch in den Anmerkungen zu seiner ‚Antigone'-Übersetzung aus, wo er übrigens gerade für das Durchwalten des – zugleich politischen und dichterischen – ‚republikanischen' Prinzips ein interessantes Beispiel bringt. Ja, er scheint in dem Trauerspiel des Sophokles eine Vorzeichnung der Revolutionsproblematik herausgefühlt zu haben. Die „Art des Hergangs" sei nämlich „die bei einem Aufruhr", wo das „Gegenförmliche" – das Chaotische, Ungeformte – sich am allzu „Förmlichen" – an der erstarrten Ordnung – entzündet[34]. Die als gefühllos empfundene Starrheit Kreons ruft den Widerstand Antigones hervor, die das Gesetz des Staates zugunsten der „ungeschriebenen göttlichen Geseze"[35] mißachtet. Es heißt nun weiter: Die dadurch sich bildende „Vernunftform" sei „politisch, und zwar republikanisch, weil zwischen Kreon und Antigonä, förmlichem und gegenförmlichem, das Gleichgewicht zu gleich gehalten ist"; das zeige sich besonders am Ende, „wo Kreon von seinen Knechten fast gemißhandelt wird"[36]. Hieraus ergibt sich Hölderlins Verständnis des Republikanischen als eines „Gleichgewichts zu gleich". Die Vermutung liegt nahe, daß sich ihm dieses ‚republikanische' Motiv gerade wegen der Parallele zur eigenen geschichtlichen Situation aufgedrängt haben mag; denn auch dem Dichter seiner eigenen Zeit weist er – der Bindung von dichterischen „Vorstellungsarten" an das vaterländische „Schicksal" gemäß – die gegenwärtige Zeitenwende als wesentlichen Bezugspunkt seines Dichtens zu.
Aber diese scheinbare Gleichsetzung von politisch-historischer und dichterischer Gesetzlichkeit muß eingeschränkt werden, wenn die Frage beantwortet werden soll, warum gerade der Dichtung, und nicht etwa dem politischen Handeln an sich, ein so wesentlicher Bezug zur revolutionär verlaufenden Zeitenwende zugesprochen wird. Zu einer solchen Einschränkung bietet der Roman ‚Hyperion' eine Handhabe. Der Haupt-

gestalt Hyperion steht nämlich in Alabanda ein von der Revolution geprägter Geist gegenüber, der die Welt „von allem Fluche" reinigen und eigene, „kolossalische"[37] Entwürfe verwirklichen will. Im schonungslosen Aufräumen mit allem Überlieferten, in der Kindheit und Kraft seines Wollens, ist er offenbar als radikaler Erneuerer gedacht, der eine träge Welt aus den Angeln heben möchte: Er hat seine „Lust an der Zukunft", er will alle „Knechte und Barbaren" zur Seite fegen, die dem „Siegeslauf der Menschheit" im Wege stehen"[38]. Was für ihn gilt, gilt in noch höherem Maße für die anderen Mitglieder des Nemesis-Bundes. Diese merkwürdig kalten und gefühllosen, durch „Herzenshärte"[39] auffallenden Menschen haben sich so rücksichtslos der zukünftigen Erneuerung verpflichtet, daß sie menschlicheren Regungen weitgehend abgestorben zu sein und alle Natürlichkeit zu vergewaltigen scheinen. So heißt es von einem aus diesem Bunde: „Die Stille seiner Züge war die Stille eines Schlachtfelds. Grimm und Liebe hatt' in diesem Menschen gerast, und der Verstand leuchtete über den Trümmern des Gemüths, wie das Auge eines Habichts, der auf zerstörten Pallästen sizt."[40]

Hierdurch wird die Stärke und auch das Dilemma des Revolutionärs getroffen, der sich vorbehaltlos für eine Sache einsetzt, von der er doch weiß, daß sie ihm selber keine Vollendung, keine Erfüllung eintragen kann – der sich also der hybriden Vorzeitigkeit, des Selbstaufopferungsmoments des eigenen Wollens bewußt ist: „Nicht, daß wir erndten möchten [. . .]; uns kömmt der Lohn zu spät; uns reift die Erndte nicht mehr."[41]

Diese revolutionäre Einseitigkeit, diese Bereitschaft, um der Zukunft willen den Untergang des Bestehenden in Kauf zu nehmen, wird nun im Zusammenhang des Romans weitgehend relativiert. Das zeigt sich zunächst darin, daß Hyperion und Alabanda sich überwerfen, wobei gerade die Auseinandersetzung um den Staat den Anlaß zu ihrem Zerwürfnis abgibt. Hyperion wirft dem tatfreudigen Waffengefährten vor, er räume dem Staat „denn doch zu viel Gewalt ein", der „erzwingen" wolle, was sich seinem Wesen nach nicht erzwingen lasse: „Beim Himmel! der weiß nicht, was er sündigt, der den Staat zur Sittenschule machen will. Immerhin hat das den Staat zur Hölle gemacht, daß ihn der Mensch zu seinem Himmel machen wollte."[42]

Demgegenüber beruft sich Hyperion auf den „Regen vom Himmel", die „Begeisterung", die allein den „Frühling der Völker" wiederzubringen vermöge; er vertraue auf die „Lieblingin der Zeit, die jüngste, schönste Tochter der Zeit, die neue Kirche", die aus „diesen beflekten veralteten Formen" hervorgehen werde, von der er aber auch selber nicht anzugeben wisse, wann sie kommen werde: „Ich kann sie nicht verkünden, denn ich ahne sie kaum, aber sie kömmt gewiß, gewiß."[43] Wohl deswegen, weil hier die gegensätzlichen Standpunkte so scharf aufeinanderprallen und weil ja weitgehend Hölderlin selbst durch den Mund seines Hyperion spricht, hat man öfters versucht, diese Äußerung Hyperions als gültige Stellungnahme Hölderlins auszugeben – wo sie in Wahrheit nicht einmal für den reifen Hyperion gilt, geschweige denn für den auf seine Romangestalt reflektierenden Dichter. Auch andere Aussagen Hyperions verleiten zu einer solchen Mißdeutung, und zwar gerade solche, wo er noch am weitesten entfernt ist von seinem Ziel der „Auflösung der Dissonanzen"[44]; so scheint er sich einmal von der Welt abkehren zu wollen zugunsten der stillen Freuden der Liebe: „Was kümmert mich der Schiffbruch der Welt, ich weiß von nichts, als meiner seeligen Insel."[45] Es ist – wie gesagt – verfehlt, eine solche Aussage zu verabsolutieren, da es sich hier nämlich um die vorläufige Konkretisierung eines Entwicklungsprozesses handelt, dessen ganzer Sinn es ist, über den schroffen Gegensatz von Staat und „unsichtbarer Kirche", von unversöhnbarer Welt und allen Zwiespalt überfliegender Begeisterung hinauszukommen. Denn Hyperion lernt durchaus einsehen, daß seine Begeisterung sich verflüchtigt, wenn sie sich nicht durch Einwirkung auf andere Menschen, durch Umgestaltung menschlicher Lebensformen, einen gewissen Bestand sichert. Der am Anfang so schroff erscheinende Gegensatz wird vor allem im Hinblick auf die Idee der „Schönheit" vermittelt, deren Wesensprinzip des „Einen in sich selber unterschiednen"[46] es ihr ermöglicht, sich im Wandel des geschichtlichen Lebens zu realisieren: Denn zur in sich unterschiedenen Einigkeit gehört die Selbstentäußerung im Entgegengesetzten, die Schönheit ist göttlich und menschlich zugleich. So erscheint die angestrebte Regenerierung nicht nur als gewaltsame Neugründung, sondern auch und zugleich als Entfaltung der ‚Schönheit', als geschichtliche Realisierung einer im Göttlichen gründenden Einigkeit.

Im Zeichen dieser Versöhnung finden Hyperion und Alabanda wieder zueinander: Hyperion ist doch dazu bereit, das passive Abwarten aufzugeben und am griechischen Befreiungskrieg teilzunehmen. Damit ist aber auch bedingt, daß der Versuch, einer in diesem Sinne überpolitischen Situation mit politischen Mitteln beizukommen, fehlschlagen muß. Das will Hyperion im ersten Anflug der Begeisterung doch nicht wahrhaben: Er meint, die Krieger – sogar die „rohe Natur" des „Bergvolkes“[47] – nach seinem Bild der Schönheit umformen zu können, er verkennt die im kriegerischen Handeln angelegte Eigenmacht, die der angestrebten Harmonie letzten Endes abträglich ist. Hyperion muß zusehen, wie seine Leute sich aufs Rauben und Plündern verlegen, er muß sich mit der Unmöglichkeit abgeben, „durch eine Räuberbande“ sein „Elysium“ zu pflanzen[48]. Hier ist grundsätzlich auch die Französische Revolution in ihrer historischen, den eigenen Idealen untreu werdenden Entwicklung getroffen: Sie wird von Hölderlin als Versuch verstanden, mit untauglichen Mitteln eine nicht politisch zu meisternde Krise zu bewältigen.

Hieraus ergibt sich für unser Thema, daß das politische Moment eingeordnet wird in einen Zusammenhang, der nicht mehr im Wollen und Streben des Menschen zentriert ist; es geht nicht mehr um die Durchsetzung eines politischen Entwurfs, um die Gründung einer republikanischen Staatsform, sondern vielmehr um einen übergreifenden Entwicklungsprozeß, durch welchen der Mensch an der Entfaltung des in der Schönheit verkörperten „Einen in sich selber unterschiednen“ teilnimmt. Der Revolutionsgedanke wird also nicht einfach übernommen (Hölderlin war ja kein Jakobiner), auch nicht einfach abgelehnt (Hölderlin war ja kein Gegner der Französischen Revolution), sondern seiner Einmaligkeit entkleidet und als Ausprägung eines allgemeineren Entwicklungsprozesses verstanden. Daraus spricht nicht nur die Enttäuschung gegenüber dem Verlauf der Französischen Revolution, sondern zugleich der Versuch, auch der verfehlten Entwicklung einen Sinn abzugewinnen, der über die gegenwärtige Krise hinausführen könnte.

Diese Relativierung der Revolution wiederholt sich in Hölderlins Verhältnis zur idealistischen Philosophie, namentlich zur Philosophie Fichtes. Die Anteilnahme an der Revolution steht in einem gewissen Verhältnis zur zeitweiligen Begeisterung für die Philosophie Fichtes, von dem Hölderlin 1794 berichtete, er sei die „Seele von Jena“[49]. Die Distanzierung von Fichte erfolgt erst nach und nach. Schon früh nimmt Hölderlin an Fichtes Vorstellung des absoluten Ich Anstoß, und zwar noch in Waltershausen – also noch im Jahre 1794 –, wenn man dem Brief an Hegel vom 26. Januar 1795 folgt. Dort berichtet Hölderlin über Fichtes Philosophie und das eigene Verhältnis zu dieser: Fichtes „absolutes Ich“ wird mir „Spinozas Substanz“ gleichgesetzt, insofern es „alle Realität“ enthalte, also nichts außer sich habe; aber ein „Bewußtseyn ohne Object ist [. . .] nicht denkbar“, folglich ist das absolute Ich „(für sich) Nichts“[50]. Die Haltbarkeit von Fichtes Vorstellung des absoluten Ich wird also angezweifelt, weil ein solches Ich kein Bewußtsein seiner selbst haben könne, welches Bewußtsein gerade das Wesen aller Ichhaftigkeit ausmache. (Vor dem Ausdruck ‚absolutes Ich' scheut sich Hölderlin auch an anderer Stelle: so spricht er in einem Brief an Schiller vom „absoluten – Ich oder wie man es nennen will"[51].) Im genannten Brief an Hegel verlegt Hölderlin die Konzipierung dieses kritischen Einwands in die Waltershausener Zeit zurück („so schrieb ich noch in Waltershausen"), aber auch wenn man vorsichtshalber davon ausginge, daß Hölderlin hier im wesentlichen seinen gegenwärtigen, nicht seinen früheren Standpunkt wiedergebe, so liegt auch der Brief an Hegel noch früh genug, um deutlich zu machen, daß die kritische Auseinandersetzung mit Fichte schon in Jena – wo Hölderlin sich bis zum Mai 1795 aufhielt – einsetzte. Das geht mit hinlänglicher Deutlichkeit aus den seit jeher vorhandenen Zeugnissen hervor. Die vor kurzem aufgestellte Behauptung, dies sei eine neue und überraschende Erkenntnis, die erst aus den 1961 veröffentlichten Fragmenten ‚Urteil' und ‚Seyn' gewonnen werden könne, dürfte kaum stichhaltig sein[52].

Vor allem läßt sich die Auseinandersetzung mit Fichte und die Klärung eines eigenen Standpunkts an dem werdenden Roman ‚Hyperion' veranschaulichen – auch wenn es Hölderlin offenbar viel Mühe kostete, sich der Faszination der Fichteschen Gedankengänge zu erwehren und seinen abweichenden Standpunkt vor sich selbst überzeugend zu begründen. Die noch in Jena entstandenen Fassungen des ‚Hyperion' – die Metrische Fassung und die Rahmenerzählung ‚Hyperions Jugend' – stellen den Versuch dar, die Kluft, die ihn von Fichte trennte und die er schon von vornherein instinktiv erkannte, doch noch zu überbrücken, und zwar mit den Mitteln der Fichteschen Philosophie selbst. Daß dieser Versuch trotzdem mißlang, geht schon aus der Entschiedenheit hervor, mit der Hölderlin sich anschließend der neuen Auffassung der ‚Schönheit' zuwendet: die scheinbare Annäherung an Fichte hat letzten Endes das Ergebnis, Hölderlin über den Umweg der Selbstentfremdung – des Selbstverlusts an die „Luftgeister mit den metaphysischen Flügeln"[53] – die Befestigung des eigenen, im wesentlichen von Fichte abweichenden Standpunkts zu ermöglichen.

Hölderlin setzt auch hier an dem Punkt ein, wo das Zustandekommen des – seinem Wesen nach endlichen – Bewußtseins erklärt werden muß. Er setzt sich von der Vorstellung eines absoluten Geistes mit den gleichen Argumenten ab, die schon im Brief an Hegel anklangen: Der „Geist" muß von einem „Widerstande" beschränkt werden, um sich

„fühlen" zu können. Der Mensch fühlt die „Schranken seines Wesens" und strebt dem „Reichtum" der ihn umgebenden Welt nach; aber weil er eigentlich den gesuchten Reichtum in sich selbst, „tief im Innersten" bewahrt, wird die „Schönheit", die ihm entgegenzukommen scheint, in Wahrheit von ihm selbst in die Welt projiziert als Mittel zu seiner Selbsterkenntnis: Die „freudigen Gestalten" sind von der „Phantasie" erschaffen, die „dem Geistigen" im Menschen ein „Zeichen" gegenübersetzt, an dem sich dieser „fühlen" soll[54]. Solche Gedankengänge gehen offenbar von der Voraussetzung aus, daß die Konstituierung des Bewußtseins eben einer ihr immanenten Gesetzlichkeit folgt; das von Schlegel herausgestellte ‚revolutionäre' Prinzip der ‚Schöpfung aus Nichts' prägt sich auch hier aus.
Es fragt sich nun, in welcher Weise Hölderlin dieses Prinzip relativieren will. Er gelangt zu einem neuen Verständnis der ‚Schönheit', das sich wohl bald nach dem Weggang von Jena, nämlich im Sommer 1795 kristallisiert und in der Vorrede zur vorletzten Fassung des ‚Hyperion' seinen ersten deutlichen Niederschlag fand. Hölderlin orientiert sich hier nicht mehr an dem nach eigener Gesetzlichkeit sich konstituierenden Bewußtsein, sondern an der „seelischen Einigkeit", dem „Seyn, im einzigen Sinne des Worts"; diese Einigkeit ist „für uns verloren", wie sie verloren sein muß, sobald der reflektierende, ‚exzentrisch' strebende Mensch sie „erstreben, erringen" will. Die so negierte Einigkeit offenbart sich aber in anderer Weise, nämlich in der ‚Schönheit', in welcher „jene unendliche Vereinigung, jenes Seyn, im einzigen Sinne des Worts"[55] vorhanden ist. Die endgültige Fassung des Romans bestätigt diesen Neuansatz und führt ihn weiter aus. Das exzentrische Streben, das jede Einigkeit aufhebt und in die „Nacht des Unbekannten, in die kalte Fremde irgend einer andern Welt"[56] stürzt, wird ständig ‚zurechtgewiesen', und zwar einmal durch die bewußtseinstranszendierende Natur, aber auch durch die Gegenwart der Schönheit, wie sie sich vor allem in Diotima offenbart. Die sich im Laufe des Romans entwickelnde Gestalt des Bewußtseins ist also nicht mehr von Fichte her zu verstehen, sondern Hyperion wird schließlich als „Priester [...] der göttlichen Natur"[57] betrachtet, der zur „seeligen Einigkeit" alles Seienden in einem komplexen Zuordnungs- und Unterordnungsverhältnis steht.
Hierin ist eine ähnliche Antwort auf die von der Revolution hervorgerufene Situation beschlossen, wie sie in der schon besprochenen Distanzierung Hölderlins von der in sich selbst zentrierten politischen

Tätigkeit vorliegt. Die Neuorientierung läßt sich in zwei Punkten zusammenfassen: Einmal wird die den Charakter der Zeit bestimmende Umwälzung nicht so sehr als eigenmächtige Neugründung, sondern vielmehr als Ausprägung eines geschichtlichen Übergangs überhaupt angesehen, der als „vaterländiche Umkehr", als „Umkehr aller Vorstellungsarten und Formen"[58] sich grundsätzlich politischen Kategorien entzieht. Damit hängt nun auch zusammen, daß die Schlegelsche Vorstellung einer revolutionären ‚Schöpfung aus Nichts' in wesentlicher Hinsicht modifiziert wird, weil die in der geschichtlichen Kontinuität aufgerissene ‚Zäsur' eben nicht als Einbruch des ‚Nichts', sondern als fühlbare Gegenwärtigkeit des „Unerschöpften und Unerschöpflichen der Beziehungen und Kräfte"[59], als augenblicklich gegebene Totalität empfunden wird. Ein solcher Augenblick bestimmt nach Hölderlins Vorstellung das Wesen des Übergangs zwischen historischen Epochen überhaupt, der in der Französischen Revolution nur eine für den Zeitgenossen besonders eindringliche Präsenz erlangt.
Die Gesetzlichkeit des historischen Übergangs legt Hölderlin in seinem Aufsatz ‚Das Werden im Vergehen' dar, dessen zentralen Gedankengang wir kurz zusammenfassen. Der Untergang der einzelnen Gestalt des ‚Vaterlands' kann in isolierender Unmittelbarkeit, aber auch im Hinblick auf die sich im Übergang bewahrende geschichtliche Kontinuität gesehen werden. Dem zeitlich gebundenen, an der Einzelgestalt des je und je unvermeidlich Untergehenden haftenden Bewußtsein erscheint die Auflösung des Bestehenden als Zerstörung, als „Schwächung und Tod"[60]; wenn aber jede Phase einer solchen Entwicklung mit dem „Totalgefühl der Auflösung und Herstellung"[61] verflochten ist und demnach nicht isoliert, sondern als Teil eines umfassenden „Übergangs aus Bestehendem ins Bestehende"[62] empfunden wird, so verliert das Moment des ‚Untergangs' den ausschließlich negativen Charakter, den es an sich hat, und wird in einem weiterlaufenden Entwicklungsprozeß aufgehoben. Der Übergang hebt demnach als Ganzes die einzelnen Momente des Untergangs oder des Auflebens in sich auf.
Zu dem so verstandenen Übergang gehört nun genaugenommen eine doppelte Totalität. Wenn die „Welt aller Welten, das Alles in Allen, welches immer *ist*"[63], sich in Zeiten des Übergangs offen manifestiert, so ist mit dem Gefühl der Totalität der Auflösung und Herstellung auch ein subjektives Erfassen des Ganzen gemeint – Hölderlin spricht vom Total*gefühl*, das das Ganze *empfindet*. In der Abhandlung ‚Das Werden im Vergehen' wird schon angedeutet, daß dieses Erfordernis vor allem

von der Sprache erfüllt wird, weil in ihr die vergängliche Gestalt mit dem Bewußtsein des Ganzen vereinigt wird (weil „in [. . .] der Sprache [. . .] von einer Seite weniger oder nichts lebendig Bestehendes, von der anderen Seite alles zu liegen scheint")[64]. Unter der hier genannten Sprache ist vor allem die eigene Sprache des Dichters zu verstehen, der bei der Gewinnung seiner Sprache „von nichts positivem" ausgeht, dem „alles [. . .] wie zum erstenmale, [. . .] in lauter Stoff und Leben aufgelöst, [. . .] gegenwärtig"[65] ist, der also im Übergehenden die Möglichkeit aller Beziehungen erfaßt und in seiner schöpferischen Tätigkeit von diesem Bewußtsein des Ganzen geleitet wird. Entsprechend wird im ‚Grund zum Empedokles' die besondere Auszeichnung des Dichters bestimmt: dieser hat „in seiner subjectiven thätigern Natur schon jene ungewöhnliche Tendenz zur Allgemeinheit [. . .], die [. . .] zu jener ruhigen Betrachtung, zu jener Vollständigkeit und durchgängiger Bestimmtheit des Bewußtseyns wird, womit der Dichter auf ein *Ganzes* blikt"[66]. Ein solches Bewußtsein äußert sich in der Sprache, also nicht abstrakt, sondern in der besonderen, an und für sich vergänglichen Gestalt des Wortes, das aus dem Bewußtsein des sich in der Ganzheit des Lebens wiederfindenden poetischen Geistes hervorgeht, also weder (unvermitteltes) „Genie" noch (reflektierte) „Kunst"[67], sondern beides zugleich ist, und zwar in einer einmaligen, immer wieder neu und anders hervorzubringenden Verbindung, die sowohl der Geschichtlichkeit der einzelnen Gestalt als auch der Übergeschichtlichkeit des präsent werdenden „Alles in Allen" gerecht wird.
Schon im Roman ‚Hyperion' schält sich – nach dem Scheitern der unmittelbar von der Französischen Revolution ausgehenden Bestrebungen – die Zuwendung zur Dichtung als abschließende Entwicklungsstufe Hyperions heraus. Auch hier liegt die schon genannte Verbindung von Leere und Fülle, von ‚Zäsur' und Allgegenwart vor. Hyperion verliert nämlich sowohl den Freund Alabanda, der die autonom sein wollende Tätigkeit des Revolutionärs verkörpert, als auch die Geliebte Diotima, in der die Schönheit eine nie verlierbare Gegenwärtigkeit erlangt, aber er überwindet die Versuchung, der „Gestalt des irren Herzens"[68] zu folgen und sich der Trauer um das Untergangene hinzugeben, er erkennt in richtiger Vorahnung des dichterischen Totalgefühls die Zugehörigkeit des Untergangs, des Todes zum Ganzen an. Mit anderen Worten: Das Ineinander von Untergang des Einzelnen und Gegenwart des Ganzen wird schon von Hyperion erkannt und wird zur Grundlage seines werdenden Dichtertums.

Die später entwickelte Theorie des Dichtens trägt diesem Gedanken Rechnung. Hölderlin arbeitet – etwa in der Abhandlung ,Über die Verfahrungsweise des poetischen Geistes' – die ,Mächtigkeit' des Bewußtseins heraus, die es dem Dichter ermöglicht, die vielfältigen Beziehungen von ,Geist' und ,Stoff' so zu gestalten, daß der ,isolierte' Stoff „diejenige Ausbildung" erhält, „wodurch er in seiner reinsten und besten eigenthümlichen Beziehung zum Ganzen erscheint"[69]. Die Lehre vom ,Wechsel der Töne' stellt unter anderem den Versuch dar, das dichterische Verfahren in diesem Sinne zu systematisieren. Hölderlin erkennt dem ,Stoff' einen eigenen Charakter und eine eigene Richtung zu, die der „poetischen Beschränkung widerstrebt"[70]. Daraus folgt, daß der ,poetische Geist' sich den ,Stoff' nicht etwa unterschiedslos unterordnet, sondern sich auf ihn einstellt und sich von ihm mitbestimmen läßt. Mit anderen Worten: Der dichterischen Sprache ist es vorbehalten, das Bewußtsein von der unendlichen Fülle, vom „Unerschöpften und Unerschöpflichen der Beziehungen und Kräfte"[71] mit der Partikularität des historisch Gegebenen zu verbinden. Die „bildliche Darstellung" nimmt demnach als einzelne Vergegenwärtigung einer unendlichen Ganzheit jene Einigkeit vorweg, zu der es in „wirklicher Welt"[72] noch nicht gekommen ist: sie verkörpert somit jenes „Gleichgewicht zu gleich"[73], an dem es in der politischen Wirklichkeit noch fehlt. Die Dichtkunst hat also nach Hölderins Vorstellung gleichsam eine republikanische Verfassung – darin zeichnet sie sich vor jeder anderen Ausprägung des revolutionären Geistes aus.

Bei der Gewinnung eines solchen Verhältnisses zur Französischen Revolution stand Hölderlin in seiner Zeit nicht allein. Insbesondere zwischen Hölderlin und Novalis bestehen in dieser Hinsicht manche Berührungspunkte. Auch Novalis erkannte in der Revolution die Gefahr, daß der Impuls zur Erneuerung sich verfestigen könnte, was dazu führen würde, daß die Revolution „die französische" bleiben würde, wie seinerzeit die Reformation „die lutherische" geblieben sei. Auch ihm kam es darauf an, den Blick auf die immer wieder zu vergegenwärtigende Totalität der Möglichkeiten festzuhalten; und auch für ihn soll eine „gewaltige Ahndung der schöpferischen Willkür, der Grenzenlosigkeit, der unendlichen Mannigfaltigkeit, der heiligen Eigentümlichkeit und der Allfähigkeit der inneren Menschheit" nur dadurch zustande kommen, daß man von dem „törichten Bestreben" abläßt, „die Geschichte und die Menschheit zu modeln" – statt dessen habe man der Geschichte „nachzugehn, von ihr zu lernen, mit ihr gleichen Schritt zu halten, gläubig ihren Verheißungen und Winken zu folgen“ [74]. Auch für Novalis soll ferner die ‚Poesie', die „wie ein geschmücktes Indien den kalten, toten Spitzbergen“ des „Stubenverbandes“ [75] gegenübersteht, mit das Organ eines solchen Verständnisses werden. In dieser Einschätzung der Poesie als Vergegenwärtigung einer umfassenden Ganzheit, aber auch in dem Bestreben, alle „Kristallisationen des historischen Stoffes“ [76] gleichsam wieder aufzulösen und in den Fluß der Geschichte einzugliedern, zeigt sich eine weitgehende Verwandtschaft zwischen Hölderlin und Novalis [77], die übrigens bei der Bestimmung von Hölderlins Stellung im Zusammenhang der literarischen Richtungen seiner Zeit nicht gut außer acht gelassen werden kann. Mit dieser Einordnung der Revolution in eine bei aller Radikalität der gegenwärtigen Umwälzung sich doch in ihrer Kontinuierlichkeit wiederherstellende geschichtliche Entwicklung hängt nun auch zusammen, daß die Revolution nicht mehr als Versuch einer Selbstbestimmung des politischen Menschen, als eigenmächtiger Entwurf verstanden wird, sondern als Wendepunkt in einem historischen Prozeß, dessen übergreifender Gesetzlichkeit der sich neu bestimmen wollende Mensch sich nun eben unterzuordnen hat.

Aus diesen Gründen scheint uns die Frage: Hölderlin und die Französische Revolution etwas komplizierter, als sie in mancher Untersuchung aussieht. Einfach vom politischen Geschehen Kategorien abzuziehen (Hölderlin als Jakobiner), ist methodisch bedenklich, eben weil Hölderlin damit nicht an der Revolution als geistig-sozialer Gesamterscheinung, sondern an deren politischer Erscheinungsform im engeren Sinne gemessen wird: Das Schwanken, das dann in seinem Verhalten festgestellt wird, fällt eher der Unangemessenheit der Kategorien zur Last. Wenn man davon ausgeht, daß der Begriff der Französischen Revolution nur den gemeinsamen Nenner darstellt, auf die die wesentlichen ‚Tendenzen' des Zeitalters am bequemsten zu bringen sind, dann gehört Hölderlins Dichtung noch zu den mittelbaren Erscheinungsformen der Revolution, sie ist nicht so sehr auf ihre ausdrückliche Stellungnahme zur Revolution abzufragen als vielmehr in die geistige Erneuerungsbewegung der Revolution selbst einzuordnen. In diesem Sinne läßt sich Hölderlins vermittelnde Weiterführung des revolutionären Umbruchs wohl am besten verstehen: nämlich als Versuch, den von Friedrich Schlegel so genannten ‚Tendenzen' des Zeitalters eine nicht mehr nur ‚Tendenz' zu nennende Ausrichtung abzugewinnen, die den Übergang ‚aus Bestehendem ins Bestehende' ermöglichen möge.

Anmerkungen

[1] Athenäums-Fragmente 216.
[2] Georg Lukács, Hölderlins ‚Hyperion', in: Lukács, Goethe und seine Zeit, 1947, S. 110–126 (Zitat S. 116).
[3] Ebd. S. 125.
[4] Hölderlin unter den Deutschen, in: Minder, Dichter in der Gesellschaft. Erfahrungen mit deutscher und französischer Literatur, 1966, S. 63–83 (Zitat S. 72).
[5] Lukács, Hölderlins ‚Hyperion', S. 123—124.
[6] P. B. Shelley, Defence of Poetry, ed. John E. Jordan, 1965, S. 80 („unacknowledged legislators of the world").
[7] Hölderlin, Sämtliche Werke (Große Stuttgarter Ausgabe), hrsg. von Friedrich Beißner, 1943–1961, 1, S. 141 (‚Hymne an die Freiheit'). Es wird auch im folgenden mit Band- und Seitenzahl nach der Großen Stuttgarter Ausgabe zitiert.
[8] Ebd.
[9] Ebd. 2, S. 40.
[10] Ebd. 1, S. 239 (Buonaparte).
[11] Ebd. 6, S. 374 (Brief 199).
[12] Ebd. 2, S. 47 (Dichterberuf).
[13] Friedrich Schlegel, Jugendschriften, hrsg. von J. Minor, 2, S. 389–390 (Über die Unverständlichkeit). Zu Schlegels Verständnis der Revolution vergleiche man: Karl Konrad Polheim, Die Arabeske. Ansichten und Ideen zu Friedrich Schlegels Poetik, 1966, S. 95–103.
[14] Philosophische Lehrjahre 4, 790.
[15] Athenäums-Fragmente 424.
[16] Ms VI 14r (zitiert nach Polheim, S. 99).
[17] Philosophische Lehrjahre 4, 1471.
[18] Ms VI 14r.
[19] Jugendschriften 2, S. 170.
[20] Philosophische Lehrjahre 2, 662.
[21] StA 4, S. 285 (Das Werden im Vergehen).
[22] Vgl. G. W. F. Hegel, Phänomenologie des Geistes. Abschnitt: Die absolute Freiheit und der Schrecken.
[23] StA 6, S. 229 (Brief vom 10. Jan. 1797 [Nr. 132]).
[24] Ebd. 6, S. 113 (Brief 77).
[25] Walter Müller-Seidel, Kleists Weg zur Dichtung, in: Die deutsche Romantik. Poetik, Formen, Motive, hrsg. von Hans Steffen, 1967, S. 115.
[26] Brief an den Herzog von Augustenberg vom 13. 7. 1793, in: Schillers Briefe, hrsg. von Fritz Jonas, 1892, 2, S. 332.
[27] Ebd.
[28] Über die ästhetische Erziehung des Menschen, 21. Brief.
[29] Ebd.
[30] Brief an den Herzog von Augustenberg vom 13. 7. 1793, S. 332.
[31] StA 6, S. 300–301 (Brief 171).
[32] StA 6, S. 307 (Brief 172).
[33] Anmerkungen zur Antigonae, StA 5, S. 272.
[34] Ebd. S. 271–272.
[35] Über Religion StA 4, S. 276 (auch hier mit Bezug auf Antigone).

[36] StA 5, S. 272.
[37] Hyperion I, S. 45.
[38] Ebd. I, S. 48.
[39] Ebd. I, S. 56.
[40] Ebd. I, S. 55–56.
[41] Ebd. I, S. 57.
[42] Ebd. I, S. 53.
[43] Ebd. I, S. 54.
[44] Ebd. I, S. 3 (Vorrede).
[45] Ebd. I, S. 156.
[46] Ebd. I, S. 145.
[47] Ebd. II, S. 23.
[48] Ebd. II, S. 45.
[49] StA 6, S. 139 (Brief 89).
[50] StA 6, S. 155 (Brief 94).
[51] StA 6, S. 181 (Brief 104).
[52] Vgl. Dieter Henrich, Hölderlin über Urteil und Sein, in: Hölderlin-Jahrbuch 14 (1965/66), S. 73–96. Henrich scheint die Ergebnisse der bisherigen Forschung zum Einfluß Fichtes auf den werdenden Roman ‚Hyperion' insofern mißzuverstehen, als er ihr die Auffassung von einer „stetigen Annäherung an Fichte" (S. 80) unterstellt, wo doch in Wirklichkeit schon längst deutlich geworden ist, daß gerade das ‚Fichtisieren' Hölderlins im Grunde genommen das für die weitere Arbeit an dem Roman wesentliche Ergebnnis hat, den Hölderlin selbst am Anfang vielleicht nicht ganz deutlich gewordenen Gegensatz zu Fichte in ein klareres Licht zu rücken. Vgl. hierzu Lawrence Ryan, Hölderlins ‚Hyperion'. Exzentrische Bahn und Dichterberuf, 1965, S. 33–57.
[53] StA 6, S. 222 (Brief 128).
[54] StA 3, S. 201–205 (Hyperions Jugend, erstes Kapitel).
[55] StA 3, S. 326–327.
[56] Hyperion I, S. 25.
[57] Ebd. II, S. 104.
[58] StA 5, S. 271 (Anmerkungen zur Antigonae).
[59] StA 4, S. 282.
[60] StA 4, S. 286.
[61] StA 4, S. 284.
[62] StA 4, S. 285.
[63] StA 4, S. 282.
[64] StA 4, S. 282.
[65] StA 4, S. 262 (Über die Verfahrungsweise des poëtischen Geistes).
[66] StA 4, S. 156.
[67] StA 4, S. 251.
[68] Hyperion I, S. 67.
[69] Über Siegfried Schmids Schauspiel ‚Die Heroine', StA 4, S. 289.
[70] StA 4, S. 245.
[71] StA 4, S. 282.
[72] StA 6, S. 307.
[73] StA 5, S. 272.
[74] ‚Europa', zitiert nach der von E. Wasmuth besorgten Ausgabe: Die Dichtungen, S. 296.
[75] Ebd. S. 297.
[76] Ebd.
[77] Zu Novalis vergleiche man Wilfried Malsch, Europa. Poetische Rede des Novalis. Deutung der Französischen Revolution und Reflexion auf die Poesie in der Geschichte, 1965.

Kurt Wölfel

ZUM BILD DER FRANZÖSISCHEN REVOLUTION IM WERK JEAN PAULS

I.

Das dem Vortragenden gestellte Thema: Jean Paul und die Französische Revolution, scheint klar, eindeutig und selbstverständlich zu sein. Es fragt nach dem Verhältinis eines Autors der klassischen deutschen Literaturperiode zu einem politischen Geschehen, das in den Jahren abläuft, in denen dieser Autor die ersten Werke schreibt, mit denen er berühmt wird. Die Frage nach diesem Verhältnis für relevant halten zu dürfen, ergibt sich zunächst daraus, daß jenes politische Geschehen von so überragender Bedeutung ist, daß man sagen kann, es sei eigentlich die Eröffnung eines weltgeschichtlichen Alters, dem wir selbst noch zugehören, des Zeitalters bürgerlicher Ordnung und Herrschaft in Europa und anderswo. Wie sollte, wie könnte ein solches Geschehen ohne die tiefste Einwirkung auf einen zeitgenössischen Schriftsteller und sein Werk bleiben?

Indem wir aber sein *Werk* ins Spiel bringen, verliert das Thema seine Harmlosigkeit. Ginge es nur darum festzuhalten, welche Meinungen, Ansichten, Gesinnungen der Schriftsteller Jean Paul als politischer Beobachter oder gar Denker gelegentlich der Französischen Revolution äußerte, dann wäre das Thema unter literarwissenschaftlichem Aspekt betrachtet relativ unproblematisch, freilich auch eng. Weiter, und zugleich problematisch, wird es erst dadurch, daß es nach der Rolle fragt, die die Französische Revolution *für* das poetische Werk und *im* poetischen Werk Jean Pauls spielt. Dadurch nämlich treten Momente zutage, deren Erörterung und Klärung jenseits der Ebene bloß pragmatischer Behandlung eines spezielle Information erfordernden Themas erfolgen muß. So geht zum einen die Frage nach der Rolle jener Revolution *für* das Werk des Dichters weit über die Frage hinaus, wie sich denn das materiale Erscheinen der Revolution innerhalb dieses Werkes darstelle; dieses Werk selbst als Ganzes, unabhängig von den je besonderen materialen Inhalten, die in ihm erscheinen, steht dann nämlich unter

den Aspekt der Frage, in welchem Umfang und auf welche Weise es zu begreifen ist als Resultat einer Auseinandersetzung zwischen dem Autor und dem historischen Geschehen der Revolution, inwiefern das Werk eine Wirkung ist, die ihren Grund in dem zeitgeschichtlichen Geschehen hat. Um ein Beispiel zu geben: niemand wird behaupten wollen, daß die Französische Revolution im Werk Schillers eine bemerkenswerte Rolle spiele. Wir kennen ja seine absichtsvolle Haltung, die ihn von einem bestimmten Zeitpunkt an gerne vorgeben läßt, es habe diese Revolution weder irgendein besonderes Interesse für ihn, noch wisse er eigentlich irgendetwas Zulängliches über sie. Dennoch ist es unverkennbar, daß die theoretischen und poetischen Werke Schillers aus der Zeit zwischen 1790 und 1805 als Wirkungen und Verarbeitungen der Französischen Revolution verstanden werden müssen, daß ihre Interpretation nur vor dem Hintergrund, ja darüber hinaus: unter dem Horizont des auch Schiller überwältigenden politischen Geschehens erfolgen kann. Methodische Probleme verschiedener, aber gewichtiger Art machen sich dabei dann geltend, und das Thema hat seine Harmlosigkeit verloren.
Komplizierter noch sind die Probleme, die sich dann ergeben, wenn die Frage nach dem Verhältnis Jean Pauls bzw. irgendeines Dichters zur Französischen Revolution in dem Sinne gestellt wird, dem es um die Rolle der Revolution *im* Werk des Dichters geht. In diesem Fall scheint die Fragestellung nämlich vorauszusetzen, daß Politik und Poesie erstens überhaupt, zweitens ohne eine besondere Problematik auszulösen, sich in ein Verhältnis zueinander zu setzen vermögen, d. h. daß jene Politik in diese Poesie als materialer Inhalt – so wie alle anderen Gegenstands- und Lebensbereiche auch und überhaupt – eingehen kann. Nun ist das zwar zweifellos richtig; aber dann stellt sich zugleich die Frage: was passiert dabei? Die Form Poesie, oder spezifischer und auf Jean Paul hin gesprochen: die Form Roman ist ja alles andere als eine, den materialen Inhalten gegenüber, die in diese Form eingehen, *neutrale*, indifferente Form. Damit diese Inhalte, als die inhaltlichen Momente ihrer, d. h. der Form, selbst, integriert werden können, müssen sie einem Verwandlungsprozeß unterworfen werden; sie werden verkürzt, verschoben, erweitert, eingefärbt, umgebogen usw. nach Maßgabe der Forderungen, die einerseits die Form Poesie, andererseits die Form Roman zum Zwecke ihrer eigenen Realisierungsmöglichkeit stellen. Und mit solchen Überlegungen verbindet sich dann die weitere, daß die „Form Poesie“ und die „Form Roman“ keine absoluten, d. h. überhistorischen Größen darstellen, sondern sich auf den je verschiedenen historischen Stand-

orten und Zeitpunkten zu den je verschiedenen materialen Inhalten unterschiedlich verhalten, derart, daß es ein anderes ist, ob im höfischen Roman des 17. Jahrhunderts der Bereich der Politik eine Rolle spielen darf, oder ob der bürgerliche Roman des späten 18. Jahrhunderts versucht, mittels dieses Bereiches die erzählerische Welt, oder doch Teile von ihr, zu konstituieren. Setzen wir überdies innerhalb solcher Überlegungen für die allgemeine Größe: Bereich der Politik, die besondere: Revolution, oder dann gar die historisch spezifische: Französische Revolution ein, dann öffnet sich damit ein so weites Problemfeld, daß der Versuch, dasselbe von der Frage nach dem Verhältnis Jean Pauls zur Französischen Revolution aus zu erforschen, in der Tat dem Verdikt verfallen müßte, da wolle einer das Pferd vom Schwanz her aufzäumen. Wenn dieser Vortrag deshalb bei seinem engeren Gegenstand bleibt, dann soll das in dem Bewußtsein geschehen, daß hinter der Oberfläche der Beschreibungen, Argumente und Erörterungen eine allgemeinere Problematik verharrt, deren Austrag der Vortragende sich für eine andere Gelegenheit vorbehalten muß [1].

II.

Stellen wir also die weitere Frage, wie es denn mit dem Erscheinen des Bereichs der Politik in der schönen Literatur des späteren 18. Jahrhunderts überhaupt aussieht, zurück, bzw. schränken wir sie ein auf den bescheideneren Umfang der Frage, wie es denn um das Auftreten oder Auftauchen politischer Gegenstände und Inhalte im Werk Jean Pauls stehe. Wenn wir unter diesem „Werk" zunächst die Gesamtheit seiner Schriften verstehen, dann kann unsere erste, summarische Antwort lauten: dieser Autor hat in einem bemerkenswert weiten Umfang politisches Bewußtsein. Er schreibt, wenn auch erst später, vor allem in der napoleonischen Zeit, eine ganze Reihe politischer Schriften, und er durchsetzt von Anfang an auch seine erzählerischen Werke mit theoretischen Erörterungen, Aphorismen, Sinnsprüchen, Satiren, witzigen Bemerkungen und Anspielungen über politische Themen und Gegenstände. Nur dort, wo Welt und menschliche Existenz erzählend entworfen werden, einfach gesagt: innerhalb der Geschichten, die er erzählt, nimmt die Welt der Politik einen ganz und gar nebensächlichen Raum ein, ist auf eine höchst reduzierte, kümmerliche Weise da. Das Leben seiner Figuren schränkt sich – jedenfalls dort, wo es „wesentlich"

erscheint – in die privaten, ja darüber hinaus in die intimen zwischenmenschlichen Beziehungen ein. Die politische Welt kommt, wenn sie überhaupt an den Rändern des erzählten Daseins auftaucht, nicht als die Sphäre des Öffentlichen, des allen Gemeinsamen in den Blick, sondern als ein den Inhalten und Interessen der Romanfiguren fremd und abgesondert entgegenstehender Raum, in dem es, statt um Belange allgemeiner Natur, um – meist nur dunkel und undeutlich erscheinende – Sonderinteressen derer geht, die die Macht haben, und derer, die an der Ausübung von Macht beteiligt sind. Das ist eklatant bereits in den beiden ersten Romanen Jean Pauls so, in der „Unsichtbaren Loge“ und im „Hesperus“ – wo übrigens beide Male, freilich ganz verhüllt oder ganz punktuell, revolutionäre Umtriebe ein sporadisches erzählerisches Dasein erhalten; es ist nicht wesentlich anders in dem einen der großen Werke, in dem sich die „Geschichte“ tatsächlich *auch* als eine von politischer Relevanz abspielt, im „Titan“. Wie sieht das aus?
Ein regierendes fürstliches Haus scheint da zu erlöschen, und der benachbarte, verwandte Hof, der sich Hoffnung darauf macht, Land und Thron zu erben, ist bestrebt, dieses Erlöschen nach Kräften zu befördern, nämlich durch die moralische und physische Korruption des einzig noch übrig scheinenden Thronfolgers. Intrigen und Gegenintrigen werden gesponnen, Minen und Gegenminen gelegt, Ehrgeizlinge, Dunkelmänner, ja blanke Schurken agieren versteckt und bedenkenlos, Zynismus markiert das geistige Klima, Niedertracht gehört ins Kalkül, Gemeinstes ist nicht ausgeschlossen. Dabei läuft alles seltsam labyrinthisch ab, und die den einzelnen Aktionen zugrundeliegenden Projekte sind von komplizierter, fast pedantischer Umständlichkeit. Der Verstand, der sie bis ins letzte ausgeklügelt hat, erinnert in seiner Arbeitsweise an die Konstruktion jener geisterhaften, automatischen Gliederpuppen, von denen sich Jean Paul und seine Zeigenossen so merkwürdig haben faszinieren lassen. Insgesamt: was da auf dunklen Kreuz- und Querwegen als Politik betrieben und getrieben wird, erscheint ziemlich irrational, fast etwas irrsinnig; es gleicht jenem zwielichtigen Gemisch aus böser Absicht und dummem Brimborium, das Goethes Mephisto in der Hexenküche belacht und das Faust anwidert.
Es ist Politik, betrieben im Herrschaftsbereich deutscher Doudezfürstentümer zur Zeit der Französischen Revolution, gespiegelt in der Dichtung Jean Pauls. Eine zweifelhafte Sache, weder begreifbar, noch auch nur sichtbar für die regierten Untertanen, die Angelegenheit einer kleinen Schar Eingeweihter, betrieben im Interesse weniger Nutznießer.

Und in seltsamem Kontrast zu der sinistren Dämonie, die der Form dieses politischen Treibens anhaftet, sind die Interessensinhalte, und das heißt die Beweggründe für dieses Treiben, von allersimpelster Natur, nämlich handgreiflich materielle: es geht im Grunde nur um die Verfügungsgewalt über die Macht und um die Partizipation an dieser Macht, die die materielle Ausbeutung des Landes durch den Landesherrn ermöglicht.
Nun sind das freilich alles Momente, die sich nur beiläufig und als stets mehr oder weniger schemenhaft bleibender Hintergrund zeigen; nie rücken sie als das eigentliche Thema des Erzählers in den Blick. Dessen Interesse gilt einem Leben und seinen Inhalten, das zwar inmitten des fragwürdigen politischen Treibens gelebt wird, das aber zugleich nichts damit zu tun hat – obwohl es das Leben der Schlüsselfigur dieses ganzen Treibens ist: Albano, der Romanheld, ist der spätgeborene Sohn des Fürsten, der über seine wahre Abkunft ebenso im Dunkeln ist wie die Welt, und der so den Nachstellungen des benachbarten Hofes entzogen bleibt. Seine Entwicklungs-, ja „Bildungs"geschichte ist das eigentliche Thema des Erzählers, und sie ist die Geschichte eines Menschen von höchster moralischer Integrität und idealer Vollständigkeit humanen Wesens, in Jean Pauls Terminologie ein „hoher Mensch", als solcher Gegenbild und Widerspruch zur höfisch-politischen Welt, der er doch angehört.
Da der „Titan" ein „Zeitroman" ist, liegt die Frage nahe, ob und wie es denn zu einer Vermittlung solcher Welt mit dem gleichzeitigen revolutionären Geschehen in Frankreich komme, in welchem sich den Zeitgenossen in Deutschland politisches *Leben* im eigentlichen Sinn des Wortes darstellen mußte, gegenüber dem politischen Stagnations-, ja Verwesungszustand zuhause. Gehen wir, um zu dieser Vermittlung zu gelangen, von der merkwürdig unvermittelt erscheinenden Art aus, wie sich in diesem Roman zum erbärmlichen Bild der politischen Macht und Welt das hohe Bild humaner Größe, ja Vollkommenheit in der Gestalt des Romanhelden fügt. Die Widersprüchlichkeit beider, dieser idealen Gestalt und jener miserablen Welt, wiederholt ja in der Tat nur einen Widerspruch, den wir in der historischen Wirklichkeit gleichfalls antreffen: den zwischen den desolaten Verhältnissen des politisch und ökonomisch zurückgebliebenen, als Gemeinwesen kurz vor seiner Auflösung befindlichen Deutschen Reiches und einer, gerade jetzt fast unerschöpflich sich entfaltenden intellektuellen und künstlerischen Produktivität, deren Reichtum kein zweites Mal in der deutschen Geschichte

sich wiederholt hat. Eine nach der imperialistischen Denkweise des späteren 19. Jahrhunderts schmeckende Hypothese postulierte, daß nationale Machtentfaltung die Basis kultureller Blüte sei. Hier haben wir Anschauungsmaterial für das Gegenargument: daß gerade die Brüchigkeit und ausgehöhlte Schwäche dieses Staaskörpers ein fördernder Faktor für die intellektuelle Schaffenskraft gewesen sein mag. Aus der Erbärmlichkeit des Bestehenden tritt der Geist heraus und entwirft seine Gedanken und Bilder um so rücksichtsloser, unbedingter, zukunftsbezogener, je weniger ihn das, was ihm als Wirklichkeit entgegensteht, beschäftigen und aufhalten kann. So kommt es zu jener besonderen Lage, die über die nächsten Jahrzehnte hin die Deutschen als das Volk der Dichter und Denker den anderen Völkern erscheinen läßt, und die Karl Marx in der Einleitung zur „Kritik der Hegelschen Rechtsphilosophie" mit der Formel bezeichnet, die Deutschen seien nur die philosophischen, nicht aber die historischen Zeitgenossen der Gegenwart: sie „haben in der Politik gedacht, was die anderen Völker getan haben" [2].
Einige Jahrzehnte früher beschreibt Madame de Staël diesen Aspekt des deutschen Lebens ähnlich: Politisches Handeln und Denken stünden hier in keiner Beziehung zueinander, deshalb verbänden sich größte Kühnheit der Ideen mit dem folgsamsten bürgerlichen Charakter. Im Bereich der Spekulation streiten sich die Geister zwar mit Erbitterung um die Herrschaft, „aber überlassen übrigens gern den Mächtigen der Erde alles Reelle im Leben". Die vortrefflichste intellektuelle Erziehung kommt in der Theorie zu ihrem Ende, bildet wissenschaftliche Köpfe, aber nicht Staatsbürger. Daher: „Wer sich in Deutschland nicht mit dem Universum befaßt, hat nichts zu tun." [3] Das ist ein Satz, der die prekären Bedingungen, unter denen ein deutscher Romanautor, der am Ende des 18. Jahrhunderts von seiner nationalen und bürgerlichen Wirklichkeit erzählen will, treffend vergegenwärtigt. Er wird auf eine beinahe komisch wirkende Weise von Jean Paul gerade in demjenigen seiner Romane aufs genaueste bestätigt, der die Schranken kleinbürgerlichen Lebens, die in den meisten seiner Werke die erzählerische Welt begrenzen, am entschiedensten durchbricht. „Tun ist Leben", sagt im „Titan" der Held, „darin regt sich der ganze Mensch und blüht mit allen Zweigen" [4]. Albano verlangt danach, die Substanz und Energie seiner inneren Kräfte in einem bedeutenden Handeln zu äußern. Jenseits des intimen Raumes freundschaftlicher und liebender Vertraulichkeit, jenseits der bloßen Gedanken und der Bilder der Phantasie, des Empfindens, Imaginierens, der Reflexion und der Theorie trachtet er nach einem Raum,

in dem man handeln kann, nach einer Gelegenheit, für etwas das Größe hat, für etwas also, das alle, das die Menschheit insgesamt betrifft, tätig zu werden. Aber von allem, was ihn in seinem Lebensbereich umgibt, wird er immer nur auf seine Gefühle und seine Gedanken, auf Reflexion, Gesinnung und Betrachtung zurückverwiesen. Als er endlich ein Feld möglicher, künftiger Taten für sich entdeckt, da ergibt sich, daß Jean Paul und dem Geschöpf seiner Phantasie nur die Französische Revolution als etwas einfällt, für das zu handeln, groß zu handeln, möglich und der Mühe wert ist: „daß ich mir, sobald Galliens wahrscheinlicher Freiheitskrieg anhebt, meine Rolle durchaus nehme in ihm, für ihn", ist Albanos Beschluß[5]. Dann schiebt sich allerdings, als es endlich so weit ist, der Termin seines Aufbruchs nach Frankreich mehrere Male hinaus, bis sich am Ende der Plan, im Revolutionsheer gegen die Koalition der alten Mächte zu kämpfen, überhaupt erledigt, dadurch nämlich, daß Albano sich als Sohn eines Fürsten erkennen und die Thronfolge in einem deutschen Duodezfürstentum antreten muß. Der Fürst gewordene Republikaner kann keinen revolutionären Krieg gegen die Fürsten führen. Wer sich in Deutschland nicht mit dem Universum befaßt, hat nichts zu tun: der deutsche Romanheld darf, will anders sein Autor der deutschen Realität gerecht werden, nicht zum wirklichen Helden werden, sondern nur (und das kennzeichnet ihn ja in seiner Eigenschaft als Romanheld) von dem Wunsch erfüllt erscheinen, ein solcher zu werden[6]. Der Bereich politischer Praxis existiert für ihn nur in der Spiegelung des nachbarnationalen Geschehens in seinem Innern, heroisch kann nur seine Gesinnung sein, nicht sein Handeln; und in dem Augenblick, wo der Romanheld, Fürst geworden, übertritt in den Raum öffentlicher Macht und Entscheidungskraft, schließt der Erzähler die Geschichte ab, wie die Geschichte einer Liebe mit der Hochzeit abgeschlossen wird[7].

Die Eingliederung der Französischen Revolution als Motiv in die erzählerische Welt von Jean Pauls Romanen unterliegt, so erkennen wir, Bedingungen, die zunächst einmal ihren Grund in dem problematischen Verhältnis haben, in welchem die gesellschaftlichen Verhältnisse Deutschlands zu denen des revolutionären Frankreich stehen. Da geht die Phantasie des Erzählers Jean Paul ihrem utopischen Impuls nach und entwirft den hohen, Großes wollenden, vollständigen Menschen; aber dann soll dieses Charakter- und Humanitätsideal nicht abstrakt bleiben, soll sich in einer Welt ansiedeln und in ihr handeln können, in einer Welt, die – den Bedingungen der Gattung Roman, wie sie Jean Paul begreift, gemäß – auf die bestehende deutsche Wirklichkeit bezogen bleiben muß. Damit der Wille als groß erscheinen kann, muß er einen Inhalt haben: die Revolution des Nachbarlandes, durch die der Untertan in den citoyen sich verwandelt hat, liefert diesen Inhalt und verbietet zugleich seine Realisierung, hält ihn in der Form eines Gesinnungsinhaltes fest. So konsequent ist die Imagination dieses Dichters, und so hilflos freilich auch zugleich, daß sie am Ende keinen anderen Ort für den zu seiner vollendeten humanen Bildung gelangten Helden in der sozialen Welt zu finden weiß, als den Thron, das literarisch doch schon obsolet gewordene Requisit des früheren idealistischen Romans.

III.

Wo Jean Paul in einer seiner Erzählungen zum erstenmal in einer Form, die über die bloße Allusion oder periphere Erwähnung hinausgeht, die Französische Revolution zur Sprache bringt, da liefert er sie dem Räsonnement eines deutschen Gymnasiallehrers aus, der „in den Alten zuhause", also seines wissenschaftlichen Zeichens Altphilologe ist. Der Rektor Florian Fälbel, mit zwölf Schülern, sechs Hunden und seiner Tochter auf einer Exkursion „nach dem Fichtelberg" befindlich, wird in Hof, dem Wohnort des Autors, von den frankophilen Reden eines „Reisedieners aus einem Handelshaus in Pontak" veranlaßt, seine Meinung über die in Frankreich stattfindende Rebellion gelehrt auseinanderzusetzen: „Da ich sah", lautet Fälbels Bericht, „daß ich dem Reisediener zu schwer ward: so bewarb ich mich um Deutlichkeit auf Kosten der Gründlichkeit und wies ihn darauf hin, daß Deszendenten ihren Vater (oder primum adquirentem), Gymnasiasten ihren Rektor und folglich Landeskinder ihren Landesvater unmöglich beherrschen, geschweige absetzen könnten. Ich legte ihm die Frage vor, ob denn wohl das frankreichische Hysteronproteron möglich gewesen wäre, wenn jeder statt der französischen Philosophen die alten Autores edieret und mit Anmerkungen versehen hätte; und ich ersuchte ihn, mir es doch einigermaßen aufzulösen, warum denn gerade mir noch nie ein insurgierender Gedanke gegen meinen gnädigsten Landesherrn eingekommen wäre."

Im Rückblick auf diese Auseinandersetzung fügt der reiseberichtende Rektor dann hinzu: „Man verstatte mir folgende Digression: ich forschte einen halben Tag in meiner Bibliothek und unter den Nachrichten von den öffentlichen Lehrern des hiesigen Gymnasiums nach, wer von ihnen gegen seinen Landesfürsten rebelliert habe. Ich kann aber zu meiner unbeschreiblichen Freude melden, daß sowohl die größten Philologen und Humanisten – ein Camerarius, Minellius, Danz, Ernesti, der ciceronianische Sprachwerkzeuge und römische Sprachwellen besaß, Herr Heyne, die Chrestomathen Stroth und andere etc. – als auch besonders die verstorbne Session hiesiger Schuldienerschaft von den Rektoren bis zu den Quintussen (inclus.) niemals tumultuieret haben. Männer spielen oder defendieren nie Insurgenten gegen Landesväter und -mütter, Männer, die sämtlich fleißig und kränklich in ihren verschiedenen Klassen von acht Uhr bis eilf Uhr dozieren und die zwar Republiken erheben, aber offenbar nur die zwei bekannten auf klassischem Grund und Boden, und das nur wegen der lateinischen und griechischen Sprache." [8]

Daß der Erfinder dieser auf perfekteste Weise subversiven Satire, um es per negationem auszudrücken: kein Parteigänger der Gegner der Revolution ist, liegt auf der Hand (obwohl es die Zensur schwer gehabt hätte, ihm das buchstäblich nachzuweisen). Freilich ist das eine Feststellung ohne besonderen charakterisierenden Wert; denn von welchem deutschen Autor ließ sich 1791 – dem Entstehungsjahr des „Fälbel" – nicht Gleiches sagen? Dennoch ist sie als Feststellung angebracht und sollte als Ausgangspunkt dienen, will man etwas darüber ausmachen, wie die Französische Revolution in den Urteilen Jean Pauls sich darstellt. Er sondert sich in seinen Urteilen, seinen Einsichten und Illusionen, auch in seinen Borniertheiten, nicht ab, sondern hat Teil an einer Gesinnung, die als typische für die deutsche Intelligenz am Ende des 18. Jahrhunderts gelten kann.

Fragen wir nach der inhaltlichen Bestimmtheit dieser Gesinnung, dann tritt uns vor allem die Bedeutung entgegen, die dabei die Humanitäts- und Geschichtsphilosophie der Aufklärung hat. Ihre Relevanz für die Auffassung des revolutionären Geschehens wird einsichtig, wenn wir die Rolle bedenken, die sie im vorrevolutionären 18. Jahrhundert spielt. Sie erscheint da, als Instrument des bürgerlichen Emanzipationsanspruchs betrachtet, zunächst als ein Mittel zur Überbrückung der Kluft, die sich noch zwischen dem Anspruch des Bürgers und seiner Realität erstreckt: sie verheißt die künftige Einlösung dieses Anspruchs. Dieser selber aber wird vom Bürgertum der bestehenden Ordnung gegenüber als ein moralischer formuliert: politisch noch ohne Macht, nimmt es der Herrschaft gegenüber eine moralische Position ein und verheißt in seiner Geschichtsphilosophie diese Moral als das Prinzip künftiger Wirklichkeit auch im Bereich der Politik[9]. Auf solche Weise kann das eigentümliche politische Interesse einer Klasse der Gesellschaft als das Interesse der Gattung Mensch überhaupt postuliert werden.

Die Folge dieser Vorgeschichte ist, daß mit dem Ausbruch der Revolution in Frankreich der auf solche Weise utopisch eingefärbte Gedanke die politischen Vorgänge sofort einerseits als menschheitsgeschichtlich bedeutende, andererseits als moralische Handlungen begreift, und sie zu Elementen – und damit zugleich zu Kriterien – der von der Geschichtsphilosophie verheißenen Erfüllung der Vernunft macht. Der bekannte Brief des jungen Friedrich von Gentz an Christian Garve bringt diese Einstellung zum Ausdruck: „Das Scheitern dieser Revolution würde ich für einen der härtesten Unfälle halten, die je das menschliche Geschlecht betroffen haben. Sie ist der erste praktische Triumph der Philosophie, das erste Beispiel einer Regierungsform, die auf Prinzipien und auf ein zusammenhängendes, konsequentes System gegründet wird. Sie ist die Hoffnung und der Trost für so viele *alte* Übel, unter denen die Menschheit seufzt. Sollte diese Revolution zurückgehen, so würden alle diese Übel zehnmal unheilbarer. Ich stelle mir so recht lebendig vor, wie allenthalben das Stillschweigen der Verzweiflung, der Vernunft zum Trotz eingestehen würde, daß die Menschen nur als Sklaven glücklich sein können, und wie alle große und kleine Tyrannen dieses furchtbare Geständnis nutzen würden, um sich für das Schrecken zu rächen, was ihnen das Erwachen der französischen Nation eingejagt hatte.“ [10]

So ergibt sich also die Einmütigkeit und Übereinstimmung, mit welcher die deutsche, ja die (west-)europäische Intelligenz die Revolution zunächst begrüßt, begreift und bewertet, daraus, daß das Interpretationsschema, das diesen Urteilen und Wertungen zugrunde liegt, in Gestalt der Geschichts- und Humanitätsphilosophie vorgegeben ist. Dieses Schema diktiert, die politischen Vorgänge als das Praktisch-Werden jener Vernunft und als die Machtübernahme jener Moral zu verstehen, in deren Namen die Philosophie bisher die bestehende Herrschaft und ihre Ordnung denunziert hatte. An der Stelle, wo Jean Paul zum erstenmal in einem seiner erzählenden Werke die Französische Revolution nicht nur zum Gegenstand des Räsonierens des Erzählers oder der erzählten Figuren macht, sondern zum (partiellen) Inhalt der Handlung selbst, tritt dieses Verfahren deutlich zutage. In den „Biographischen Belustigungen“ (sie werden 1795 geschrieben) setzt die Geschichte des schottischen Grafen Lismore mit dessen Parteinahme für die Revolution ein, die mit dem Satz eingeführt wird: „Als das Schicksal in Gestalt der Sphinx vor dieses Reich [Frankreich] trat und ihm das Rätsel aufgab, wie ein Land aus einem vierfüßigen Tiere ein zweifüßiges werde, aus einem gebückten ein freies . . ." [11].

Sehen wir an dieser Stelle davon ab, daß in das von Jean Paul erfundene Bild bereits die Erfahrung des *terreur* und die damit verbundene Desillusionierung eingegangen ist, und betrachten wir nur den Inhalt des Rätsels, das die Sphinx aufgibt. Wie so oft bei der Lektüre Jean Pauls ist es geboten, die Metapher nicht nur auf ihren Anspielungsreichtum innerhalb des Textes selbst hin zu bedenken, sondern auch auf den eventuell gegebenen Bezug zu einem jenseits des Textes selbst liegenden Kontext. Den Kontext zum Bild vom vier- und zweifüßigen, gebückten und freien Tier finden wir in der Geschichts- und Humanitätsphilosophie Herders, jenes Mannes, den Jean Paul wie keinen anderen zeitgenössischen deutschen Autoren als philosophischen Lehrer verehrt hat: „Blick also auf gen Himmel, o Mensch! und erfreue Dich schaudernd Deines unermeßlichen Vorzugs, den der Schöpfer der Welt an ein so einfaches Principium, Deine aufrechte Gestalt, knüpfte! Gingest Du wie ein Thier gebückt, wäre Dein Haupt in eben der gefräßigen Richtung für Mund und Nase geformt, und darnach der Gliederbau geordnet: wo bliebe Deine höhere Geisteskraft, das Bild der Gottheit, unsichtbar in Dich gesenkt?" Es sind Sätze aus dem ersten Abschnitt des vierten Buches der „Ideen zur Philosophie der Geschichte der Menschheit", die jene berühmten anderen aus dem vierten Abschnitt präludieren, der überschrieben ist: „Der Mensch ist zu feinern Trieben, mithin zur Freiheit organisirt": „Das Thier ist nur ein gebückter Sklave, wenngleich einige edlere derselben ihr Haupt emporheben oder wenigstens mit vorgerecktem Halse sich nach Freiheit sehnen . . . Der Mensch ist der erste *Freigelassene* der Schöpfung; er steht aufrecht." [12]

Was Schiller in der „Ästhetischen Erziehung des Menschen" mit den Begriffspaaren „Naturstaat" und „Vernunftstaat", „Staat der Not" und „Staat der Freiheit" unterschied [13], setzt Jean Paul als Tierheit und Menschheit einander entgegen. Die Vermenschlichung des Staates stellt sich als das Ziel, genauer: als die Aufgabe der Revolution, als deren geschichtsphilosophischer Auftrag dar. Der Mensch, der als bloßer Untertan fürstlicher Gewalt bislang wie das Tier „gebückter Sklave" war, soll sich als Staatsbürger zum Herrn seiner selbst, und das heißt zu humaner Freiheit und Würde aufrichten. Und wie dort beim Übergang der organischen Natur vom Tier zum homo sapiens, so würde auch hier mit der Freilassung des Menschen aus Sklaverei in die Selbstbestimmung das Tor aufgestoßen, durch das er nach jener vollendeten Bildung fortschreiten kann, die Jean Paul, wie sein Lehrer Herder, als die im Schöpfungsplan vorgesehene Bestimmung der Gattung begreift: zur Humanität „unsterblicher freier Göttersöhne auf Erden" [14].

So kann die Revolution, als Manifestation der geschichtsphilosophischen Idee und Anbruch der Erfüllung eines bislang utopischen Versprechens, in den Glorienschein der Idealität rücken – das heißt aber: sie gewinnt an sich selber „poetischen" Charakter. Jean Paul bekundet das dadurch, daß er ihr, wann immer er sie im Schein dieser Idealität zur Sprache bringt, den Zugang zum Arsenal jener Metaphorik öffnet, mit welcher er sonst von hohen Menschen, heiligen Empfindungen, erhabenen Gedanken, edlen Handlungen und – reiner Natur spricht; und weil diese Metaphorik sich gerne religiöser Vorstellungen bedient, erscheinen die politischen Vorgänge bzw. allgemeiner und genauer: erscheint das Werk der Revolution dann in eschatologische Farben getaucht (so in der Metapher vom „Bau des himmlischen Jerusalems der Freiheit" [15]), oder es entgegenständlicht sich zu einem quasi spirituellen, innerlichkeitsbezogenen Geschehen. Daß dieses Vokabular religiösen Ursprungs dann auch die Gegenseite erfaßt, ist nur konsequent: die Totengräber der Revolution, oder besser: der Revolutionshoffnungen, werden zum widergöttlichen Prinzip erhoben und Robespierre verteufelt als der „Statthalter des bösen Gottes" [16].

Diese Metapher führt uns bereits dahin, wo zur anfänglichen Begeisterung und zur fortbestehenden Parteinahme für die Revolution das Entsetzen *über* und die Abkehr *von* ihrem Verlauf hinzugetreten sind. Diese Reaktion der deutschen „Freiheitsfreunde" auf die Septembermorde, die Hinrichtung des Königs und den *terreur* – „wo Revolutionen sich durch die Revolution wälzen, und der Staat ein Meer wird, dessen Bewohner sich bloß fressen und jagen – wo am zerfallenden, verstäubenden Freiheits-Riesen nichts übrig und fest bleibt als die *Zähne* – wo zuletzt das Vaterland sich in einzelne Glieder zerstücken muß, um mit gesunden die unheilbaren von sich abzulösen" [17] – hat Jean Paul in dem Essay „Über Charlotte Corday" von 1800 auf bezeichnende Weise ausgedrückt: „Der Tornado des Säkulums, der eiskalte Sturm des Terrorismus, fuhr endlich aus der heißen Wolke und schlug das Leben nieder. Nicht die, deren Vermögen oder Leben geopfert wurde, litten am bittersten, sondern die, denen jeder Tag eine große Hoffnung der Freiheit nach der anderen mordete, die in jedem Opfer von neuem starben, und vor die sich allmählich das weinende Bild eines sterbenden, von Ketten und Vampyren umwickelten Reichs als Preis aller Opfer gekrümmt hinstellte! –“ [18] Wie höchst charakteristisch für den deutschen Freiheitsfreund ist diese Überordnung der geistigen vor den physischen Leiden: der Tod der geschichtsphilosophischen Idee, die sich mit dem Ausbruch der Revolution verband, wiegt schwerer als der leibliche Tod der Revolutionsopfer. Die Erinnerung an die Tage, deren jeder „eine große Hoffnung der Freiheit nach der andern mordete“, ruft offenbar noch sieben Jahren später in Jean Paul den Schmerz wieder wach, den er, wie fast alle europäischen Parteigänger der Revolution, damals empfand. Es ist ein wehrloser und trostloser, weil ratloser Schmerz; ratlos, weil die Hoffnung, die da erlosch, nur Leere und Dunkel zurückließ. Sie war eine Hoffnung, die sich aus dem geschichtsphilosophischen Humanitäts-Versprechen speiste; und von jener Philosophie war keine Auskunft, keine Orientierungshilfe zu erhalten über den Sinn der schrecklichen Verkehrung, die der Gang der Revolution nahm. Das Interpretationsschema, d. h. die moralische und utopische Orientierung aufklärerischer Gschichtsphilosophie, stellte keine Begriffe zur Verfügung, um den Ausbruch und die steigende Verschärfung der Fraktionskämpfe, um die Herrschaft des Schreckens *vor* und die Korruption der staatsbürgerlichen „Tugend“ *nach* dem Thermidor zu begreifen, keine Handhabe, um den materiellen Grund zu erkennen, auf dem diese Revolution stattfand und um den es in ihr ging.

Die Folge ist, daß Jean Paul – und wiederum ist er darin nur Sprachrohr seiner Zeitgenossen – die revolutionären Vorgänge nur mehr als bloße Pervertierung, als Entartung der „ursprünglichen“ Revolution versteht. Wie ihr Anfang auf den Begriff sich erfüllender Vernunft, praktisch werdender Idee, Moralisierung und Vermenschlichung des Staates gebracht worden war, so wurde nun ihr Fortgang als widervernünftig, böse und bestialisch disqualifiziert. Die nunmehrigen revolutionären Akteure, die „Schreckensmänner“, sind an die Stelle der „Revolutionshelden“ getreten, die zuvor als „Arbeiter am Bau des himmlischen Jerusalems der Freiheit“ Diener der Menschheitsgeschichte – qua „Heilsgeschichte“ – waren. Sie führen nicht mehr den Auftrag der Idee aus, sondern folgen einem niederen, ja tierischen, jedenfalls bösen Prinzip: ihren bloßen Trieben und Leidenschaften.

So wird der Beweggrund für die schlimme Wendung der Revolution in die abstrakt, d. h. geschichtslos vorgestellte Beschaffenheit der zwiespältigen menschlichen Natur verlegt, zu der dann, korrespondierend, die Irrationalität eines dunklen Schicksals tritt – im Bilde der „Sphinx" ist es uns oben bereits begegnet. Die politischen Geschehnisse sind damit wieder in den Raum der „Natur" zurück entlassen, aus dem sie die Geschichtsphilosophie der Aufklärung gerade erst geborgen hatte, indem sie Gesellschaft und Staat als die moralischen Aufgaben des Menschen selbst deklariert, und sie ihm als seine eigenen Werke übergab. Jean Pauls Metaphorik läßt diesen Deutungs-Umschlag genau hervortreten: der „Tornado des Säkulums" ist kein isoliertes Bild, vereint sich vielmehr mit gleichartigen Bildern von Gewitter, Orkan, Erdbeben, Vulkanausbruch u. a.[19] zu einem ganzen Bildgeflecht: Naturgewalten, die das Untere nach oben kehren. Sie stehen einerseits für ein blindes, jenseits moralischer Einsicht bleibendes Schicksal, zum anderen korrespondieren sie den im Menschen selbst wirkenden, „bösen" Gewalten der Triebe und Leidenschaften, die gleichfalls als die Unteren sich nach oben gekehrt und die Herrschaft über die Vernunft und ihren Willen auf dem Revolutionsschauplatz an sich gerissen haben.

Eine verwickeltere Art, bei der Deutung des Revolutionsverlaufs zu verfahren, finden wir dort, wo Jean Paul zwar innerhalb einer historischen und moralischen Argumentation bleibt, wo die geschichtsphilosophische Idee noch immer den Deutungshorizont abgibt, zugleich aber durch die Verbindung mit einem summarisch und abstrakt verwendeten Begriff nationaler Moralität bzw. Unmoralität getrübt wird. „Die redlichen und feurigen Deutschen hätten alle die Revolution bei deren Anfange keiner aus der Geschichte hoffend vergleichen sollen, weil in dieser noch kein zugleich so verfeinerter und moralisch vergifteter Staat – wie sich der gallische in seiner Mutterloge Paris und in den mitregierenden höhern Ständen und Städten aussprach – je sich aus seinen Galeerenringen gezogen hatte; sie hätten alle von einem Erdbeben, das so viele Gefängnisse und Tiergärten aufriß, nicht viel hoffen, noch weniger dabei an Rom und Sparta denken sollen, wo die Freiheit bei einer nicht viel größern Verderbnis aufhörte, als die war, bei der sie in Paris anfing."[20] Die von der aufklärerischen Geschichtsphilosophie aus mögliche doppelte Vorstellungsweise: (politische) Freiheit als Folge und Frucht von (privater) Moralität bzw. umgekehrt, Moralität als Frucht politischer Freiheit, läßt hier Jean Pauls Argumentation in die Sackgasse eines abstrakten moralistischen Geschichtsschematismus geraten. Weil Freiheit, oder spezifischer: Republikanismus als politische Form allgemeiner Staatsbürgerlichkeit, persönliche moralische Leistung jedes Staatsbürgers voraussetzt, kann sie sich in einem verderbten Staat nicht realisieren: wie also hätte aus Frankreich durch die Revolution ein freier Staat moralischer Bürger werden können? Auf der anderen Seite aber war die Revolution ja doch als Aufstand, als Krieg gegen die voraufgegangene „Verderbnis" gedeutet und gerechtfertigt worden. Die Kontradiktion stellt sich her, daß die moralische Verderbnis *des* Staates und *im* Staate zugleich als Legitimierungs- und Pervertierungs-Grund der Revolution gedacht wird; und aus dieser Kontradiktion führte eigentlich kein anderer Weg heraus, als der Verzicht darauf, die Revolution überhaupt als Ausdruck von „Moralität" begreifen zu wollen (aber diesen Weg will und kann Jean Paul nicht gehen). – Der Hintergedanke bei dieser ganzen, widersprüchlichen Argumentation Jean Pauls ist überdies die an dieser Stelle nicht explizierte Vorstellung vom unzulänglichen Nationalcharakter der Franzosen. Es ist ja einer der charakteristischen Züge der deutschen Reaktion auf den Ausbruch der Revolution, daß das negative Charakterbild der französischen Nation, das sich in der zweiten Hälfte des 18. Jahrhunderts in der deutschen Literatur immer schärfer ausgeprägt hatte, buchstäblich über Nacht umschlug in höchste Positivität. Klopstocks Oden sind die exemplarischen Texte für diesen Vorgang; freilich auch für den späteren, erneuten Rückschlag. „Es war damals", sagt im „Titan" der Erzähler, „wo fast ganz Europa einige Tage lang vergaß, was es aus der politischen und poetischen Geschichte Frankreichs jahrhundertelang gelernt hatte, daß dasselbe leichter eine vergrößerte als eine große Nation werden könnte" [21]. Da ist das Urteil über den gallischen Nachbarn wieder dahin zurückgelangt, wo es vor der Revolution sich befand. Was war von diesem Nachbarn anderes zu erwarten, sagt der „redliche und feurige" – im Gemüt wohl, nicht in Taten „feurige" – Deutsche; er hat nie etwas getaugt.

Sie hätten nicht „dabei an Rom und Sparta denken sollen": da schlägt Jean Paul sich auch gegen die eigene Brust. Es ist die „republikanische" Illusion, von der da die Rede ist, jene Illusion, die neben der geschichtsphilosophisch-utopischen das Bild der Revolution in den Köpfen der deutschen wie der europäischen Intelligenz am stärksten bestimmte. Karl Marx hat ihre klassische Beschreibung gegeben: „Die Heroen, wie die Parteien und die Massen der alten französischen Revolution, vollbrachten in dem römischen Kostüme und mit römischen Phrasen die Aufgabe ihrer Zeit, die Entfesselung und Herstellung der modernen *bürgerlichen* Gesellschaft . . . Unheroisch, wie die bürgerliche Gesellschaft ist, hatte es jedoch des Heroismus bedurft, der Aufopferung, des

Schreckens, des Bürgerkriegs und der Völkerschlachten, um sie auf die Welt zu setzen. Und ihre Gladiatoren fanden in den klassisch strengen Überlieferungen der römischen Republik die Ideale und die Kunstformen, die Selbsttäuschungen, deren sie bedurften, um den bürgerlich beschränkten Inhalt ihrer Kämpfe sich selbst zu verbergen und ihre Leidenschaft auf der Höhe der großen geschichtlichen Tragödie zu halten."[22] Durch die geschichtsphilosophische Illusion wurde die Revolution auf eine erhoffte Zukunft bezogen. Die republikanische Illusion bezog sie auf eine erinnerte Vergangenheit. Beide Illusionen tragen den Prozeß der Umsetzung politischer Vorgänge der Gegenwart in Idealität. Wenn Jean Paul in seinem Essay über Charlotte Corday eine Lobrede auf Adam Lux anstimmt[23], weil er es gewagt hatte, die Corday zu verteidigen, und dafür auf die Guillotine kam, dann nennt er ihn als erstes eine „Römer-Seele", und dann erst, unbekümmert um das seltsame Beieinander, eine „Hermanns-Eiche"; und dann fügt er zu dem rühmenden Prädikat eines „altdeutschen Lebens", das Lux geführt habe, das andere hinzu von der „Katos-Brust", in der er „eine ganze griechische und römische Vergangenheit und Rousseaus eingesognen Geist und die Hoffnung einer steigenden, siegenden Menschheit" mit nach Paris gebracht habe[24]. Es ist die Aufzählung der kompletten Ausrüstung, mit der auch Jean Paul nach Paris, d. h. in seine Auffassung von der Revolution, zog. Im „Titan" wiederholt sich die Parallele von Rom und Paris. Albano faßt seinen Entschluß, an den kommenden Kriegen der revolutionären Republik gegen die alliierten Fürsten teilzunehmen, angesichts der Gegenwart römischer Vergangenheit: „Ich bin verändert bis ins Innerste hinab und von einer hineingreifenden Riesenhand", schreibt er an den Freund Schoppe. „Wie in Rom, im wirklichen Rom ein Mensch nur genießen und vor dem Feuer der Kunst weich zerschmelzen könne, anstatt sich schamrot aufzumachen und nach Kräften und Taten zu ringen, das begreif' ich nicht. Im gemalten, gedichteten Rom, darin mag die Muße schwelgen; aber im wahren, wo dich die Obelisken, das Coliseo, das Kapitolium, die Triumphbogen unaufhörlich ansehen und tadeln, wo die Geschichte der alten Taten den ganzen Tag wie ein unsichtbarer Sturmwind durch die Stadt fortrauschet und dich drängt und hebt, o wer kann sich unwürdig und zusehend hinlegen vor die herrliche Bewegung der Welt?"[25] Albano lernt in Rom römisch zu empfinden und zu denken (die Spitze gegen den Goethe der "Römischen Elegien" ist dabei unverkennbar); und weil er auch römisch handeln will – und Handeln ist ja Kern und Inbegriff des so gedachten Römertums –

beschließt er, zum französischen Freiheitskämpfer zu werden. Denselben Entschluß hat vor ihm der Graf Lismore gefaßt, dessen „Brustbild" der Erzähler dort, wo er den Charakter dieses Helden beschreibt, „aus der römische Erde der Vergangenheit" zu graben vorgibt[26], sowie der „regierende Graf von -ß" (man ist versucht, an „Hohenfließ" zu denken, dessen Regentschaft Albano übernimmt) im „Halbgespräch" über die Corday[27].

Zwei Momente stellen sich in diesem „römischen Kostüm" vornehmlich dar, wobei beide die zwei Seiten einer Medaille sind: die republikanische Gesinnung und das Verlangen nach einem Handlungsraum, einem Betätigungsfeld für die Person, das weiter ist, als der enge Bereich ihres privaten Lebens, kurz: das Verlangen nach „öffentlicher Existenz". Ein Brief Jean Pauls vom November 1795, in dem er sich gegen die Überschätzung des Einflusses wendet, den die Erziehung auf die Verbesserung, die Humanisierung des Menschen haben könne – eine Lieblingsvorstellung der deutschen Schriftsteller gerade in diesen Jahren! –, gehört hierher: „Die besten Völker hatten die schlechtesten Schulen – die Griechen, Römer und Engländer – und wir werden mit allen unsern besseren Schulen wol gelehrter, aber nicht besser. Kurz damit der Mensch gut werde, braucht er ein lebenslanges Pädagogium, nämlich einen – Staat. So lange unsere Regierungsform sich nicht so ändert, daß aus Sklaven Menschen, aus Egoisten Freunde des Vaterlandes werden – so lange uns nicht der Staat und der Ruhm darin ein Motiv wird, gros zu handeln – so lange bleibt die Menschheit ein elender niedriger ängstlicher Schwarm, aus dem nur einzelne moralische Halbgötter vorragen und den alles Predigen und Erziehen nur veränderlich, aber nicht gut macht.„[28] Daß der Ruf nach „mehr Staat" hier nicht mehr Obrigkeit meint, sondern im Gegenteil die Herrschaft des Bürgers selbst im Staat, seine Staatsbürgerschaft, ist evident. Der Schreiber dieser Sätze hält unverkennbar auch nach seiner Resignation angesichts des Verlaufs der Revolution an den Ideen fest, derenthalben er diese ursprünglich begrüßte. Noch immer bekundet er sich als Schüler jenes französischen Philosophen, dem zu Ehren und zu Liebe er seinen Vornamen Johann in *Jean* umschrieb; und Republikaner im Sinn der zitierten Sätze, d. h. im Sinn der Forderung, daß der Mensch aus dem Untertan und Spießbürger zum Staatsbürger, daß er überhaupt, und zwar nicht als Objekt, sondern als Subjekt, zum politischen Wesen werden müsse, ist Jean Paul auch zeit seines Lebens geblieben.

IV.

Man muß als deutscher Schriftsteller im letzten Jahrzehnt des 18. Jahrhunderts den Weg nach Paris einschlagen, um von der Erfahrung republikanischen Lebens, von der Partizipation des citoyen an den öffentlichen Angelegenheiten sprechen und schreiben zu können: die Briefe, Berichte, Pamphlete der „deutschen Jakobiner" aus der Hauptstadt der Revolution sind – zumindest anfänglich – voll von dem Enthusiasmus, den diese Erfahrung in ihnen auslöst. Jean Pauls Republikanismus hat, wie er sich in seinem Werk manifestiert, nicht solche Erfahrung, sondern nur Gesinnung zum Grunde; und so schlägt er sich denn auch nicht in Bildern eines, im Zeichen öffentlichen Wirkens und Handelns geführten, wahrhaft politischen, d. h. gesellschafts- und staatsbezogenen Daseins nieder, sondern in den gesinnungsbezogenen Formen des argumentativen Forderns, der Polemik, der Kritik oder des Wunsches und der Hoffnungen, in Formen, die der Tatsache gerecht werden, daß er als Deutscher an das Leben des Untertanen und Spießbürgers realiter gebunden bleibt. Die Welt, die seine erzählerischen Werke entwerfen, ist die seines deutschen Jahrhunderts, von dessen „kleinstädtischem" Charakter er einmal im „Siebenkäs" spricht; und nur – freilich da um so leidenschaftlicher, um so inbrünstiger – als Innerlichkeit, in der Intimität inniger Kommunikation der Freunde und Geliebten oder in den satirischen Expektorationen, mit denen sie sich ihrer sozialen Umwelt und deren Misere erwehren, treten seine Figuren – auswärtige Bewohner ihres kleinstädtischen Jahrhunderts – über die Schranken dieser Welt hinaus. Als „Humoristen" wie als „hohe Menschen" tragen sie die Idee eines weiteren, größeren Daseins in sich; und zu dieser Idee gehört das auf heroischem Grund gebaute „himmlische Jerusalem der Freiheit". „Je dithyrambischer und je kleinstädtischer, desto göttlicher", schreibt Friedrich Schlegel in dem berühmten Athenäum-Fragment über Jean Pauls Romane; „denn seine Ansicht des Kleinstädtischen ist vorzüglich gottesstädtisch"[29]. Jean Pauls Dithyramben des humoristischen Witzes und der enthusiastischen Empfindung entspringen beide dem Widerspruch zwischen jenem „Kleinstädtischen" und diesem „Gottesstädtischen", zwischen dem „himmlischen Jerusalem der Freiheit" und dem „freien Reichsmarktflecken Kuhschnappel", das „so glücklich . . . ist, . . . nicht von gemeinen Handwerkern, sondern bloß von gutem Adel regieret" zu werden, „ohne daß ein gemeiner Bürger sich in Person oder durch Stellvertreter hätte im geringsten darein mischen können"[30]. Daß ein solcher Widerspruch sich nicht nur „dithyrambisch" entlädt bzw. daß diese Dithyramben, aus solchem Widerspruch hervorbrechend, Kennzeichen und Ausdruck eines „pathologischen" Zustandes sind, hat wiederum bereits Friedrich Schlegel angemerkt, indem er Jean Pauls Romane als „buntes Allerlei von kränklichem Witz" – nicht denunzierte, sondern apostrophierte: „ich nehme es in Schutz und behaupte dreist, daß solche Grotesken und Bekenntnisse noch die einzigen romantischen Erzeugnisse unsers unromantischen Zeitalters sind"[31]. Jean Paul selbst drückt diese „Pathologie" nicht nur aus, er reflektiert auch auf sie, macht sie bewußt als Ausdruck jenes Widerspruchs zwischen der kleinen Wirklichkeit und der großen Gesinnung, der praktischen Misere und den heroischen Träumen. Wir kennen heute den republikanischen und auf die Revolution bezogenen Sinn von Hölderlins Fragen an die „tatenarmen und gedankenvollen" Deutschen:

> „Oder kömmt, wie der Stral aus dem Gewölke kömmt,
> Aus Gedanken die That? Leben die Bücher bald?"[32]

Bei Jean Paul begegnen wir der gleichen Antithese an vielen Stellen und mit dem gleichen Sinn. „Tut es da genug", schreibt Albano aus Rom, „mit Augen voll Bewunderung und gefalteten Händen um die Riesen zu schleichen und dann welk und klein zu ihren Füßen zu verschmachten? Freund, wie oft pries ich in den Tagen des Unmuts die Künstler und Dichter glücklich, die ihre Sehnsucht doch stillen dürfen durch frohe leichte Schöpfungen, und welche durch schöne Spiele die großen Toten feiern, Archimimen der Heldenzeit." Aber dann kommt im Zusatz die Einschränkung und Relativierung dieses Dichter-Glücks und -Preises: „Und doch sind diese schwelgerischen Spiele nur das Glockenspiel am Blitzableiter; es gibt etwas Höheres, Tun ist Leben, darin regt sich der ganze Mensch und blüht mit allen Zweigen."[33] Da wird die Kunst sozusagen in „Ideologieverdacht" genommen: sie ist Werk bloßer Sehnsucht, Spielwerk, im Grunde Surrogat dessen, was eigentlich „Leben" und Lebensgehalt ist. „Nur wer nicht *handeln* kann, arbeitet für Pressen", d. h. schreibt Bücher, heißt es in der (vom 7. November 1795 datierten) Vorrede zum „Siebenkäs", wo dann angesichts solcher Misere für den Dichter doch der „Trost" gefunden wird, daß er „in einem Zeitalter wie unserem, . . . wo das Orchester die Instrumente der Weltgeschichte erst zu einem künftigen Konzerte stimmt" (da ist die durch die Revolution erweckte Hoffnung noch nicht aufgehoben, sondern nur aufgeschoben!) „. . . doch ein Zeitalter, worin höhere Tugend, höhere Liebe und höhere Freiheit seltene Phönixe oder Sonnenvögel sind, recht gut mitnehmen und die sämtlichen Vögel so lange recht lebhaft malen kann, bis sie selber geflogen kommen; alsdann freilich, wenn sie in ihren Urbildern auf der Erde ansässig sind, ist wohl uns allen das Schildern und Preisen derselben größtenteils versalzen und zuwider gemacht und ein bloßes Dreschen leeren Strohs."[34] Antizipation, Ankündigung und Heraufbeschwörung künftiger, utopischer Wirklichkeit ist die Poesie; aber dann auch deren „bloßer", „leerer" Ersatz. Die dem bürgerlichen Poesiebegriff innewohnende Dialektik von Kunst und Leben spielt sich ab und kehrt ihre vielfältigen Aspekte hervor. Und wie am Begriff der Poesie, so kehrt sich auch in dieser selbst oft genug hervor, daß Jean Paul weiß, in welchem Unfang der problematische, ja pathologische Charakter seiner Dichtung darin gründet, daß sie zu Lust und Leid von einem Inneren nur sprechen kann und muß, das, wie es im „Titan" einmal heißt, „nie den Leib einer äußern Tat annehmen" kann[35]. Die Exaltationen der Innerlichkeit, die sich bei ihm bis zu einem Extrem forttreiben, das in der deutschen Literatur kaum ein zweites Mal zustandekommt, sind Blumen und Gewächse, die in dem künstlichen Licht der Poesie aufschießen, weil der Raum, in dem sie wachsen, das Licht des wirklichen Tages aussperrt. Die in den „Biographischen Belustigungen" erzählte Geschichte des Grafen Lismore macht diesen Charakter Jean Paul'scher Dichtung modellhaft deutlich. Durch die Herrschaft der Schreckensmänner aus dem revolutionären Paris vertrieben, zieht er – den es doch nach Handlung, Tat, öffentlichem Wirken wie einen anderen „römischen" Helden drängt, und den es ekelt, nur ein Leben von müßiger Privatheit zu führen – sich in eben diese Privatheit zurück und beginnt die Werbung um ein Mädchen, das ihn liebt, aber das auch ihre toten Eltern nicht vergessen kann. Outrierte, ins Extrem getriebene und raffinierte Gefühle begegnen sich schneidend, und verzweifelt sucht der eine Mensch, in sein Inneres eingesperrt, den anderen, ebenso vereinzelt-isolierten Menschen, um in der Intimität einer einzigen zwischenmenschlichen Beziehung zu gewinnen, was in der Öffentlichkeit des gesamtgesellschaftlichen, politischen Lebens gerade verloren ging, und seinem Wesen nach doch nirgendwo anders als in diesem öffentlichen Bereich wieder gefunden werden kann. Im „Tempel der Freiheit-Göttin" hatte der Graf als Revolutionär gedient; jetzt identifiziert er ihn mit dem "Tempel der Freundschaft", den er zeit seines Lebens gesucht habe und nun wieder suche[36]: in den gleichen Metaphern versteckt und enthüllt sich zugleich, wie der Erzähler seinen Helden sich aus dem öffentlichen in den intimen Bereich, aus der Handlung in das Empfinden hinüberspielen läßt, verschweigt sich und macht zugleich deutlich, daß die in dieser Erzählung buchstäblich fast blutigen Kämpfe zweier Herzen um ihr individuelles Glück ihren Ausgangspunkt und Grund haben in den blutigen Kämpfen, in denen die Hoffnung auf ein allgemeines Glück unterging. Nur noch der eine Mensch soll nun vermitteln, was zuvor von der ganzen Menschheit erhofft wurde: Möglichkeit individueller Selbsterfüllung. Jener Freiheitstempel meinte den ganzen Staat als das gemeinsame Leben der Gattung; dieser Freundschaftstempel hat sich zusammengezogen auf den intimen Umfang, den wir aus der Gartenkunst und -architektur jener Zeit kennen: versteckter Flucht- und Ruheplatz zweier Vertrauter, jener Freunde oder Liebenden, deren Leiden und Seligkeiten Jean Paul wieder und wieder mit so glühender und manchmal fast erbitterter Inbrunst beschrieben hat – wie sie sich in den Armen halten und einander den Blick auf die Welt jenseits ihrer selbst verdecken, und wie sie, indem sie sich gegenseitig zum einzigen Inhalt und vollgültigen Ersatz für das draußen bleibende Ganze der Welt zugleich zu werden versuchen, sich darüber hinweg helfen, daß jenseits ihrer Beziehung keine anderen Formen menschlicher Kommunikation da sind, an denen sich ihr Inneres nicht nur entzünden, sondern auch nach außen treten und Realität, Handlung werden könnte.

Anmerkungen

[1] In einer demnächst in der Metzlerschen Verlagsbuchhandlung, Stuttgart, erscheinenden Untersuchung über die „poetische" Qualität bürgerlicher Un-Ordnung.

[2] Karl Marx, Die Frühschriften, hrsg. v. S. Landshut, Stuttgart, S. 216.

[3] „Celui qui ne s'occupe pas de l'univers, en Allemagne, n'a vraiment rien à faire." (Mme De Staël, De l'Allemagne, nouvelle édition . . . par Jean de Pange, Paris 1958, I, S. 246.)

[4] Jean Paul, Werke, hrsg. v. N. Miller, München 1966, 3, S. 584. Sämtliche Jean Paul-Zitate im folgenden, wenn nicht anders erwähnt, nach dieser Ausgabe.

[5] Werke 3, S. 585.

[6] Es ist eine hübsche Pointe, daß der Satz der Madame de Staël auch noch gilt, wenn man ihn umkehrt: Wer in Deutschland nichts zu tun findet, kann sich doch immer noch mit dem Universum befassen. So sehen wir Albano gelegentlich als einen, der sich dem Studium der Astronomie widmet.

[7] Über den zeitgeschichtlichen Grund hinausgehend, hat Heinz Schlaffer den allgemeinen sozialgeschichtlichen Kontext von Albanos Heroismus, der Gesinnung bleiben muß und nicht Tun werden kann, expliziert. Vgl. H. Schl., Der Bürger als Held. Sozialgeschichtliche Auflösungen literarischer Widersprüche (edition suhrkamp 624), Frankfurt 1973, S. 15–50.

[8] Des Rektors Florian Fälbels und seiner Primaner Reise nach dem Fichtelberg, in: Werke 4, S. 226–257, Zitate S. 237, 239f. „Ich habe meine Grundsätze beobachtet", schreibt der junge Niebuhr über ein Gespräch mit C. F. Cramer, der wegen seiner revolutionsfreundlichen Gesinnungsäußerungen gerade seine Kieler Professur verloren hatte: „die Regierung nicht geschimpft, aber freilich ihre Grausamkeit erkannt: gegen Revolutionen geredet, und meinen theoretischen Republikanismus des Altertums gelehrt." Die Briefe Barthold Georg Niebuhrs, hrsg. v. D. Gerhard u. W. Norvin, I, Berlin 1926, S. 27: Brief vom 18./19. 5. 1794.

[9] Vgl. dazu R. Koselleck, Kritik und Krise, Freiburg 1959.

[10] Briefe von und an Friedrich von Gentz, hrsg. v. F. C. Wittichen, München/Berlin 1909, 1, S. 178f.: Brief vom 5. 12. 1790.

[11] Werke 4, S. 297.

[12] Herder's Werke, hrsg. v. H. Düntzer, Berlin o. J., 9. Theil, Zitate S. 141, 154.

[13] Revolution kann sich dann innerhalb dieses Schemas darstellen als „der Versuch eines mündig gewordenen Volks, seinen Naturstaat in einen sittlichen umzuformen": Friedrich Schiller, Sämtliche Werke, hrsg. v. G. Fricke u. H. G. Göpfert, München 1959, 5, S. 574.

[14] Herder's Werke, 9. Theil, S. 157.

[15] Werke 4, S. 306.

[16] Werke 4, S. 298.

[17] Werke 6, S. 346.

[18] Werke 6, S. 344.

[19] Vgl. z. B. Werke 4, S. 298, Z. 11f.; S. 318, Z. 19ff.; Werke 6, S. 343, Z. 18ff. Es scheint, als verfestige sich die beschriebene Veränderung in der Deutung der Revolution erst schrittweise: vergleicht man unter diesem Aspekt die „Biographischen Belustigungen" von 1795 und das „Halbgespräch" (so Jean Pauls Gattungsbezeichnung) „Über Charlotte Corday" von 1800 miteinander, so findet man im früheren Text die Tendenz, das Urteil dort noch offen zu halten, wo im späten Text den revolutionären Vorgängen eindeutige Negativität zugewiesen wird. Es ist auch unverkennbar, daß der 1795 schreibende Jean Paul die Revolution noch nicht „preisgegeben" hat und noch an der Hoffnung auf einem möglichen „guten" Ausgang festhält: vgl. dazu Werke 4, S. 298, Z. 11ff. und S. 318, Z. 18ff. Jean Paul verhält sich noch, wie sein Held Lismore, zwar „resignierend", aber doch „abwartend".

[20] Werke 6, S. 343.

[21] Werke 3, S. 586.

[22] Der Achtzehnte Brumaire des Louis Bonaparte, Berlin 1965, S. 16.

[23] Lux kommt zusammen mit Georg Forster als Abgeordneter der Stadt Mainz nach Paris.

[24] Werke 6, S. 352.

[25] Werke 3, S. 583.

[26] Werke 4, S. 300.

[27] Werke 6, S. 332. „Er war und handelte selber in Paris so lange bei dem Niederreißen der Bastille mit , als die Stadt noch nicht in eine größere durch die Bergpartei verkehrt war", heißt es von ihm (ebda.). Es ist auffallend und mag zunächst frappieren, daß Jean Paul dort, wo er in seiner Dichtung Parteigängerschaft für die bürgerliche Revolution über Gesinnung hinaus- und in praktisches Handeln übergehen läßt, seinen Figuren aristokratische Herkunft und Rang zuschreibt. Es weist zum einen darauf hin, daß ihm, wie fast allen seinen Zeitgenossen, die Revolution nicht als Kampf der bürgerlichen Klassen, in dem es nicht nur um die Verfolgung idealer, humaner, sondern auch materieller, bürgerlicher Ziele ging, erschien. Es spielt darüber hinaus ein Moment der ästhetischen Form eine wesentliche Rolle: die Brücke von der bloßen Gesinnung zum politischen Handeln ist, von Deutschland aus gesehen, für den Adeligen weit leichter betretbar. Er kann, materiell und „beruflich" unabhängig, ein Maß an Freiheit von sozialem Zwang und damit in jenem Umfang individuelle Selbständigkeit für sich in Anspruch nehmen, die Voraussetzung sind für die ästhetische Glaubwürdigkeit eines heroischen Daseins und Handelns, und die einem Bürger, dessen Existenz weit enger an ihre ökonomische Basis gebunden ist, sich weit weniger leicht gewähren (Es ist deshalb nicht zufällig, daß Schriftsteller und Aristokraten unter den „deutschen Jakobinern" in Paris eine so beträchtliche Rolle spielen!). Überhaupt kann man sagen, daß Jean Pauls Figuren dann, wenn ihnen nicht nur innere, sondern auch äußere „Idealität" des Wesens und Daseins vom Erzähler zugeteilt wird, der Enthobenheit aus aller sozio-ökonomischen Enge und materialen Bedingtheit bedürfen. Wo die Erzählung den Bereich der intimen und häuslichen Beziehungen überschreitet und in den Raum der Öffentlichkeit hinübertritt, setzt sich deshalb die Tendenz durch, solches poetisches Personal zu adeln. (Schoppes „negative Idealität" kann, ja muß andererseits mit bürgerlichem Status sich verbinden. Da er jedoch auch ein Freier, ja der Inbegriff des Freien ist, löst ihn derErzähler aus allen sozialen und ökonomischen Zwängen dadurch heraus, daß er ihm durch eine Erbschaft materielle Unabhängigkeit gibt.)

[28] An Emanuel vom 18. November 1795, in: Die Briefe Jean Pauls, hrsg. v. E. Berend, München 1922, 2, S. 126f.

[29] Friedrich Schlegel, Kritische Schriften, hrsg. v. W. Rasch, 3. Aufl. Darmstadt 1971, S. 81.

[30] Werke 2, S. 71.

[31] Kritische Schriften, S. 509 (im „Gespräch über die Poesie").

[32] Hölderlin, Sämtliche Werke, hrsg. v. F. Beissner (Große Stuttgarter Ausgabe), Stuttgart 1946, 1, 1. Hälfte, S. 256.

[33] Werke 3, S. 584.

[34] Werke 2, S. 24. Vgl. auch Werke 4, S. 300, Z. 20ff., wo der Dichter als potentieller Held gedacht wird – freilich als bloß potentieller, eben weil er bloß dichtet.

[35] Werke 3, S. 331.

[36] Werke 4, S. 298, 336.

Richard Brinkmann

DEUTSCHE FRÜHROMANTIK UND FRANZÖSISCHE REVOLUTION

Begeisterter Jubel beim Aufbruch der Freiheit – ernüchterte Abkehr angesichts grausamer Praxis: dies Schema trifft zu für die meisten Zelebritäten im geistigen Leben der Epoche. Für jeden einzelnen von Rang und Namen sind die Zeugnisse des Pro und Contra einigermaßen genau registriert worden; indessen nicht sine ira et studio, sondern fast immer mit deutlichen Interessen. Die Antwort auf die Revolution wird zum Gradmesser für Zensuren. Progressiv oder reaktionär; verständlicher Überschwang des Enthusiasmus – Rückkehr zu Besinnung und Besonnenheit; verstockter Konservatismus – verbohrter Utopismus; realistischer Sinn für die politische Wirklichkeit, sei es als Anerkennung des Neuen, sei es als Verteidigung des Alten; Humanität als Ergebnis der Revolution – Humanität als Ergebnis ihrer Abwehr: so und ähnlich werden Lob und Tadel verteilt, je nach Gesinnung des Chronisten und Geschichtsschreibers. Beglückt pickt der eine Zitate auf als Beleg für Fortschrittsgesinnung, der andere als Zeugnis für Bewahrung und Wiederherstellung von Recht und Ordnung, je nachdem wie er es selbst gern hat. Und wo der eine in Bejahung revolutionärer Idee und Tat den Aufgang der Vernunft begrüßt, sieht der andere gerade darin Gefahr oder gar Vollendung ihres Untergangs. Wo der eine in restaurativer Tendenz und Gesinnung die Rettung der Vernunft erblickt, sieht der andere sie zu Grabe getragen. Die Geschichte dieser Beurteilung von Urteilen ist nicht minder interessant als die Texte und Tatsachen, die beiden zugrunde liegen. Die Romantik und ihre angebliche Haltung zur Revolution ist dabei ein besonders aufschlußreicher Fall; ein Stück Wirkungsgeschichte in umfassendem Verstande. Die Folgen der romantischen Reaktion auf die Revolution und die Staatsphilosophie, die daran anknüpft, gehören in entscheidendem Maße zur Geschichte ihrer Interpretation und ihrer Mißverständnisse.

Auch für die Frühromantiker sind die Stellen rasch zusammengestellt, die ihr Urteil über die Französische Revolution als unmittelbares Votum belegen. Da gibt es die obligaten Stellen des Entzückens über den Sieg der Freiheit, ja auch der Gleichheit. Da läßt sich Schelling zitieren, der vor lauter Begeisterung die Theologie aufgibt und sich aus dem „Pfaffen- und Schreiberlande“ in „freiere Lüfte“ nach Paris fortsehnt[1]. Tieck, der, noch als Schüler, unter dem Eindruck von Linguets „Mémoires sur la Bastille“ ein Drama über die Volkserhebung schreibt; der, als Student in Göttingen, ausruft: „Oh, wenn ich izt ein Franzose wäre! Dann wollt' ich nicht hier sitzen, dann – – – Doch leider, bin ich in einer Monarchie geboren, die gegen die Freiheit kämpfte, unter Menschen, die noch Barbaren genug sind, die Franzosen zu verachten. [. . .] Oh, in Frankreich zu sein, es muß doch ein groß Gefühl sein, unter Dumouriez zu fechten und Sklaven in die Flucht zu jagen, und auch zu fallen, – was ist ein Leben ohne Freiheit?“[2]; Tieck, der von der Möglichkeit der Gleichheit aller Stände schwärmt. Und Wackenroder, der anscheinend so seraphische Jüngling, stimmt „von ganzem Herzen“ in Tiecks „Enthusiasmus“ ein[3], und als das Haupt Ludwigs XVI. gefallen ist, bemerkt er kühl: „Die Hinrichtung des Königs von Frankreich hat ganz Berlin von der Sache der Franzosen zurückgeschreckt; aber mich gerade nicht. Über ihre Sache denke ich wie sonst.“ Eine kleine Einschränkung, die er anfügt, nimmt das kaum zurück: „Ob sie die rechten Mittel dazu anwenden, verstehe ich nicht zu beurteilen, weil ich von dem Historischen sehr wenig weiß.“[4] Schleiermacher kann man anführen, der die „despotischen Absichten“ der europäischen Fürsten verurteilt, „welche die Revolution zu ersticken trachten“, Schleiermacher, der in einem Brief an den Vater sich „gar nicht scheut“ zu „gestehen“, daß er „die französische Revolution im ganzen genommen sehr liebe“, der – im gleichen Brief – bei allem Abscheu gegen die Barbarei der Gewalt gleichwohl im „Gesalbtsein“ eines Fürsten prinzipiell kein Hindernis gegen ein Todesurteil sieht[5]. Friedrich Schlegel ist zu nennen, der dem Bruder August Wilhelm seinen „Haß gegen die Franken“ vorhält und sich enthusiastisch für die „Erhaltung der französischen Freiheit“ ausspricht[6], der Fichtes „Beiträge zur Berichtigung der Urteile des Publikums über die Französische Revolution“ entschieden begrüßt, der in seiner Auseinandersetzung mit Kants Schrift „Zum ewigen Frieden“ eine Apologie des Republikanismus liefert. Novalis, der in seinen frühen Dichtungen die Phraseologie der Revolutionsenthusiasten aufnimmt und mit „Freiheitsglut“, „Menschenrecht“,„Sklaverei“, „Tyrannenhaß“ nicht spart, der, als er dem Freunde Friedrich Schlegel Sehnsucht nach „Brautnacht, Ehe und Nachkommenschaft“ gesteht, dabei assoziiert: „Wollte der

Himmel, meine Brautnacht wäre für Despotismus und Gefängnisse eine Bartholomäinacht, dann wollt ich glückliche Ehestandstage feiern. Das Herz drückt mich – daß nicht jetzt schon die Ketten fallen wie die Mauern von Jericho. So leicht der Sprung, so stark die Schwungkraft – und so stark der weibischte Kleinmut. Starbrillen sind nötig – zum Starstechen ist die Zeit noch nicht ... zum Zerhauen ist der Knoten – langsames Nisteln hilft nichts."[7]

Der Katalog läßt sich vermehren[8], und auch die Zeugnisse späterer Um- und Abkehr finden sich leicht, wenn man danach sucht und, wie das einschlägige Kapitel in einer vielzitierten Arbeit zum Thema heißt, „Die Überwindung der Französischen Revolution und ihrer Ideen aus dem Geiste der deutschen Romantik" beweisen möchte[9]. Da läßt sich dann zum Beispiel hinweisen auf Tiecks Novelle „Die Schildbürger" von 1796, in denen die Revolutionsideen der Franzosen und die Deutschen als ihre albernen Nachbeter verspottet werden, oder auf den „Gestiefelten Kater" (1797) mit seinen ironischen Attacken und auf das Märchen „Das Ungeheuer und der verzauberte Wald", in dem geradezu die Wiederherstellung des Königstums verkündet wird[10]. Friedrich Schlegels restaurative Tendenzen in seiner späteren Entwicklung liegen nahe, Schleiermachers Hinwendung zu einer organischen Gemeinschaftsidee und zum Deutschpatriotischen. Dem oberflächlichen Blick mag besonders Novalis Kronzeuge sein für die Wendung der Frühromantik zum Konservativen, der Frühromantik zugleich als Wegbereiterin spätromantischer Staatsphilosophie. Wer's so ansieht, dem „ist gewiß, daß die jugendliche Begeisterung des Zeitalters der Revolution auch bei Novalis gründlich verflog"[11], und ein Satz zum Beispiel wie der folgende muß das belegen: „Vielleicht lieben wir alle in gewissen Jahren Revolutionen, freie Concurrenz, Wettkämpfe und dergleichen demokratische Erscheinungen. Aber diese Jahre gehn bei den Meisten vorüber – und wir fühlen uns von einer friedlicheren Welt angezogen, wo eine Centralsonne den Reigen führt, und man lieber Planet wird, als einen zerstörenden Kampf um den Vortanz mitkämpft."[12] Von hier aus scheint sich denn auch ein Verständnis der Fragmenten-Sammlung „Glauben und Liebe" als eines Bekenntnisses zur Monarchie anzubieten, und es liegt nahe, den Aufsatz „Die Christenheit oder Europa" als „den stärksten Gegenschlag gegen die Ideen des revolutionären Zeitalters" zu betrachten[13], als den „Gegenwurf gegen die französische Revolution und gegen den Macchiavellismus neuzeitlicher ‚Realpolitik'", als die „Idee der heiligen Allianz"[14], und ihn ganz in

die Nähe von Chateaubriands „Génie du christianisme" (1802) zu rücken.
Nun ist inzwischen die Forschung über derart banale Festlegungen hinaus. Indessen haben auch einige höchst differenzierte Arbeiten, insbesondere zur Bedeutung der Französischen Revolution in den Gedanken des Novalis, das allgemeine Bewußtsein kaum verändern können, daß die Romantik, und auch schon die Frühromantik, im Kern auf Bewahren und schließlich auf idealistische und poetische Weltflucht gerichtet sei, die eine produktive Rezeption der Französischen Revolution und ihrer Ideen an limine unmöglich mache. Gerade hier aber liegt die Frage, die den Aufwand auch nur einer Vortragsstunde lohnt. Denn von ihrer Beantwortung hängen Einsichten von historischem Gewicht ab, die zum Verständnis der Epoche und ihrer Folgen bis in die Gegenwart hinein Wesentliches beitragen. Wie der eine oder andere sich privat oder im Freundeskreis zur Revolution geäußert, ob er als Person Freiheit und Gleichheit begrüßt, ob er Grausamkeiten beschönigt oder verurteilt, ob er politisch den Weg vom Aufbegehren zur Befriedung, von der Neigung zum Umsturz zum eher behaglichen Konservatismus gewählt habe – das alles ist schließlich von eher anekdotischem Interesse, das, für sich genommen, hier eine nähere Erörterung schwerlich rechtfertigt. Unter diesem Betracht mag es bei den Andeutungen und ausgewählten Expektorationen bleiben, die ich zitiert habe. Wenn es um die Substanz und die epochal repräsentative Auseinandersetzung der Frühromantik mit der Französischen Revolution geht, können Tieck, Wackenroder aus dem Spiel bleiben und auch der „Kontrerevolutionär" [15] August Wilhelm Schlegel, nicht *weil* er Konterrevolutionär ist, sondern weil sich seine Abneigung gegen die Revolution in vergleichsweise konventionellen Vorstellungen abspielt und ausdrückt.
Friedrich Schlegel und vor allem Novalis sind es, die das Phänomen der Revolution in einem Gedankenkonzept verarbeiten, das weit über biographisches Interesse hinaus Aufmerksamkeit erheischt, in der Tat ein Novum von hoher Originalität und Importanz bedeutet und zugleich die Qualität des Typischen, des geschichtlich Repräsentativen, in einem anspruchsvolleren Sinne besitzt als die vordergründigen Reaktionen, die gewiß auch aus den politischen, ökonomischen, sozialen und geistesgeschichtlichen Voraussetzungen ihrer Zeit verstehbar sind; die aber über den Reflexcharakter kaum hinauskommen und schwerlich als vorwärtsweisende Stationen im Fortgang der Geschichte zu werten sind. Damit ist freilich ein Urteil über das Gewicht der Positionen von Fried-

rich Schlegel und Novalis vorweggenommen, keineswegs allerdings über Wert oder Unwert von deren inhaltlicher und formaler Bestimmung.

Eines läßt sich vorweg konstatieren: Weder der frühe Schlegel noch Novalis lassen sich als „konservativ", „antirevolutionär", „reaktionär", oder wie auch immer verwandte Attribute und Klischees lauten mögen, klassifizieren. Es wird sich zeigen, daß dergleichen Begriffe, die auf ein empirisch-unmittelbares Verhältnis zur politischen Wirklichkeit zielen, keine geeigneten Kategorien sind, um das Verhältnis der beiden Frühromantiker zur Revolution und ihre produktive Auseinandersetzung mit ihr zu verstehen. Diese Auseinandersetzung geht aus von konkreten Anschauungen der politischen Wirklichkeit; sie geht aus von der Faszination eines spontanen Gewaltakts der Befreiung; sie geht aber auch aus von der Erfahrung der Verstrickung in der praktischen und geschichtlichen Wirklichkeit, in der eben die Freiheit liquidiert zu werden drohte und die Inhumanität in veränderter Gestalt wiederkehrte. Doch auch die grausamen und antagonistischen Ereignisse und Verkehrungen konnten weder beim frühen Schlegel noch bei Novalis die Ideale und die substantielle Legitimität der Revolution in Frage stellen und ihnen auch nur entfernt den Gedanken einer Wiederherstellung, einer Restauration nahebringen. Vielmehr blieben beide entschieden vom Impetus der Freiheit und auch der Gleichheit, für den das Faktum der Revolution ein weithin sichtbares und wirksames Exempel, ein Fanal in der politischen und geschichtlichen Wirklichkeit gesetzt hatte, in ihrem ganzen Denken bestimmt. Was die Zustimmung zu Verkündigung und Tat der Revolution bestimmte, war indessen nicht einmal zuerst ein praktisch-politisches Interesse im engeren Sinne; vielmehr traf die Erfahrung der politischen Ereignisse bei Schlegel und Novalis mit gesellschaftsphilosophischen und geschichtsphilosophischen Voraussetzungen zusammen, die nicht allein diejenigen waren, die in Frankreich die Revolution theoretisch vorbereitet und begründet hatten. In Deutschland und insbesondere im Bildungsgut Schlegels und Hardenbergs kamen Vorstellungen hinzu, die hier nicht alle aufgezählt und als Ingrediens der spezifischen Gedankenentwicklung der beiden analysiert werden müssen. Immerhin mag als ein beispielhafter Name (und mehr übrigens als ein beispielhafter!) derjenige Herders genannt sein. Er, keineswegs allein, aber vor allem, hatte eine Geschichtsanschauung formuliert und vermittelt, die sowohl Friedrich Schlegel wie Novalis vorerst einmal grundsätzlich in die Lage versetzte, das Ereignis der Revolution im Zusammenhang eines organischen Verlaufs der Historie zu begreifen und damit prinzipiell auch zu legitimieren. Damit war aber das Problem keineswegs erledigt, es fing vielmehr erst an. Denn in Frankreich waren, wie bekannt, die Komplikationen der Organisation einer politischen Zukunft deutlich geworden, die mit dem punktuellen Ereignis begonnen hatte. In Deutschland und in anderen Ländern hatte eine Revolution überhaupt nicht stattgefunden. So kam es darauf an, ein Konzept zu entwickeln, das eine allgemeine Norm für politisches Handeln zu bieten imstande wäre, eine Norm, die weder Verwirrung und Grausamkeit in den Folgeerscheinungen der Revolution in Frankreich zu sanktionieren, noch die sozial- und realpolitischen Gegebenheiten in Deutschland zu ignorieren hätte. Dieses Engagement, das sich von seinem Ursprung her keineswegs in einem abstrakten und weltfernen Ideenhimmel, im *topos ouranikos*, bewegte, traf zusammen mit Grundgedanken idealistischer Philosophie, insbesondere mit derjenigen Fichtes, d.h. mit dem Prinzip einer Allgemeinheit im Sinne eines transzendentalen Subjekts und mit der Vorstellung einer unendlichen Progression auf ein Ideal hin, das diese Progression in Bewegung setzt und zugleich gewissermaßen in ihr selbst beschlossen ist. Zu dem Fichteschen Ansatz kamen freilich eine Reihe anderer, die dessen System modifizieren, bestätigen oder ergänzen. In der Abbreviatur eines Vortrags lassen sich die Elemente nicht alle ausbreiten; es ist aber vielleicht auch nicht nötig, um im Kern zu begreifen, wovon das Thema handeln soll. Immerhin sind zwei Aspekte zu erwähnen, ohne die das mindestens im Hinblick auf Novalis nicht möglich ist.

Einmal ist es die in den Bereich des Ästhetischen gewendete Transzendentalphilosophie, d.h. genauer: Sache und Begriff einer Traszendental*poesie*, einer Poesie, die ihren speziellen Gegenstand auf ein Universales hin übersteigt und die in poetischer Form die Reflexion ihres eigenen Wesens und Tuns vorstellt als „Poesie der Poesie“ [16], „progressive Universalpoesie“ [17], die auf ein Absolutum, ein Ideal gerichtet ist, dem sie sich in ihrer Selbstentfaltung annähert, ohne es je vollkommen zu erreichen. Bei Novalis ist es zudem das Sophienerlebnis, der „Zielgedanke“, der ihm aus der Erfahrung des Todes seiner Braut erwächst und ihn mit der Gewißheit erfüllt, daß es ein Absolutes und ein Eschaton als Ziel der Geschichte schon in der Gegenwart, als Telos des Handelns, wirksam geben müsse.

Die Absicht der beiden Frühromantiker, auf die hier aus angedeuteten Gründen der Lichtkegel des Interesses gerichtet ist, die in der Revolution sichtbar gewordenen Probleme auf transzendentaler Ebene zu erörtern und zu lösen, steht – das muß doch hinzugefügt werden – im Zusammenhang einer allgemeineren Tendenz, zumal in Deutschland: Die Fehlschläge im Bereich der politischen Verwirklichung der Revolutionsideale förderten die Wendung zu einer Kulturphilosophie, die gleichfalls insbesondere Herders Grundgedanken nahelegte und die sich mit einer einsehbaren Folgerichtigkeit zu einer Kulturpädagogik wandelte. Staatsgedanke als Kulturidee – das ist gewissermaßen der Oberbegriff, unter den schließlich, wie Schillers Gedanken einer ästhetischen Erziehung, so auch die frühromantischen (wie auch die späteren romantischen) Versuche gehören.

Die Revolution als „Incitament", wie Novalis sich ausdrückt, bleibt für ihn und Schlegel im höchsten Maße aktuell. Wenn Novalis indessen im Dezember 1797 an Friedrich Schlegel schreibt: „Deine ‚Fragmente' sind durchaus *neu* – echte, revolutionäre Affichen", und wenn er im gleichen Brief von eigenen Fragmenten bemerkt: „Revolutionären Inhalts scheinen sie mir hinlänglich . . .", und anfügt: „In der Politik glaub ich nicht ohne Grund au fait zu sein" [18], so hat das anderen Valeur als seine Jugendäußerungen, die unvermittelte Zustimmung zur Revolution meinten. „Revolutionär" weist hier in die Richtung von Friedrich Schlegels Intention, wenn er im Aufsatz „Über das Studium der Griechischen Poesie" „die große moralische Revoluzion, durch welche die Freyheit in ihrem Kampfe mit dem Schicksal (in der Bildung) endlich ein entschiedenes Uebergewicht über die Natur bekommt", der „physischen Revoluzion" gegenüberstellt, durch die als „durch äussre Gewalt" . . . „die aesthetische Bildung" . . . „in ihren Fortschritten aufgehalten, oder . . . völlig zerstört werden" könne [19].

Was Friedrich Schlegel betrifft, so ist die Vorstellung zweifellos falsch, die eine der neuesten Publikationen [20] propagiert, Friedrich Schlegel habe seine frühen Schriften, vor allem zur antiken Kunst und Literatur, gewissermaßen als „Blendlaternen des Ideenschmuggels" (um einen Ausdruck Gutzkows zu gebrauchen) benutzt, um der Zensur zu entgehen und revolutionäre Gedanken zu verbreiten [21]. Natürlich kann man „republikanische Züge" in den Frühschriften finden. Friedrich Schlegel sucht in der Tat die Spuren der Freiheit und republikanisch-demokratische Verfassungen in den Werken der Antike und auch der Neuzeit auf; er weist auch hin auf Ansätze „zur Emanzipation der Frauen und der Sklaven" [22], auf Elemente der „Popularität und Universalität" in der Dichtung [23]. Aber es wäre unsinnig, darin verkappte Programmpunkte für eine konkret erwartete revolutionäre Änderung der Verhältnisse in

Deutschland zu erblicken, Friedrich Schlegel als eine Art Jakobiner mit Tarnkappe zu betrachten. Vielmehr stehen alle revolutionär anmutenden Einzelheiten im Zusammenhang eines umfassenderen Konzepts, dem es gerade nicht darauf ankommen kann, inhaltlich bestimmte politisch-revolutionäre Lehren zu verbreiten und sie unvermittelt auf die politisch-soziale Wirklichkeit zu beziehen. Was er bei den Antiken oder bei den Modernen sucht und findet, kann eben nicht, auch nicht im Bereich politischer Strukturen, ein „für alle Zeiten bleibendes Muster“ [24] sein, wie er noch in seiner anfänglichen Schrift „Von den Schulen der Griechischen Poesie“ im Hinblick auf die griechische Kunst zu meinen scheint. Immer deutlicher wird in der Abfolge der Frühschriften und insbesondere im Aufsatz „Über das Studium der Griechischen Poesie“, daß es um die Suche nach einem transzendentalen Prinzip der modernen Poesie geht und nach einem Gegenstand, der den Begriffen des Verstandes, der Theorie, eine vollendete Anschauung bietet, ohne die eine vollkommene philosophische Theorie gar nicht zustande kommt. Das gründliche Eintauchen in die Geschichte ist notwendig, weil nur aus ihrer Kenntnis und Deutung der „Geist des Ganzen“ [25] erfaßt werden kann. „Zwecklose *Vielwisserei*“ [26] kann diesen Geist des Ganzen nicht vermitteln. „Das *Urbild* der Menschheit auf der höchsten Stufe der antiken Bildung“ [27] bietet die Anschauung für die Gesetze und Begriffe, nach denen sich die Richtung der modernen Geschichte bestimmen muß, aber es kann niemals an die Stelle dieser Begriffe und Gesetze selbst treten. In diesem Sinne ist *„echte Nachahmung* [. . .] nicht künstliche Nachbildung der äußern Gestalt, [. . .] sondern die Zueignung des Geistes, des Wahren, Schönen und Guten in Liebe, Einsicht und thätiger Kraft, die *Zueignung der Freiheit“* [28]. „Der Historiker ist“, nach Schlegel, „der rückwärtsgekehrte Prophet“, insofern er aus der Anschauung der Geschichte den Geist empfängt, der ihn zu einem Entwurf für die Zukunft befähigt aus eben diesem Geist der Freiheit. Die progressive Universalpoesie empfängt ihr Movens nach vorn und in die Zukunft aus der Idee, die, wenn sie nicht abstrakt bleiben oder ihr Wesen durch die Verwechslung mit mehr oder weniger zufälligen Ereignissen, auch im Bereich des Politischen, verlieren will, im synthetischen Rückblick auf die Geschichte gefunden wird. Eine zeitgerechte Dichtung wird solchermaßen revolutionär sein und revolutionären Geist vermitteln, nicht im Sinne kasuistischer Anleitung zum gewaltsamen Umsturz, sondern zur Gestaltung der menschlichen Wirklichkeit im Politischen, Sozialen, in allen Bereichen, aus dem Geist der

Freiheit, der die Gleichheit im Prinzip einschließen muß. So wird der berühmte Satz Schlegels erst wirklich verständlich, die „Französische Revoluzion, Fichte's Wissenschaftslehre, und Goethe's Meister" seien die „grössten Tendenzen des Zeitalters"[29]. Die Formulierung ist konsequent und genau zu nehmen. Die ursprüngliche Fassung des Satzes lautet nämlich: „Die drei grössten Tendenzen unsres Zeitalters sind die W. l., W. M. und die französische Revoluzion. Aber alle drei sind doch nur Tendenzen, ohne gründliche Ausführung."[30]

Auch wo Friedrich Schlegel unmittelbar auf Probleme politischer Theorie und Praxis zu sprechen kommt, wie im „Versuch über den Begriff des Republikanismus", der schon genannten Kritik über Kants Schrift „Zum ewigen Frieden", gilt die Begründung der Theorie aus der Geschichte: „Nur aus den *historischen Prinzipien der politischen Bildung,* aus der *Theorie der politischen Geschichte,* lässt sich ein befriedigendes *Resultat über das Verhältniss der politischen Vernunft und der politischen Erfahrung* finden."[31] Nur auf solcher Grundlage lassen sich Wesen und Sinn des Republikanismus definieren, nur von hier aus kann auch die Frage beantwortet werden, wann eine „Insurrekzion" rechtmäßig und erlaubt sei.

In einer Nachschrift zu Randbemerkungen, die Novalis in einer Abschrift von Friedrich Schlegels „Ideen" notiert, spricht er unter dem Namen Julius – das ist der Hauptcharakter in Schlegels „Lucinde" – den Freund an: „Wenn irgend jemand zum Apostel in unsrer Zeit sich schickt, und geboren ist, so bist du es. Du wirst der Paulus der neuen Religion seyn, die überall anbricht – einer der Erstlinge des neuen Zeitalters — des Religiösen. Mit dieser Religion fängt sich eine neue Weltgeschichte an. Du verstehst die Geheimnisse der Zeit – Auf dich hat die Revolution gewirckt, was sie wircken sollte, oder du bist vielmehr ein unsichtbares Glied der heiligen Revolution, die ein Messias im Pluralis, auf Erden erschienen ist."[32] Dieser Religionsbegriff kann hier nicht gründlich expliziert werden. Er bildet sich bei Schlegel und anders bei Novalis zum Teil in Anlehnung an Schleiermachers Vorstellung von Religion als „Anschauen des Universums", zum Teil in Auseinandersetzung damit. Wie auch immer im einzelnen – aufs engste hängt er zusammen mit dem transzendentalen Standpunkt, von dem hier die Rede ist. Er impliziert die Beziehung mit dem Göttlichen als dem Absoluten, als dem Ideal, das zugleich erkennen läßt, was allen Menschen gemeinsam ist, und ihre Gleichheit und Freiheit auf höchster Ebene begründet. In diesem Punkte waren sich Friedrich Schlegel und Novalis

jedenfalls einig. Aber Novalis hat das Problem der Revolution, oder besser: die Probleme, die ihm und seinen Zeitgenossen mit dem Ereignis der Französischen Revolution zu vollem Bewußtsein gekommen waren, mit einem Anspruch reflektiert, der die Position des frühen Schlegel an Intensität und, man mag wohl auch sagen: Universalität überbietet. Im Grunde ist fast sein ganzes Oeuvre von einem nahezu monomanisch zu nennenden Impetus bestimmt, der seine Energie nicht zuletzt aus dem Erlebnis der Revolution und ihrer Nachfolgeereignisse bezieht.
Die beiden Hauptdokumente für die Wirkung der Revolution auf das Denken des Novalis sind aber die Fragmenten-Sammlung „Glauben und Liebe oder Der König und die Königin" und die Rede „Die Christenheit oder Europa". Beide sind gründlich mißverstanden worden, und diese Mißverständnisse sind der Grund für allgemeinere Fehlinterpretationen des Novalis und des politischen Denkens der Frühromantik überhaupt, wovon ich früher gesprochen habe. Zu einem richtigen Verständnis der „Europa"-Rede ist von entscheidender Bedeutung, sie in ihrem Fiktionscharakter zu erkennen, d. h. sie als poetischen Text zu lesen und nicht als unmittelbar-expositorischen. Darauf hat besonders einleuchtend ein neueres Buch zur „Europa"-Rede des Novalis hingewiesen, das überhaupt deren weitaus beste und am tiefsten dringende Auslegung gegeben hat und in der ich für das folgende Wichtiges gelernt und bestätigt gefunden habe[33]. Dort wird mit Recht betont, daß „das Friedensbild des Novalis" zweifellos „‚antidespotisch' entworfen" sei, „aber ihm außerdem noch realpolitische Anweisungen zur Verwirklichung des Friedens in Freiheit [. . .] entnehmen zu wollen, wäre ebenso töricht, wie sich von der ‚Europa'-Fabel realhistorische Aufklärung zu versprechen oder sie für geeignet zu halten zur innerlich religiösen Erbauung. Sie ‚zeugt' nicht vom Glaubensgehorsam, sie erzählt nicht historisch, ‚was geschehen ist', und sie wirbt nicht politisch für eine Partei. Sie erzählt und verkündigt mit den Metaphern ‚Europa' und ‚Christenheit' vom Frieden, der ‚geschehen könnte' und ‚möglich wäre nach Angemessenheit'"[34]. Nun ist die Behauptung, die „Europa"-Schrift erzähle nicht historisch, was geschehen sei, allerdings zu modifizieren. In der Tat ist die Darstellung eines schönen und harmonischen Mittelalters, der Rolle der Reformation, des Jesuitenordens usw. nicht faktentreue Historiographie und will es nicht sein. Vielmehr entspricht die Darstellung des Mittelalters der Auffassung des Novalis von wahrer Geschichtsschreibung und von der eigentlichen Aufgabe des Historikers: „Der Geschichtsschreiber organisirt historische Wesen. Die Data

der Geschichte sind die Masse, der der Geschichtschreiber Form giebt – durch Belebung"[35]; oder, wie es im „Heinrich von Ofterdingen" heißt: „Wenn ich [. . .] alles recht bedenke, so scheint es mir, als wenn ein Geschichtschreiber notwendig auch ein Dichter sein müßte, denn nur die Dichter mögen sich auf jene Kunst, Begebenheiten schicklich zu verknüpfen, verstehn." Der Historiker soll die „große einfache Seele der Zeiterscheinungen" zur Anschauung bringen, er soll das „Wissenswürdigste" geben, das, was „erst die Geschichte zur Geschichte macht"[36]. Genaue Detailkenntnis und poetische Synthesis miteinander ergeben den „echten historischen Geist". Dieser Ansicht liegt zunächst einmal die einfache hermeneutische Einsicht zugrunde, daß jede Art von Geschichtsschreibung Tatsachen zu Zusammenhängen verknüpfen muß, die nicht in den Einzelfakten selbst und in den Dokumenten der faktischen Geschichte beschlossen liegen. Selbst die Beschreibung z. B. eines Krieges setzt eine synthetische Operation voraus, die ein Ereignis und erst recht einen Zusammenhang von Ereignissen überhaupt erst konstruiert. Auch die geschichtliche Darstellung der Vergangenheit in der „Europa"-Rede basiert auf Tatsachen und Quellenstudien. Aber die Tatsachen sind organisiert und gedeutet in einem poetischen Akt im Hinblick auf einen Gehalt, der aus den angeblich objektiven Tatsachen nicht ablesbar wäre und der sich aus der Funktion im Gesamtzusammenhang der „Europa"-Rede ergibt. Indem das, was als Potenz, als ideale Möglichkeit in der Vergangenheit des Mittelalters steckt, als ihr Telos, als wirklich, als verwirklicht vorgestellt wird, läßt sich aus dem Rückblick in die Vergangenheit ein Leitbild für die Zukunft, die Grundlage für eine Theorie zur Gestaltung der Zukunft gewinnen. Die Visionen einer neuen universalen Christenheit bedeuten nicht Wiederherstellung einer geschichtlichen Vergangenheit, vielmehr gleichfalls eine Metapher, die für den Geist der Freiheit, der Gleichheit, des Friedens aller Menschen steht, wie auch Europa sowohl in seiner vergangenen als auch in seiner für die Zukunft erschauten Gestalt von metaphorischer Bedeutung ist. Die Französische Revolution ist auch hier das Incitament eines Entwurfs, der ihre Ideale aus der Zufälligkeit gegenwärtiger Verstrickungen befreien und auf eine politische Zukunft hin wirksam machen soll. Diese politische Zukunft, in der die Ideen der Revolution für alle Menschen verwirklicht würden, kann weder von den abstrakten Ideen der Freiheit und Gleichheit her gestaltet werden, wenn nicht eben die allgemeine Grundlage dieser Ideen von Gleichheit und Freiheit gefunden ist, noch kann sie vom realpolitischen Fonctionnement der politischen Realität selber her abgeleitet werden: „Es ist unmöglich daß weltliche Kräfte sich selbst ins Gleichgewicht setzen, ein drittes Element, das weltlich und überirdisch zugleich ist, kann allein diese Aufgabe lösen. Unter den streitenden Mächten kann kein Friede geschlossen werden, aller Friede ist nur Illusion, nur Waffenstillstand; auf dem Standpunkt der Kabinetter, des gemeinen Bewußtseyns ist keine Vereinigung denkbar." Nur im Entwurf eines Ideals, das darüber hinausgeht, gibt es „die zwanglose Berührung mit allen Staatsgenossen", den „Stolz auf menschliche Allgemeingültigkeit, die Freude am persönlichen Recht und am Eigenthum des Ganzen, und das kraftvolle Bürgergefühl"[37]. Die Revolution wird also auf die Dauer ihre umfassende positive Wirkung nur tun können, wenn ihre wahrhafte „Teleologie"[38] erkannt und in einer aus der Geschichte geschöpften allgemeinen Theorie Movens des praktischen Handelns wird. Was Novalis gibt, ist in der Tat eine Vereinigung von „Geschichtstheologie, Geschichtsphilosophie und Geschichtspoesie", die „den unberechenbaren Zielpunkt aller Hoffnungen" in der Epoche der Revolution „dogmatisch zu verkündigen" vermögen[39]. Die „Zeichen" der Geschichte können den Aufgeschlossenen, den Eingeweihten, den Religiösen im angedeuteten Sinne lehren, daß „die heilige Zeit des ewigen Friedens" kommen „muß" und kommen „wird"[40]. Freilich bedingt das einen hermeneutischen Zirkel, in dem schon ein Vorwissen nötig ist, um zu begreifen, was der Essay lehrt, oder um es mit einem früheren Brief Hardenbergs an Friedrich Schlegel auszudrücken: „Aber immer ein Zirkel – zum Freidenken gehört Freiheit, zur Freiheit Freidenken . . ."[41]

In der Fragmenten-Sammlung „Glauben und Liebe" hat Novalis das Problem einer wahrhaften und angemessenen Aktualisierung der Revolutionsideen auf anderer, d. h. auf eigentlich politischer Ebene reflektiert. Im „Allgemeinen Brouillon" notiert Novalis: „Das politische Problem dürfte also wohl Eins der Hauptprobleme, wo nicht gar das höchste seyn, und seine wahrhafte Auflösung unermeßliche untergeordnete Auflösungen nach sich ziehn, und den wichtigsten Einfluß auf alle *Wissenschaften* haben."[42] Der leitende Gedanke der „Staatsschrift", wie man die Fragmenten-Sammlung „Glauben und Liebe" wohl nennen kann, ist der der Repräsentation, Repräsentation im Politischen. Aber wieder geht es um den transzendentalen Aspekt dieser Sache. Repräsentation nämlich nicht zuerst als Vertretung der „volonté de tous" als vielmehr im Sinne von Vergegenwärtigung des Ideals, das auch hier in einer utopischen Zukunft liegt, aber das konkrete Handeln gleichwohl leiten und bestimmen soll, wenn man will der „volonté générale". Im Kern geht es um das gleiche Thema, um den gleichen Denkzusammenhang wie in der späteren „Europa"-Rede: „Der ganze Staat läuft auf Repraesentation hinaus. Die ganze Repraesentation beruht auf einem Gegenwärtig machen – des Nicht Gegenwärtigen und so fort – (Wunderkraft der *Fiction*). Mein Glauben und Liebe beruht auf *Repraesentativen Glauben.* So die Annahme – der ewige Frieden ist schon da – Gott ist unter uns – hier ist Amerika oder Nirgends – das goldne Zeitalter ist hier – wir sind Zauberer – wir sind moralisch und so fort."[43] Freilich handelt es sich doch auch um Repräsentation im Sinne der politischen Vergegenwärtigung und Verwirklichung des Willens aller Glieder eines Staates. Diese Vorstellung setzt elementar die prinzpielle Gleichheit aller Menschen voraus. Denn wie Novalis in seinen Randbemerkungen zu Schlegels „Ideen" formuliert: „Die Ursachen der Revolution und ihr eigentliches Wesen, muß wenn sie wircklich historisch ächt ist, jeder Zeitgenosse in sich selbst finden können."[44] Die Grundlage von Hardenbergs Preis der Monarchie ist die prinzipielle Bejahung der Demokratie, deren Begriff ihm aus seiner Reflexion der Revolution und deren Hintergründen erwuchs. Das klingt paradox, ist aber folgerichtig, wenn man es richtig versteht. Das war offenbar schon bei den Zeitgenossen und bei dem Angesprochenen nicht ganz leicht: „Der König hat den ‚Glauben und Liebe' gelesen", so schreibt Friedrich Schlegel an Novalis im Juli 1798, „aber nicht verstanden, und daher dem Obristlieutenant Köckeritz Ordre gegeben, ihn zu lesen. Weil dieser ihn aber gleichfalls nicht verstanden, hat er den Consistorialrat Niemeyer zu Rate gezogen. Dieser hat auch nicht verstanden, worüber er höchlich entrüstet gewesen und gemeint hat, es müsse gewiß einer von den beiden Schlegeln geschrieben haben. Es ist nämlich für ihn wie für mehrere Philister Axiom: Was man nicht versteht, hat ein Schlegel geschrieben."[45] Immerhin war Schlegel selbst mit Hardenbergs Thesen einverstanden: „Mit deinen Ideen über Monarchie bin ich im Wesentlichen d. h. im Ganzen vollkommen Eins. Ich finde sie sehr philosophisch, und zwar von der historischen Philosophie."[46]

Zwar ist die Staatsschrift „Glauben und Liebe" nicht unwesentlich von dem Eindruck beeinflußt, den das Königspaar Friedrich Wilhelm III. und Luise auf Novalis gemacht hatten. Gleichwohl hat der König in der Schrift wieder in ähnlicher Weise metaphorische Qualität, wie die Vorstellungen „Mittelalter", „Europa" usw. in der „Europa"-Rede. Das Verhältnis zur historischen Wirklichkeit ist grundsätzlich nicht anders als das von historischen Tatsachen und poetischem Entwurf in der Darstellung des Mittelalters, wenn es sich in der Staatsschrift auch um gegenwärtige politisch-historische Realität handelt: „Wer hier mit seinen historischen Erfahrungen angezogen kömmt, weiß gar nicht, wovon ich rede, und auf welchem Standpunct ich rede; dem sprech ich arabisch, und er thut am besten, seines Wegs zu gehn und sich nicht unter Zuhörer zu mischen, deren Idiom und Landesart ihm durchaus fremd ist."[47] Solange die Menschenrechte nicht konkret realisiert sind – und es war der Fehler der Revolutionäre, sie als Tatsache vorauszusetzen –, solange eine politisch uneingeschränkte Gleichheit aller Bürger eines Gemeinwesens in der vertrackten Welt der Tatsachen nicht möglich ist, auch durch einen Gewaltstreich der Revolution nicht mit einem Schlage herbeigeführt werden kann, ist ein Leitbild im Sinne eines Ideals nötig, nach dem die Staatsbürger sich in Richtung auf eine wahrhaft humane Emanzipation hin bilden können, wenn eben diese Emanzipation aus dem Zustand anarchischer Usurpation von Rechten herauskommen und wahre Gleichheit in Friede und Freiheit einschließen soll. Das Ideal bliebe aber in der politischen Wirklichkeit abstrakt und, kantisch gesprochen, „blind", wenn es nicht eine Möglichkeit gäbe, es in ihre konkrete empirische Realität zu projizieren und ihm dort eine Anschauung zu geben. In diesem Sinne ist der König „ein zum irdischen Fatum erhobener Mensch". Er kann plausibel machen, daß „alle Menschen [. . .] thronfähig werden" sollen, das heißt aber nichts anderes, als die gleiche Freiheit und Unabhängigkeit gewinnen sollen, die jetzt der idealisierte König vorstellt. „Das Erziehungsmittel zu diesem fernen Ziel ist ein König." Die Monarchie beruht „auf der freiwilligen Annahme eines Idealmenschen". Novalis idealisiert damit keineswegs den herrschenden König in seiner Gegenwart, wenn er ihn auch für geeignet hält, die eben umschriebene Rolle zu spielen. Die Annahme des Idealmenschen bezeichnet Novalis aber ausdrücklich im gleichen Abschnitt als „Dichtung"[48]. Obgleich Novalis, wie ich früher gesagt habe, die Revolution als ein vorübergehendes notwendiges Ereignis aus seiner Geschichtsauffassung heraus rechtfertigt, so „nöthig" – wie er in der Staatsschrift meint – „es vielleicht ist, daß in gewissen Perioden alles in Fluß gebracht wird, um neue, nothwendige Mischungen hervorzubringen, [. . .] so unentbehrlich" scheint es ihm „jedoch ebenfalls diese Krisis zu mildern und die totale Zerfließung zu behindern, damit ein Stock übrig bleibe, ein Kern, an den die neue Masse anschieße, und in neuen schönen Formen sich um ihn her bilde"[49]. Es erscheint Novalis als „Unsinn [. . .]

eine Krisis permanent zu machen, und zu glauben, der Fieberzustand sey der ächte, gesunde Zustand"[50], wenn Novalis auch, wie er in den Blütenstaub-Fragmenten bemerkt, „diese angebliche Krankheit [...] als Krise der eintretenden Pubertät"[51] erkennt. Für den politischen Augenblick hält er die Monarchie für eine angemessene Staatsform; aber nur insofern, als sie, je vollkommener und idealer sie sich auch in der konkreten Wirklichkeit präsentiert, über sich hinausweist zu ihrer Aufhebung auf eine republikanische und schließlich demokratische Staatsform hin: „Es wird eine Zeit kommen und das bald, wo man allgemein überzeugt seyn wird, daß kein König ohne Republik, und keine Republik ohne König bestehn könne", ja „der ächte König wird Republik, die ächte Republik König seyn"[52]. Und schließlich: „Demokratie, im gewöhnlichen Sinn, ist im Grunde von der Monarchie nicht verschieden, nur daß hier der Monarch eine Masse von Köpfen ist."[53] Köpfe, das ist aber nicht ein inhaltloser quantitativer Begriff, sondern setzt Geist und – wohlverstanden – Religion voraus. Demokratie ist nur dann sinnvoll, wenn jeder einzelne den Geist des Ganzen in sich trägt, wie er in dem Idealmenschen des Königs (des letzten Endes metaphorisch verstandenen Königs) vorausgesetzt wird. Dies bedeutet es, wenn Novalis in den Blütenstaub-Fragmenten sagt: „Das Volk ist eine Idee. Wir sollen ein Volk werden. Ein vollkomner Mensch ist ein kleines Volk. Ächte Popularitaet ist das höchste Ziel des Menschen."[54] Demokratie als praktische politische Verfassung ist indessen kein unabdingbares Ideal: „In der vollkommenen Demokratie steh ich unter sehr vielen, in repräsentativer Demokratie unter Wenigern, in der Monarchie unter Einem willkürlichen Schicksale."[55] „Jetzt scheint die vollkommene Demokratie und die Monarchie in einer unauflöslichen Antinomie begriffen zu sein – der Vortheil der Einen durch einen entgegengesetzten Vortheil der Andern aufgewogen zu werden."[56] Letzten Endes kommt es Novalis auf diese praktische Entscheidung nicht an; denn angesichts seiner Vorstellung vom idealen Menschen und von Gleichheit und Freiheit – „Seyd Menschen, so werden euch die M[enschen]Rechte von selbst zufallen"[57] – wird das politische System relativ und nicht von substantieller Wichtigkeit. Die „Toleranz führt [...] allmälig zur erhabenen Ueberzeugung von der Relativität jeder positiven Form – und der wahrhaften Unabhängigkeit eines reifen Geistes von jeder individuellen Form, die ihm nichts als nothwendiges Werkzeug ist"[58]. Deutlich ist immerhin, daß Hardenbergs Monarchie-Begriff weit entfernt ist von jedem Liebäugeln mit Despotie, ja geradezu aus einer tief antidespotischen Gesinnung im Geiste der Französischen Revolution entstanden ist. Das entschiedene Gegenbild seines „poetisch" entworfenen Königs ist der „Sultan", das Gegenbild gegen seine Staatsbürger sind die „Sklaven": „Wie endigen Sultane und Sklaven? Gewaltsam. – Jene leicht als Sklaven, diese leicht als Sultane." [59]

Wenn man den Ansatz des Novalis richtig verstanden hat, wird man auch das Urteil über die Bedeutung von Edmund Burkes „Reflections on the Revolution in France" für Novalis revidieren müssen. Man ist in der früheren Novalis-Forschung stets davon ausgegangen, daß Novalis vor allem unter dem Einfluß von Burke seine kritische Haltung zur Revolution ausgebildet habe. Ein neuerer Interpret hat diesen Irrtum zuerst korrigiert[60]. Burke ging es eben um einen sehr konkreten politischen Freiheitsbegriff, der an geschichtlich überlieferte Rechte anknüpfte, und er verwarf die Revolution gerade wegen ihrer angeblich wider die Geschichte und wider das Recht der Traditionen gerichteten Gewaltsamkeit, mit der sie neue und nicht gewordene Rechte erzwang. Es ist nach allem offenkundig, daß der Freiheitsbegriff des Novalis eben gerade nicht, oder jedenfalls nur in sehr relativer Form, an konkrete politische Strukturen gebunden ist und aus der Tradition nur im Sinne einer poetisch entworfenen Vergangenheit, im Sinne eines goldenen Zeitalters, begründet ist, das als ideales Muster die Tendenz des Handelns in der Gegenwart und auf die Zukunft hin bestimmen kann. Der vielzitierte Satz, daß „viele antirevoluzionäre Bücher für die Revoluzion geschrieben worden" seien, „Burke [. . .] aber ein revoluzionäres Buch gegen die Revoluzion geschrieben" habe[61], kann sich nur auf den militanten Charakter von Burkes Schrift einerseits, andererseits auf seine Kritik an den kontinentalen Staatsverfassungen beziehen, denen er die englische Verfassung als Gegenbild und als von der Tradition getragene Verfassung entgegenhielt[62].

Um die Position der Frühromantiker in der Diskussion um die Revolution genau festzulegen, bedürfte es eines sehr differenzierten Vergleiches mit den verschiedenen Spielarten der idealistischen Philosophie, eines transzendentalen Idealismus. Ein solcher Vergleich ist gerade in diesem Punkt bisher nicht geleistet worden. Immerhin ist offenkundig, wie nah sich die Vorstellungen Friedrich Schlegels und Hardenbergs zum Beispiel berühren mit den Grundlinien des sogenannten „Ältesten Systemprogramms des deutschen Idealismus", als dessen Autor wohl endgültig Schelling gelten kann. In der Tendenz bedeutet es Ähnliches wie bei Novalis, wenn es im „Systemprogramm" heißt: „Die Idee der

Menschheit voran – will ich zeigen, daß es keine Idee vom *Staat* gibt, weil der Staat etwas *mechanisches* ist, so wenig als es die Idee von einer *Maschine* gibt. Nur was der Gegenstand der *Freiheit* ist heist *Idee.* Wir müssen also auch über den Staat hinaus! – Denn jeder Staat muß freie Menschen als mechanisches Räderwerk behandeln; u. das soll er nicht; also soll er *aufhören.* Ihr seht von selbst, daß hier alle die Ideen, vom ewigen Frieden usw. nur *untergeordnete* Ideen einer höhern Idee sind."[63] Und auch die Verbindung des Ideals mit der Kategorie des Ästhetischen liegt nahe bei Novalis (und in gewissem Sinne auch Schlegel): „Die Philosophie des Geistes ist eine ästhetische Philos. Man kan in nichts geistreich, seyn selbst über Geschichte kan man nicht geistreich raisonniren – ohne ästhetischen Sinn. [. . .] Die Poesie bekommt dadurch e [sic] höhere Würde, sie wird am Ende wieder, was sie am Anfang war – *Lehrerin der Menschheit;* denn es gibt keine Philosophie, keine Geschichte mehr, die Dichtkunst allein wird alle übrigen Wissenschaften u. Künste überleben."[64] Es geht nach Schelling damit zugleich um eine „Mythologie der *Vernunft*"[65]. Erst wenn etabliert ist, was da verkündet wurde, wird das Ziel erreicht sein, um das es schließlich auch der Französischen Revolution ging: „Dann herrscht ewige Einheit unter uns. Nimmer der verachtende Blik, nimmer das blinde Zittern des Volks vor seinen Weisen u. Priestern, dann erst erwartet uns *gleiche* Ausbildung aller Kräfte, des Einzelnen sowohl als aller Individuen. Keine Kraft wird mehr unterdrückt werden, dann herrscht allgemeine Freiheit und Gleichheit der Geister."[66]

Auch Fichtes beharrlicher Republikanismus aus dem Geist seiner idealistischen Philosophie müßte nach Verwandtem und Unterscheidendem beschrieben werden. Gewiß verteidigt Fichte etwa in dem schon genannten „Beitrag zur Berichtigung der Urteile des Publikums über die Französische Revolution" deren Rechtmäßigkeit. Aber das ästhetisch-poetische und das historische und historisch-mythische Element bei Friedrich Schlegel und Novalis war doch wohl nicht zuletzt der Versuch, aus der Hermetik einer Bewußtseinsphilosophie vom Typus Fichtes herauszugelangen und das Bewußtsein und die Idee mit einer historischen und politischen Wirklichkeit logisch zu vermitteln und damit eine allgemeine und verbindliche Richtschnur zum Handeln zu geben.

Blicken wir zurück: Die Frühromantiker – d. h. genauer: vor allem Friedrich Schlegel und Novalis – versuchten, ihr Verhältnis zur Revolution auf allgemeine Grundlagen zu bringen. Von einem solchen Standort aus wollten sie die Ideen der Revolution, die sie akzeptieren konnten,

so und in einer Form verkünden, die nicht an die momentanen Verstrickungen der politischen Verhältnisse in Europa und insbesondere auch an die keineswegs revolutionären Zustände in Deutschland gebunden blieb. Es ging um die „Teleologie der Revolution“ [67]. Dieser Versuch ist weder ohne Würde noch ohne Plausibilität noch auch ohne jeden Realitätssinn. Aber er schloß die Gefahr ein, in mindestens zwei extreme Richtungen mißverstanden zu werden: Wo man den transzendentalen Charakter des Entwurfs nicht begriff, lag es nahe, die Inhalte selbst für bare Münze zu nehmen und das Eintauchen in die Geschichte als ein Programm praktischer Restauration anzusehen, ebenso aus dem Preis der Monarchie in Hardenbergs Staatsschrift eine unmittelbar gemeinte Staatsphilosophie und Staatslehre abzuleiten. Zwar ist unwahrscheinlich, daß die spätere romantische Staatsphilosophie etwa bei Adam Müller direkt von Novalis beeinflußt worden wäre. Aber es ist doch keine Frage, daß die früheren Auffassungen im weiteren Verlauf der Epoche eine ihren Sinn verkehrende falsche Wendung zur Wirklichkeit genommen haben [68]. Freilich hat Friedrich Schlegel selbst seine Position nicht halten können und das Absolute in einer definierbaren Form der Inkarnation gesucht, als er zum Katholizismus konvertierte.
Die andere Gefahr liegt gerade in dem ursprünglich wohlbedachten formalen Charakter der Idee, die zwar von der Geschichte her mit Inhalt gefüllt werden sollte, aber doch ein wesentliches Element der Willkür behielt. Es war nicht auszuschließen, daß die Absolutheit der Idee von totalitären Staatsmodellen her okkupiert und verfälscht werden konnte und daß damit gerade die Gedanken der Freiheit und Gleichheit in einer fatalen Paradoxie liquidiert wurden. Anfällig dafür ist freilich eine Haltung, die, bei allem intensiven Bemühen um wissenschaftliche Erkenntnis auch im einzelnen, gleichwohl den Kontakt zur Realität verlieren kann: Wie Novalis 1798 an August Wilhelm Schlegel schreibt: „Machen mir's die Empiriker zu toll, da mache ich mir eine empirische Welt, wo alles hübsch nach speculativem Schlendrian geht.“ [69] Und ein paar Wochen später: „... meine alte Neigung zum Absoluten“ hat mich „auch diesmal glücklich aus dem Strudel der Empirie gerettet, und ich schwebe jetzt und vielleicht auf immer in lichtern, eigenthümlichern Sphären“ [70]. Die politische Geschichte und die Geistesgeschichte, jedenfalls in Deutschland, ist nicht zuletzt eine Geschichte von Glanz und Elend des romantischen Gestus zur Revolution und der Substanz ihrer Gedanken.

[1] Vgl. Andreas Müller, Die Auseinandersetzung der Romantik mit den Ideen der Revolution, in: Romantik–Forschungen (DVjs-Buchreihe 16), Halle 1929, S. 243 bis 333, hier S. 254.
[2] Wilhelm Heinrich Wackenroder, Werke und Briefe, Heidelberg 1967, S. 405.
[3] Ebd. S. 411.
[4] Ebd. S. 435.
[5] Vom 10. Februar 1793, zitiert bei Adolf Stern, Der Einfluß der Französischen Revolution auf das deutsche Geistesleben, Stuttgart-Berlin 1928, S. 206.
[6] Friedrich Schlegel, Briefe an seinen Bruder August Wilhelm, hrsg. von Oskar Walzel, Berlin 1890, S. 145 f.
[7] Friedrich Schlegel und Novalis. Biographie einer Romantikerfreundschaft in ihren Briefen, auf Grund neuer Briefe Schlegels hrsg. von Max Preitz, Darmstadt 1957, S. 53.
[8] Das meiste zusammengestellt bei Müller, Die Auseinandersetzung und Stern, Einfluß der Französischen Revolution.
[9] Müller, Die Auseinandersetzung, S. 266.
[10] Vgl. Stern, Einfluß der Französischen Revolution, S. 200.
[11] Ebd. S. 201.
[12] Novalis, Schriften. Die Werke Friedrich von Hardenbergs, hrsg. von Paul Kluckhohn (†) und Richard Samuel, 2. Aufl., Bd. 2: Das philosophische Werk I, hrsg. von Richard Samuel in Zusammenarbeit mit Hans-Joachim Mähl und Gerhard Schulz, Stuttgart 1960, S. 503. (Im folgenden zitiert als Novalis, Schriften.)
[13] Stern, Einfluß der Französischen Revolution, S. 204.
[14] Hermann August Korff, Geist der Goethezeit III: „Romantik: Frühromantik", Leipzig 1940, S. 347.
[15] Friedrich Schlegel, Briefe an seinen Bruder August Wilhelm, S. 267.
[16] Friedrich Schlegel, 1794–1802. Seine prosaischen Jugendschriften, hrsg. von Jakob Minor. 2 Bde, Wien 1882, II, S. 242. (Im folgenden zitiert als Minor I/II.)
[17] Minor II, S. 220 f.
[18] Preitz, Friedrich Schlegel und Novalis, S. 108 f.
[19] Minor I, S. 116.
[20] Werner Weiland, Der junge Friedrich Schlegel oder Die Revolution in der Frühromantik (Studien zur Poetik und Geschichte der Literatur 6), Stuttgart 1968.
[21] Das läßt sich – sieht man auf einen weiteren Kontext und Sinnzusammenhang – auch kaum mit dem bekannten Satz aus einem Brief Friedrichs an den Bruder August Wilhelm zureichend belegen: „Bey der Griechischen Politik ist dem Himmel sey Dank keine Gefahr. [. . .] Die Obskurität der abstrakten Metaphysik wird mich schützen, und wenn man nur für Philosophen schreibt, so kann man unglaublich kühn seyn, ehe daß jemand von der Polizey Notiz davon nimmt, oder die Kühnheit auch nur versteht." (Friedrich Schlegel, Briefe an seinen Bruder August Wilhelm, S. 258.)
[22] Weiland, Der junge Friedrich Schlegel, S. 39.
[23] Ebd. S. 43.
[24] Minor I, S. 10. Vgl. zum Folgenden auch: Richard Brinkmann, Romantische Dichtungstheorie in Friedrich Schlegels Frühschriften und Schillers Begriffe des

Naiven und Sentimentalischen. Vorzeichen einer Emanzipation des Historischen, in: Deutsche Vierteljahrsschrift 32 (1958), S. 344–371.

[25] Minor I, S. 234.

[26] Friedrich Schlegel, Vom Wert des Studiums der Griechen und Römer. Zum ersten Mal gedruckt in dem Band: August Wilhelm und Friedrich Schlegel, in Auswahl hrsg. von Oskar Walzel (Kürschners Deutsche National-Litteratur 143), S. 245–269, hier S. 247.

[27] Walzel, August Wilhelm und Friedrich Schlegel, S. 265.

[28] Ebd. S. 264f.

[29] Minor II, S. 236.

[30] Zitiert nach Hans Eichner, Friedrich Schlegel's Theory of Romantic Poetry, in: PMLA, 71 (1956), S. 1018–1041, hier S. 1028, Anm. 23.

[31] Minor II, S. 70.

[32] Novalis, Schriften III, S. 493.

[33] Wilfried Malsch, ‚Europa'. Poetische Rede des Novalis. Deutung der Französischen Revolution und Reflexion auf die Poesie in derGeschichte, Stuttgart 1965.

[34] Ebd. S. 23.

[35] Novalis, Schriften II, S. 454.

[36] Ebd. I, S. 259.

[37] Ebd. III, S. 522.

[38] Ebd. III, S. 575.

[39] Malsch, ‚Europa', S. 24.

[40] Novalis, Schriften III, S. 524.

[41] Preitz, Friedrich Schlegel und Novalis, S. 53.

[42] Novalis, Schriften III, S. 393.

[43] Ebd. III, S. 421.

[44] Ebd. III, S. 490.

[45] Preitz, Friedrich Schlegel und Novalis, S. 122.

[46] Ebd. S. 114.

[47] Novalis, Schriften II, S. 488.

[48] Ebd. II, S. 489.

[49] Ebd. II, S. 490.

[50] Ebd. II, S. 490.

[51] Ebd. II, S. 459.

[52] Ebd. II, S. 490.

[53] Ebd. II, S. 468.

[54] Ebd. II, S. 432.

[55] Ebd. II, S. 501.

[56] Ebd. II, S. 503.

[57] Ebd. III, S. 416.

[58] Ebd. II, S. 503.

[59] Ebd. II, S. 499.

[60] Hans Wolfgang Kuhn, Der Apokalyptiker und die Politik. Studien zur Staatsphilosophie des Novalis, Freiburg 1961.

[61] Novalis, Schriften II, S. 459.

[62] Vgl. dazu Kuhn, Der Apokalyptiker und die Politik, S. 128ff.

[63] Das älteste Systemprogramm des deutschen Idealismus. Ein handschriftlicher Fund, mitgeteilt von Franz Rosenzweig, Sitzungsberichte der Heidelberger Akademie der Wissenschaften, Philosophisch-historische Klasse, Heidelberg 1917, S. 6. Trotz neuerer anderslautender Vermutungen über den Autor, scheint mir Schelling nach wie vor die einleuchtendste Hypothese.

[64] Rosenzweig, Systemprogramm, S. 7.

[65] Ebd.

[66] Ebd.

[67] Novalis, Schriften III, S. 575.

[68] Malsch, ‚Europa', S. 10f.

[69] Novalis, Briefwechsel mit Friedrich und August Wilhelm, Charlotte und Caroline Schlegel, hrsg. von J. M. Raich, Mainz 1880, S. 57.

[70] Ebd. S. 58.

Aufklärung über Lichtenberg

Mit Beiträgen von Helmut Heißenbüttel, Armin Hermann, Wolfgang Promies, Joseph Peter Stern, Rudolf Vierhaus.

1974. IV, 93 Seiten, kart.

(Kleine Vandenhoeck-Reihe 1393)

Lichtenberg war einer der wenigen großen Schriftsteller der Aufklärung in Deutschland. Mühelos widerlegt er die landläufigen Vorurteile gegen die Aufklärung, immer wieder erweist sich sein Denken als verblüffend modern. Dabei sind historische Stellung und geistige Aktualität nicht voneinander zu trennen, um beides geht es in den Beiträgen dieses Bandes. Er vergegenwärtigt Lichtenberg in seiner Zeit und für unsere Zeit.

Walter H. Bruford · Kultur und Gesellschaft im klassischen Weimar 1775—1806

Aus dem Englischen übersetzt von Karin McPherson

1967. 425 Seiten mit 10 Bildtafeln, Leinen; Paperback-Ausgabe in der Sammlung Vandenhoeck

„Es geht dem Verfasser nicht in erster Linie um die dichtungsgeschichtliche Komponente, sondern um den sehr viel weiteren Bereich des Bildungsbegriffs schlechthin, wie er sich in schneller Aufgipfelung damals in Weimar klärte und von dort aus das gesamte deutsche Geistesleben auch der Folgezeit entscheidend bestimmte." *Willy Real / Hist. Jahrbuch*

Hölderlin ohne Mythos

Herausgegeben von Ingrid Riedel.

1973. 90 Seiten, kart.

(Kleine Vandenhoeck-Reihe 356/358)

Inhalt: *Pierre Bertaux*, War Hölderlin Jakobiner? / *Winfried Kudszus*, Versuch einer Heilung. Hölderlins spätere Lyrik / *Rolf Zuberbühler*, Etymologie bei Goethe und Hölderlin / *Helmut Prang*, Hölderlins Götter- und Christus-Bild / *Lawrence Ryan*, Zur Frage des „Mythischen" bei Hölderlin / *Hans-Wolf Jäger*, Diskussionsbeitrag: Zur Frage des „Mythischen" bei Hölderlin.

Leo Kreutzer · Heine und der Kommunismus

1970. 38 Seiten, engl. brosch.

(Kleine Vandenhoeck-Reihe 322)

„... Widersprüchlichkeiten in Heines Äußerungen werden verständlich. Vor allem jedoch werden die Vorbehalte gegenüber jeglicher banaler Gleichmacherei deutlich, mit denen Heine seinen literarischen Kampf für eine bessere Gesellschaft abgrenzte. Und hier stand er interessanterweise an der Seite von Karl Marx." *Die Welt der Literatur*

VANDENHOE[...] [...]N UND ZÜRICH